[제2판]

학교사회복지론

장 수 한

KNOWLEDGE COMMUNITY 공동체

COVID-19로 불리는 질병은 우리나라의 2019년 12월 이후의 사회에 많은 변화를 가져왔다. 특히 학교와 학생들에게 예전에 경험하지 못한 새로운 장면과 문화를 던져주었다. 사회변화와 다양한 욕구는 우리 사회에서 다양한 문화와 과제들을 제시하고 있다. 그러나 이러한 현상과 과제들은 밖으로 드러나는 현상만으로는 설명이 어렵고 사회변화의 여러 요인과 이에 대한 적응형태로 만들어지는 문화의 본질과 흐름을 사회적 상호작용으로 이해할 필요가 있다.

팬덤 문화와 SNS가 대표적인 것으로서, 새로운 문화이며 청소년들에게는 매우 익숙하고 일상화된 생활의 문화이다. 그러나 COVID-19로 인해 대면 접촉과 상호작용의 부족으로 학교현장과 사이버 공간에서도 새로운 변화가 나타났다. 또한 2020년부터 청소년의 선거권이 18세로 하향되었고 인터넷과 휴대폰의 급속한 발달로 청소년들의 욕구가 매우 다양하게 되었다.

개정판에서는 사회변화와 학생들의 변화에 학교와 학교사회복지사가 어떻게 접근할 것인지에서 기존의 책을 보완하고자 하였다.

특히 청소년기는 사회변화에 민감하며 급격한 변화 속에서 다양한 사회적 양상과 부적응의 새로운 문화가 생성되고, 그 파급효과는 민감한 감수성을 지닌 청소년 세대에게 가장 크게 나타난다. 이러한 면에서 청소년들에게 학교와 문화는 두 가지 큰 축으로 볼 수 있다. 따라서 청소년들에 대한 접근을 그들의 생활의 장(학교)과 그들의 요구를 반영한 문화를 중심으로 하는 것은 매우 자연스러운 것이다.

학교사회복지는 초기에는 학생 개인에 대한 개인수준 사회복지실천에 한정되었으나 오랜 발달과정을 거치면서 학생 개인뿐 아니라 가족, 학교, 지역사회 등의 환경적 요소와 예방적 접근까지도 포함하는 확장된 정의를 가지게 되었다.

본 서는 크게 세 부분으로 구성되어 있다.

Ⅰ부에서는 사회변화와 학교·청소년으로서 사회변화 속에서 학교 및 청소년들의 욕구와 특성을 다루고 있다.

Ⅱ부에서는 학교사회복지의 개념과 실천이론, 과정, 역할, 정책과 제도, 지역사회 등 학교사회복지의 이론을 다루고 있다.

Ⅲ부에서는 학교사회복지의 실천현장에서 접근해야 할 분야 중 전문가로서 학교사회복지사가 다루어야 할 프로그램 실제로 사례관리, 상담, 진로지도, 빈곤 아동·청소년 문제, 학교부적응, 학교폭력, 이주배경 아동·청소년, 비행 등에 대한 개입을 다루고 있다.

본 서는 저자 본인의 청소년 상담실, 청소년 자활지원관, 종합사회복지관에서의 청소년과 학교사회복지에 대한 오랜 경험과 현장 실무자들의 수많은 토론과 열정의 결실이기도 하다. 그동안 학교사회복지의 현실과 과제에 대해 밤새워 토론하고 공감한 결과에 대해 감사드린다.

따라서 결론이라기보다 모두의 과제로 보아야 한다는 함의에 도달했다. 이러한 면에서 많은 수정과 보완할 점에 대해 독자 여러분들에게 이해를 구하고, 앞으로의 과제로 고민할 것을 약속드린다.

2023년 2월

저자 장수한

CONTENTS

PART 03 프로그램 실제

PART
01

사회변화와 학교 · 청소년

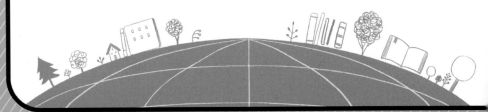

CHAPTER

01 청소년의 발달과 사회환경

청소년 복지정책과 프로그램을 개발하고 수행하기 위하여 각 발달단계에서 청소년이 직면하는 생애과업(life task)을 숙지하는 것은 사회복지사에게 매우 중요한 일이다. 그런데 이러한 청소년기의 발달과 생애과업은 그들을 둘러싼 사회환경에 크게 영향을 받는다. 따라서 청소년을 잘 이해하고 원조하기 위해서는 발달단계별로 과제를 파악하는 한편, 과업 달성의 실패에서 오는 부적응 문제, 그리고 그들에게 영향을 주는 사회환경 등에 대한 폭넓은 이해가 요구된다.

본 장에서는 Freud의 심리성적 발달이론(Psychosexual Development), Erikson의 심리사회적 발달이론(Psychosocial Development), Piaget의 인지발달이론(Cognitive Development)을 중심으로 청소년기의 발달상의 특징, 사회복지실천의 대상이 되는 발달상의 문제를 파악한다. 또한 가정과 학교, 지역사회 등의 사회환경이 청소년에게 미치는 영향에 대해 알아보도록 한다.

1. 청소년의 발달

청소년기는 아동기에서 성인기로 전환되는 과도기이다. 따라서 청소년기는 생애 발달과정 중 신체적 · 정신적 · 지적 · 사회적으로 가장 다양한 변화가 일어나는 시기이기도 하다. 원래 청소년이라는 말은 라틴어 'adolescere'라는 말에서 온 것으로, 그 의미는 "성숙한 사람으로 성장되어 간다(to grow into maturity)"

는 뜻이다. Freud는 이 시기를 생식기로 분류했으며, 사춘기 이후 전 생애에 걸쳐 계속되는 시기로서 리비도가 다시 성기로 돌아오고 성행위를 통한 성적인 만족을 추구한다고 하였다. 이 시기에 이르면 아동은 이성에 대해 진정한 관심을 가지고 성숙한 사랑을 할 수 있으며, 이 단계에까지 순조롭게 발달한 사람은 이타적이고 원숙한 성격을 지니게 된다.

또한 청소년기는 급격한 신체적 발달과 함께 부모로부터 심리적 이유(psychological weaning)가 이루어지면서 자신의 존재에 대한 새로운 탐색을 시작한다. Erikson은 이 시기를 개인의 자아정체감이 해결되어야 하는 중요한 시기로 간주하였다. 정체감이 형성된 개인들은 확신을 가지고 지속적인 발달과업을 이루어 나간다. 그러나 과도기에 처한 청소년은 주변인(marginal man)으로 정신적으로나 신체적으로 불안정과 불균형을 경험하면서 특정한 발달상의 문제를 보이기도 한다.

1) 발달상의 특징

(1) 신체적 발달

청소년기의 신체적 특징은 급속한 성장과 생식능력의 획득이다. 사춘기(puberty)에 이르면 성인으로서의 신체적 특징을 보이기 시작하는데, 일반적인 경우에 10대 초기에 시작되어 14~18세에 완성된다. 성장 호르몬과 성호르몬의 작용으로 남자, 여자가 지니고 있는 성 기관의 발달과 함께 생식능력을 갖게 되며 키가 급격하게 자라고 몸무게도 증가하여, 남자는 남자로서의 골격을 갖게 되고 여자는 여성의 체형을 갖추게 된다.

청소년 전기에는 급격한 신체발달이 일어나게 되는데, 부분적으로 어른의 수준에 육박한다. 특히 신장과 체중에 있어서는 대개 성인의 90% 수준으로 성장한다. 남자의 경우 정소에서 분비되는 테스토스테론이라는 성호르몬이 남성의 2차 성징을 발현시키며 생식 기능에 직접적인 영향을 미친다. 또 음경이 확대되며 전립선이 발달하고 그 결과 정자를 생산하여 밖으로 내보내게 되어 몽정과 자위행위를 경험하게 된다. 또한 이 시기에는 어깨가 벌어지고 체모가 나면서 근육이 생기고, 후두가 확장되고 성대가 두꺼워짐에 따라 목소리가 낮아지는 변성기가 오며, 피지선 분비의 증가로 소년에서 성숙한 남성으로 성장해 간다. 여성의 경우는 뇌하수체 호르몬의 자극 결과 난소에서 에스트로겐이라는 여성호르몬이 분비되어 월경을 하게 되고 여성으로서의 2차 성징이 발현한다. 또 유방과 골반의 발육이 현저해지고 엉덩이에 지방이 축적되어 여성적인 몸매로 성장하며, 남성과 마찬가지로 음모가 나고 내외 생식기도 발달하여 커진다.

이러한 신체적 변화와 성장으로 청소년들은 자신을 보다 성인과 가까운 존재로 느끼게 되며 남성다움과 여성다움의 성 역할에 민감한 반응을 보이게 된다. 또한 청소년들의 성적 성숙은 청소년들로 하여금 자신의 성숙에 대한 기쁨과 자부심 등 긍정적인 감정과 함께 불쾌감이나 두려움 등 부정적인 감정도 갖게 하는 등 양면적 감정을 경험하게 한다.

(2) 심리적 발달

성호르몬의 생성과 분비가 일어남에 따라 외양이 달라지는 한편 성에 대한 행동양식이나 심리적·정신적 반응에도 변화가 일어나기 시작한다. 현저한 신체적 발육으로 인하여 아동도 아니고 성인도 아닌 어느 세계에도 완전히 소속되지 않은 과도기적인 시기에 놓인 청소년 전기에는 감정의 기복이 심하게 나타난다. 자신에 대한 긍정적 · 부정적 감정이 교차하고 아직 자신을 아이로 취급하는 부모나 형제, 그리고 친구들과 공유할 수 없는 감정을 경험함으로써 고립감을 느끼기도 한다. 또한 신체적 변화에 대한 기쁨과 불안, 도취감과 수치심, 이성에 대한 호기심과 수줍음, 분노, 우울 등은 발달상의 문제를 일으킬 수 있다.

청소년 후기에는 자신의 존재와 의미에 대한 본질적인 의문으로 심각한 고민과 갈등을 경험한다. 전술한 대로 Erikson은 이 시기를 자아정체감(ego identity)을 형성해 나가는 시기라고 설명하고 있다. 자아정체감은 자신의 독특성에 대한 안정된 느낌을 갖는 것으로, 행동이나 사고 혹은 정서의 변화에도 불구하고 변화하지 않는 부분이 무엇이며 자신이 누구인가를 아는 것이다. Marcia (1980)는 자아정체감의 발달상태를 다음과 같이 구분하고 있다.

① **정체감 유실**(identity foreclosure) : 부모나 사회의 가치관을 자신의 것으로 그대로 선택함으로써 위기를 경험하지 않고 쉽게 의사결정을 내리지만 자율적인 의사결정을 하지 못한 상태이다.

② **정체감 유예**(identity moratorium) : 정체감 위기 상태에서 자신의 정체감을 확립하기 위해 다양한 역할실험을 수행하고 있는 상태로 정체감 성취 또는 정체감 혼란 중 어느 방향으로도 나아갈 수 있는 가능성이 있는 상태이다.

③ **정체감 혼란**(identity diffusion) : 정체감을 확립하기 위한 노력도 없고 기존의 가치관에 대한 의문도 제기하지 않는 상태이다.

④ **정체감 성취**(identity achievement) : 위기를 극복하고 정치적 또는 개인적 이념체계를 확립하여 자율적인 의사결정을 하며 직업적 역할을 성공적으로 수행할 수 있는 상태이다.

정체감 형성의 중요성을 강조하는 연구자들은 청소년 후기의 적절한 정체감 형성이 심리적 건강의 초석이며 성인기 이후 건강한 삶의 터전이 된다고 한다. 반면 정체감 혼란은 성인기 발달과제를 성취하는 데 방해가 된다고 주장하고 있다.

(3) 인지발달

청소년기는 신체적인 성숙과 함께 인지적 능력도 확대된다(이인정, 1995). 청소년기의 사고는 점차 성인과 유사해지며 아동기와는 전혀 다른 유형의 사고를 한다. 청소년 자신의 지각과 경험보다는 논리적 원리에 의해 지배를 받기 때문에 보다 추상적인 사고가 가능해지며 경험하지 못한 사건에 대한 가설을 설정하여 미래의 사건을 예측할 수 있다.

Piaget는 청소년기의 인지능력 발달을 구체적 조작 사고(concrete operational thought)에서 형식적 조작 사고(formal operational thought)로의 전환이라고 하였다. 형식적 조작 사고는 가설 연역적 사고, 명제적 사고, 조합적 사고를 포함하고 있다. 따라서 이 시기의 아동은 언어적이고 가설적인 문제를 다룰 줄 알고, 과학적이며 논리적인 추리능력을 보이며 구체적인 현상단계를 넘어 상징적인 사고를 할 수 있는 인지수준에 이르게 된다. 반면 이들의 논리적 기술은 성인의 능력에 도달할 수 있지만, 사물에 대한 종합적 관점이 결여되어 성인만큼 안정되어 있지 않다. 이러한 불안정은 정서적인 면에서 더욱 심하게 나타난다.

(4) 사회적 발달

청소년 전기의 청소년들은 가족으로부터 독립을 원하지만, 또 다른 한편으로는 어떤 특정 집단에 자신을 귀속시키기를 원한다. 그리고 그 집단에 충성을 약속하며 자신을 집단에 동일화시키는 경향이 강하기 때문에 그들에게 중요하고 바람직한 것은 자신과 관계를 맺고 있는 사람들을 즐겁게 해주는 것이다. 그래서 이 시기의 또래집단은 청소년들의 발달에 결정적인 영향을 준다. 건강한 또래집단과의 친화는 이들을 좋은 방향으로 인도하지만 잘못된 집단과의 무분별한 집단행동은 이들이 감당할 수 없는 결과를 초래하기도 한다.

① 가족관계

부모나 가족으로부터 분리되어 친구나 자기 자신에게 의존하려는 경향이 높아진다. 청소년은 부모의 지지와 승인을 필요로 하나 동시에 신체적 성숙이 이루어짐에 따라 부모의 통제를 받지 않으려 하며 부모에게 반항하게 된다. 또한 친구관계에서 배운 가치관을 가족관계에 적용하려고 한다. 심리적인 이유를 맞이하는 과정에서 발생하는 반항적인 행동 때문에 청소년기를 제2의 반항기라고 부른다.

② 친구관계

우정이 가족 간의 사랑보다 더 중요한 시기이므로 청소년들은 가족과 함께 지내는 시간보다 친구와 보내는 시간이 더 많아진다. 청소년들은 또래 지지집단과 강한 유대관계를 형성하고 집단 내에서 자신의 지위와 역할을 배우며 필요한 사회적 기술을 학습하게 된다. 청소년기에는 호르몬 분비의 변화를 통하여 이성에 대한 관심도 증가하나 실제로는 동성의 친구를 더 많이 사귀는 경향이 있다.

2) 사회복지실천 대상이 되는 청소년기의 문제

(1) 신체적 발달

사회복지사는 청소년들이 부정적인 신체 이미지로 인하여 경험할 수 있는 심리적 문제나 증상을 민감하게 다루어야 한다. 잘못된 미의 기준으로 인하여 청소년들이 유해한 식이요법을 하는 경우가 있으며, 심할 경우 음식섭취를 거부하는 신경성 식욕부진증(anorexia nervosa)으로 생명을 잃는 경우도 생긴다. 따라서 청소년의 건전한 신체발달을 지원할 사회복지 프로그램과 서비스가 요구된다.

또 청소년기에는 성적 성숙과 함께 성에 대한 관심이 높아지기 때문에 청소년복지를 담당하는 사회복지사는 청소년들에게 성에 대한 이해를 돕기 위한 다양한 교육 및 상담 프로그램을 제공하여야 한다. 또한 청소년기의 대표적인 성문제인 미혼부 · 모 문제와 성폭력 문제를 예방하기 위한 개입도 필요하다.

(2) 심리적 발달

청소년기의 중요한 발달과업은 자아정체감의 형성이다. 사회복지사는 청소년들의 자아정체감 형성을 지원하기 위한 다양한 프로그램을 개발하고 실천해야 하는 과제를 안고 있다. 또한 청소년의 정신건강과 건전한 심리적 발달을 지원하기 위한 프로그램의 개발과 실천도 긴급히 요구되고 있다.

(3) 사회적 발달

청소년 비행(juvenile delinquency)은 청소년의 사회적 발달과 관계가 깊다. 청소년 비행은 일탈행동 또는 청소년 범죄와 유사하며 사회 또는 집단에서 규정하는 규범이나 규칙을 위반하는 일체의 행위를 말하나, 좁게는 소년법정의 소송 대상이 되는 행위를 의미한다. 대중매체의 선정성, 유흥업소의 증가, 음란통신 등 청소년 유해환경이 갈수록 증가하고 물질 만능주의 사회 풍조 속에 청소년들이 비행 행위에 빠질 수 있는 위험은 점점 높아가고 있다. 또한 디지털범죄, 사이버범죄 등의 문화를 반영한 범죄도 늘어나고 있다.

청소년 비행문제는 적극적인 예방대책이기보다는 사후대책에 국한된 편이다. 앞으로 청소년 문제를 야기하는 사회구조의 개선을 통한 문제 예방과 사회복귀 차원에서의 개입이 요구된다.

2. 청소년과 사회환경

청소년은 가정과 학교, 그리고 지역사회 등 그 사회 자체가 안고 있는 과제와 경향에 크게 영향을 받으며 살아가고 있다. 그런데 이러한 과제와 경향은 시대에 따라 변화해 왔다. 실제 현대 사회복지의 출발점이라 할 수 있는 베버리지 시대와 지금의 청소년들은 매우 다른 사회환경에 노출되어 있는데, 바로 이러한 인식이 청소년복지실천의 기초라고 할 수 있다.

Beveridge가 남성 임금노동자의 라이프사이클에 맞추어 '요람에서 무덤까지'의 복지국가를 상정했던 시대배경과 비교해 현재는 사람들의 역할규범에 관한 가치가 변화하였다. 현재는 일반적으로 노동시장에의 여성의 참여가 점점 높아지고 있으며 더 이상 '일하는 아버지', '가사·육아에 전념하는 어머니'라는 고정적인 역할을 기반으로 하는 가족상이 보편적이지 않다. 따라서 이러한 시대변화에 따른 사회환경의 변화는 청소년의 인생모델에도 보다 유연성과 다양성을 요구하는 것이다.

1) 저출산의 영향

청소년에 대한 개입을 큰 틀의 실천계획으로 본다면 이는 청소년을 둘러싼 사회 전반의 변화와 문제점에 대한 대응책이어야 한다. 거시적 관점에서 최근 가장 문제가 되는 상황은 역시 낮은 출산율의 문제이다. 이는 아동·청소년복지 문제에 국한되지 않고 고령화문제, 사회보장문제, 가족문제 등 우리 사회의 미래를 전망하는 데 있어 불안을 던져주는 심각한 사회정책상의 이슈이다.

우리나라만큼 짧은 기간에 초저출산 국가가 된 예는 찾기 힘들 정도이다. 우리나라의 합계출산율[1)]은 1960년 6.0명에서 1983년 2.1명으로 대체출산[2)]에 도달한 이래 2000년 1.47명, 2002년 1.17명, 2005년 마침내 1.08명을 기록한 뒤 2009년 1.15, 2016년 1.24명으로 약간 회복되었지만 이 같은 수치는 OECD 국가 중 최하위이다. 2018년 통계청 발표에 따르면 0.98명, 2022년 0.79명으로 매우 심각한 상태이다. 일본의 경우도 1989년 통계사상 최저를 기수립하였다. '1.57 쇼크'가 국회를 떠들썩하게 했으며 이를 계기로 저출산 대책인 '엔젤플랜'이 수립되었다.

우리나라는 1980년대부터 학령인구가 지속적으로 감소하고 있으며, 교육부(2016년 교육기본통계)의 조사 결과 전체 초 · 중 · 고교 학생 수는 총 588만 2,790명으로 2015년 대비 20만 6,037명이 감소했다. 지난 2011년 초 · 중 · 고교 학생 수는 698만 명으로 집계되어, 학생 수 600만 명대를 기록한 이래 2012년 672만 명, 2013년 648만 명, 2014년 628만 명, 2015년 608만 명 등 지속적으로 감소해 오다 2016년 처음으로 학생 수가 500만 명대로 떨어진 것이다.

2022년 교육 기본통계에 의하면 전체 유 · 초 · 중등 학생 수는 5,879,768명으로 전년(5,957,118명) 대비 77,350명(1.3%↓) 감소하였고, 초 · 중 · 고교 학생 수는 5,275,054명으로 전년(5,323,075명) 대비 48,021명(0.9%↓) 감소하였다. 유치원은 552,812명으로 29,760명(5.1%↓) 감소, 초등학교는 2,664,278명으로 8,062명(0.3%↓) 감소, 중학교는 1,348,428명으로 2,342명(0.2%↓) 감소, 고등학교는 1,262,348명으로 37,617명(2.9%↓) 감소, 기타학교는 51,902명으로 431명(0.8%↑) 증가하였다.

1) 어떤 해에 태어난 아동의 수를 전체 인구로 나눈 수치가 출산율인데, 출산율을 계산할 때 분모의 인구수를 출산가능 연령(15~49세) 여성에 한정한 것이 합계출산율이다. 예를 들면, 25세의 여성이 100만 명이라고 하고 어떤 해에 25세 여성이 5만 명의 아동을 낳았다고 하면 25세 여성의 출산율은 5만÷100만=0.05이다. 같은 요령으로 15세부터 49세 연령층의 출산율을 구해 합산한 것이다. 대개 이 수치는 한 사람의 여성(미혼, 기혼 상관없이)이 일생 동안 출산하는 아동의 수와 근사치이다(http://www.pat.hi-ho.ne.jp).

2) 합계출산율이 2이면 부부가 2명의 아기를 낳아 인구가 현 수준으로 유지되지만 2 미만일 경우 인구 감소를 가져온다. 통계청은 2020년경 인구 성장이 정지될 것으로 추정하고 있다.

한편, 전국 유·초·중등학교 수는 20,696개교로 전년(20,772개교) 대비 76개교(0.4%↓) 감소하였는데, 이 중 초등학교 및 중학교 수는 9,421개교로 전년(9,402개교) 대비 19개교(0.2%↑) 증가하였으며, 특수학교도 전년 대비 5개교 증가하였다. 초등학교는 6,163개교로 6개교(0.1%↑), 중학교는 3,258개교로 13개교(0.4%↑), 기타학교는 340개교로 5개교(1.5%↑)가 각각 증가하였으며, 기타학교 중 권역별 장애인 교육복지 지원 확대를 위한 (공립)특수학교가 5개교(2.7%↑) 증가하였다.

이처럼 출산율이 저하되는 이유는 1961년부터 강력하게 추진된 출산억제정책의 성과이기도 하지만 그 외에도 주로 여성의 고학력화와 만혼화, 비혼화, 높은 양육부담 등 때문으로 풀이되고 있다. 따라서 이 문제를 해결하기 위해서는 여성이 일과 가정을 양립할 수 있는 사회시스템이 확보되어야 한다. 경쟁적인 사회 분위기 속에서 여성이 자신의 커리어를 포기하면서까지 결혼, 또는 자녀양육을 하기는 쉽지 않은 것이 현실이기 때문이다. 따라서 청소년들에 대해서도 전통적인 성역할 관습에서 벗어나 남녀 모두 자녀출산과 양육에 공동부담을 지도록 하는 지도와 개입이 중요하다.

저출산의 영향은 다음의 두 가지로 나누어 생각할 수 있다.

첫째는 사회 전체에 대한 영향이다. 저출산이 진행되면 청년 노동력의 감소와 사회보장 관련 비용의 증가로 사회의 활력이 저하될 수 있다. 저출산의 문제는 장차 경제적으로는 사회보장제도나 경제활동이 무너질 위험이 있으며 사회적으로는 1인 가족이나 무자녀 세대의 증가로 기본적인 주민 서비스의 제공에 어려움을 가져오고 이는 지금과는 다른 가족과 지역사회의 변화로 이어질 수 있다.

또 하나는 청소년에 대한 영향이다. 자녀 수의 감소로 인한 부모의 과보호와 과도한 간섭은 청소년의 사회성 습득을 어렵게 만든다. 이는 '대인관계의 어려움', 그리고 '작은 일에도 금방 좌절'하는 등의 사회성 발달과 자아성장 곤란으로 이어진다. 또한 외동 자녀들은 청소년기에 유아나 아동과 접할 기회가 적어 그들이 부모가 되었을 때 양육불안으로 이어질 수 있다.

2) 청소년과 가정

청소년은 대부분 가정 안에서 양육되고 가족과의 관계를 통해서 사회적 경험을 쌓으며 장래 자립에 필요한 능력을 키운다. 따라서 가정이야말로 청소년이 생애과업을 달성하는 데 있어 가장 중요한 의미를 지닌 환경이다.

(1) 가정의 형태 변화

우리나라 평균 가구원 수는 점차 감소하고 있다. 2015년 말 기준 가구원 수별 분포를 보면 1인 가구가 27.0%로 가장 많고, 2인 가구 22.2%, 3인 가구 20.9%, 4인 가구 20.9%, 5인 이상 가구 9.9% 순이다(통계청, 2016). 이를 2000년과 비교하면 1인 가구 수가 가장 큰 폭으로 증가하였고 5인 이상 가구는 감소하고 있다. 2015년 일반 가구의 가구원 수별 분포를 보면 1인 가구가 27.0%로 가장 많고, 3인 가구 20.9%, 2인 가구 22.2%, 4인 가구 20.9%, 5인 이상 가구 9.9% 순이다. 이에 따라 가구당 평균 가구원 수는 1970년대까지 5명대였던 것이 1990년의 3.7명에서 1995년 3.3명, 2000년 3.2명, 2005년 2.9명, 2009년 2.76명으로 지속적으로 감소하고 있다. 2016년 기준 일본은 2.5명 이하로 감소했으며, 우리나라도 2020년 2.34명으로 2000년 대비 1인 가구 및 2인 가구의 비중이 커지고 있다(통계청, 2020).

또한 한국의 독특한 가족유형 중 하나인 '소년소녀가장세대'는 IMF를 정점으로 1997년 9,544세대에서 1999년 7,924세대, 2001년 5,248세대, 2003년 3,944세대, 2008년 1,337세대(보건복지통계연보, 각 연도)로 점차 줄어들고 있지만(2015년, 183세대) 부양능력과 책임이 없는 청소년을 '가장'으로 인식하는 일은 정책적으로나 실천적으로 지양되어야 할 것이다.

이혼율의 추이도 가정의 형태변화의 큰 요인이다. 2008년 조이혼율[3)]은 2.4건을 기록하였는데 이혼숙려제도 등의 영향으로 2004년 이후 점차 낮아지고 있으며, 2020년 2.1건, 2021년은 2.0건이다(통계청, 2021).

3) 인구 1천 명당 이혼건수

(2) 가정의 기능 변화

① 청소년의 변화

먼저 청소년의 생활시간의 변화인데, 박정란 등(2014)은 통계청 '생활시간조사보고서'를 인용해서 15~19세 청소년들은 주말과 휴일에 수면(11시간 50분)을 하면서 가장 많은 시간을 보내는 것으로 나타났다고 하였다. 구체적으로 교제 및 여가활동(7시간), TV 시청(3시간 3분), 컴퓨터 게임(2시간 5분), 영화 보기(2시간 2분), 단체 스포츠활동(1시간 54분), 문화・예술 감상(25분)은 극히 드물어 대부분의 청소년들이 집에 머무르고 있음을 알 수 있다.

또 청소년들은 평일에 학습에 8시간을 할애하는 반면 스포츠활동에는 1시간 54분만을 할애하였다. 이를 2009년의 조사와 비교하면 지난 5년간 청소년의 전체 여가시간에는 큰 변화가 없었지만 TV 시청은 수십 분 줄어든 반면 컴퓨터 게임과 인터넷 정보 검색, SNS 시간은 각각 2배 이상 증가해 청소년문화에 정보기술 의존 정도가 높아진 것으로 나타났다.

다음은 아동의 의식변화이다. 2022년 청소년이 가장 고민하는 문제는 '공부'가 31.7%로 가장 많고 '진로・진학 문제'가 26.7%, '신체・용모 및 건강'이 17%, '교우관계' 3.5% 순으로 나타났다. 고민상담 대상은 '친구・동료'가 가장 많은 43.7%였고, '어머니' 25.5%, '형제・자매' 4.8%, '아버지' 4.2% 순이었다(통계청, 2022).

이 밖에도 고학력화로 예전에 비해 사회인이 되기까지의 기간이 늦어지는 모라토리엄(유예) 기간이 연장되고 있다. 캥거루족, 헬리콥터, 프리터, 니트 등의 최근 청소년 관련 용어가 상징하는 것처럼 모라토리엄 기간의 연장은 곧 사춘기 문제의 연장을 의미한다. 즉, 앞서 기술한 것처럼 현대 청소년은 신체적으로는 예전에 비해 성숙하지만 사회적인 성숙도는 낮은 '신체적으로는 조숙화하고 사회적으로는 지연화'하는 양상을 보이는 것이다.

한편 입시 경쟁과 학교・가정 등에서의 지나친 간섭은 청소년의 스트레스를 증대시키고 청소년 자신도 과보호, 과잉 간섭을 받고 자란 까닭에 곤란에 처한 경험이 부족해 스트레스에 대한 내성이 저하되는 문제를 보인다. 평상시 스트레스를 '대단히 많다' 또는 '많다'고 느끼는 편인 청소년의 비율은 남자 34.3%, 여자 49.3%로 여학생이 남학생보다 높으며 학년이 올라갈수록 스트레스 인지율이 증가하는 경향을 보이고 있다(보건복지가족부, 2009). 스트레스의 원인은 학업문제(67.0%)가 압도적이었고 다음이 진로문제(13.8%), 가정문제(6.0%), 친구문제(5.7%), 금전문제(3.5%), 기타(2%)로 나타났다(청소년백서, 2015). 이런 상황하에서 학교부적응이나 비행, 왕따 등의 문제가 현재화하여 사회문제로서 부상하고 있는 것이다.

② 부모의 변화

한편 부모는 부모대로 청소년들의 급격한 변화를 감당하기 어려워하며 양육불안을 느끼고 있다. 여기에다 아버지의 권위 상실, 어머니의 취업 증가 등으로 변화를 겪고 있다. 현대의 부모는 긴 통근시간으로 자녀와 접촉하는 시간이 점점 줄어들고, 자녀는 일하고 있는 부모의 모습을 볼 기회가 줄어들었다. 특히 아버지는 청소년 자녀와 어떻게 접촉해야 할지 몰라 예전의 가장으로서의 권위를 잃어가고 있다. 절반이 넘는 아버지들이 자녀가 고민이 생겼을 때 자신과 가장 먼저 의논한다고 믿는 반면에, 실제로 아버지와 고민을 나누는 자녀는 4%에 불과하며, 자녀와 허물없이 이야기하는 편이라 생각하는 아버지 63.8%에 대해 자녀의 49%는 아버지와 대화가 부족하다고 응답한 조사결과(여성개발원, 2005)도 있다.

③ 관계의 변화

저출산으로 자녀 수가 감소하고 부모의 과잉보호, 간섭으로 모라토리엄 기간이 연장되면서 부모의 자녀로부터의 심리적 독립과 자녀의 부모로부터의 독립이 더욱 어려워지고 있다. 여기에 아버지의 심리적 · 물리적 부재는 모자관계를 더욱 밀착시켜 아동의 사회적 자립을 저해하는 요인으로 지적되고 있다. 특히 우리나라는 경쟁적 사회 분위기 속에서 부모의 자녀에 대한 과도한 기대가 서로의 스트레스를 높이는 요인이 되기도 한다. 가족 규모의 축소, 저출산의 진행, 지역사회와의 희박한 관계 속에서 부모 자녀 간에 스트레스가 발생한다.

④ 가정기능의 저하

Murdock은 가족의 기능을 자녀출산, 사회화, 경제적 협조, 성적 욕구 충족이라 하였고, Stark는 가족의 정서적 기능을 특히 강조하였다. 또 Parsons는 가족의 기능을 아동의 사회화, 성인의 퍼스낼리티의 안정화라고 하였다. 우리나라 가족에 초점을 둔 가족 기능으로는 성 및 애정의 기능, 자녀출산과 양육의 기능, 경제의 기능, 교육의 기능, 보호의 기능, 휴식 및 오락의 기능, 종교의 기능이 논의된다.

그러나 현대 가정이 가진 기능은 각종 사회제도의 발달로 많은 부분이 축소되고 있다. 오늘날의 가정은 상호부조 기능의 저하와 퍼스낼리티의 안정화가 아닌 오히려 스트레스의 발상지로서의 역기능을 보이며 자녀양육 기능이 약화되고 있다.

한편 2021년 아동학대사례를 학대유형별로 보면, 중복학대 16,026건, 신체학대 5,780건, 정서학대 12,351건, 성학대 655건, 방임(유기) 2,793건으로 나타나(통계청, 2021) 가정의 건전한 보호 기능이 저하되고 있음을 보여주고 있다.

3) 청소년과 학교

가정과 함께 아동에게 큰 영향을 주는 곳이 학교이다. 공동체가 붕괴되고 지역 안에서의 인간관계가 소원해지면서 청소년의 인간관계는 학교를 중심으로 형성되게 되었다. 따라서 청소년들은 학교의 획일화된 가치관 아래 많은 시간을 보내게 되었다. 획일화된 가치관이란 학력지상주의, 성적지상주의와 같은 가치관이며 이런 사회를 '학교화 사회'라고 한다. 이처럼 스트레스에서 벗어날 수 있는 가정도, 지역사회도 갖지 못한 많은 청소년들이 '살아가는 어려움'에 직면하고 있다.

2002년부터 실시된 중학교 의무교육에 따라 현행 초·중등교육법 제18조 제1항에는 "의무교육을 받고 있는 학생은 퇴학시킬 수 없다"고 명문화되어 있어 학교에서는 징계나 수업일수 미달과 같은 사유로 학생을 퇴학시킬 수 없게 되었다. 또 1998년 초·중등교육법 시행령을 개정하여 수업일수 10% 이내에서 감축운영이 가능해짐에 따라 2006년부터 전국의 모든 학교에서 월 2회 주 5일 수업제가 실시되었고, 2012년부터 주 5일제 수업이 전면 실시되고 있다.

우리나라 고등학교 졸업자의 대학 진학률은 2016년 69.8%로 처음 70%대가 무너졌다. 대학 진학률은 2010년 75.4%로 정점을 찍은 뒤 2011년 72.5%, 2012년 71.3%, 2015년 70.8%로 계속 하락하고 있다. 그러나 2020년 72.5%, 2021년 73.7%로 나타났다. 진학률 상승의 요인은 2021년 졸업자 수(437,515명) 가, 전년(500,373명)에 비해 62,858명(12.6%)이 감소한 영향이 큰 것으로 해석될 수 있다. 한편 다문화학생은 증가 추세를 이어갔다. 2016년 초・중・고에 다니는 다문화학생은 99,186명으로 2015년보다 20.2%(16,650명) 증가했다. 2012년 46,954명이던 다문화학생 수는 매년 20%가량씩 증가해 2017년 10만 명을 넘어섰다(2017년 109,387명). 국내에서 출생한 다문화학생(79.8%) 증가가 가장 큰 원인으로 분석되었다.

2022년 초・중등(각종학교 포함) 다문화 학생 수는 168,645명으로 전년(160,058명) 대비 8,587명(5.4%↑) 증가하여, 2012년(46,954명) 조사 시행 이후 지속적인 증가 추세를 보였다.

초등학교는 111,640명으로 269명(0.2%↑), 중학교는 39,714명으로 5,764명(17.0%↑), 고등학교는 16,744명으로 2,436명(17.0%↑) 증가하였고, 각종학교는 547명으로 118명(27.5%↑) 증가하였다.

초・중등 학생 중 다문화 학생 비율은 3.2%로 전년(3.0%) 대비 0.2%p 상승하였다. 구체적으로 초등학교가 4.2%, 중학교 2.9%, 고등학교 1.3%로 전년 대비 초등학교 동일, 중학교 0.4%p, 고등학교 0.2%p 상승하였다.

부모 출신국별 다문화 학생 비율은 베트남 32.4%, 중국(한국계 제외) 24.3%, 필리핀 9.6%, 중국(한국계) 7.1%, 일본 4.7%이다.

유형별 다문화 학생 비율은 국제결혼가정(국내출생)이 74.7%(126,029명)로 가장 높았고, 외국인가정 19.4%(32,678명), 국제결혼가정(중도입국) 5.9%(9,938명)이다.

다문화학생이 차지하는 비율은 초등학생(2.8%)이 가장 높았고, 부모의 출신 국적은 베트남이 24.2%로 가장 많았으며, 이어 중국(21.3%), 일본(13.0%), 필리핀(12.6%), 한국계 중국(12.4%)이 그 뒤를 이었다(통계청, 2016).

4) 청소년과 지역사회

예전 가정과 학교 사이에는 지연과 혈연을 기반으로 한 다양한 공동체가 완만한 연속성을 이루며 존재하고 있었다. 전통적인 공동체는 부모의 일을 돕거나 친구들과의 놀이, 청년조직, 통과의례 등을 통해 청소년들이 사회화시키는 시스템으로 유지되었다. 청소년들은 이를 매개로 협조성과 공동체의 규범의식을 습득해 가면서 직업교육과 성교육을 받았다고 할 수 있다.

그러나 현대 산업사회는 일반적으로 지역사회의 약체화를 가져왔다. 이웃 간의 대화가 없어지고 형식화되는 경향이 뚜렷하며 사회참가에 대한 관심이 저하되고 개인 지향적이다. 예전에는 여러 가지 이유로 어려움에 직면한 가족을 지역사회가 원조하는 상부상조의 전통이 있었지만 사회가 발전하면서 이는 사회시스템 안에서 공적으로 지원하도록 하고 있다.

이처럼 지역사회의 상황이 변화하면서 청소년이 지역사회에서 성장하는 것도 어려워졌다. 즉, 공동체, 공동성이 붕괴되었다. 옛날 지역사회는 청소년이 성인이 되어가는 과정을 지원하는 여러 구조가 비공식적 형태로 존재하고 있었다. 또 가정 내에서도 다양한 친족이 함께 살며 그들과의 교류 속에서 '생활의 기술'을 취득할 수 있었다. 나아가 가족과 지역사회의 경계는 지금처럼 확실하지 않고 가정 내에서만 청소년의 성장이 독점적으로 이루어지는 사회가 아니었다. 이런 변화 속에서 현대 청소년은 불안정하고 다감한 청소년기의 과정을 수행해 내기 어렵게 되었다.

인간관계가 소원한 현대사회에서 존재감을 실감할 수 있는 기회는 매우 한정적이다. 이러한 상황에서 청소년이 어른들의 평가나 관리를 받지 않고 마음의 안정과 사회화를 촉진할 수 있는 장소가 절실하다. 원래 이와 같은 기능은 지역사회에 존재하였지만 지금은 공동성의 상실로 이러한 곳을 찾기 힘들다. '청소년문화의 집' 등이 이러한 목적으로 설립되었지만, 청소년의 거점시설로서의 역량은 충분하지 않다.

주 5일 수업제의 확대에 따라 청소년의 방과 후 건전한 체험활동 등을 목적으로 '청소년문화존'이 설치되었다. 지난 2004년부터 '청소년문화존'이라는 이름으로 실시된 전국 대상 청소년 사업은 2017년 '청소년 어울림 마당'으로 명칭을 변경하였다. 청소년뿐만 아니라 지역사회와 소통할 수 있는 지역 축제의 장으로 문화예술, 스포츠 등을 소재로 한 공연, 경연, 전시, 놀이체험 등 다양한 청소년 활동이 펼쳐지는 장으로 청소년의 접근이 용이하고 다양한 지역사회 자원이 결합된 일정한 공간을 의미한다. 2022년 기준 16개 시 · 도 110개 시 · 군 · 구, 총 126개소가 운영되고 있다.

그러나 청소년 비행 방지활동, 안전사고 방지활동의 경우 어디까지나 성인들의 활동으로, 청소년이 주체가 되는 활동이 아니다. 청소년과 관련한 지역사회활동은 그들이 주체가 되는 장을 제공해야 하며 이는 지역사회와 청소년복지의 과제이다.

계몽활동은 미디어를 활용한 전국적 캠페인 활동부터 행정에 의한 홍보활동, 그리고 입소문을 통한 계몽활동과 같이 청소년들의 생활에 밀착한 활동이 한층 강화되어야 한다. 이런 의미에서 학교의 부모회, 어머니교실, 청소년지도위원 활동 외에도 사회복지관을 비롯한 각종 사회복지시설의 계몽활동 등이 효과적이다.

예방활동은 주로 건강 차원에서 비만예방 · 치료, 약물중독, 정신건강 등 보건사업이 중점적으로 이루어지고 있는데, 여기에다 공해, 사고방지, 비행방지 등 구체적 예방활동도 전개되어야 한다.

마지막으로 지역사회가 청소년문제를 조기에 발견하는 기능을 해야 한다. 왜냐하면 개별 가족이 고립되어 가는 상황에서 학대와 양육 거부, 은둔형 외톨이 같은 청소년문제에 대해 청소년 자신 혹은 가족이 문제 해결의 동기를 마련하기는 어렵기 때문이다. 따라서 지역사회 주민들에 의한 청소년문제 조기발견 시스템의 구축이 필요하다.

CHAPTER

02 교육과 학교환경의 이해

학교는 학생들에게 기본적인 지식을 제공하고 다양한 가치관과 꿈을 실현할 수 있도록 도와줄 수 있는 장소여야 한다. 또한 '삶의 공간'으로서 가정과 지역사회와 더불어 학생들을 돌보고 안전한 환경 속에서 성장하도록 하며, 학생 개별적 특성을 이해하고 허용하는 곳이어야 한다. 특히 학생들이 행복해야 할 공간으로, 즐겁게 뛰어놀 수 있는 곳, 마음의 안정을 느끼고 더불어 살아가는 힘이 생기는 곳이 바로 학교여야 한다. 그러므로 학교는 학생들에게 있어 단순한 교사나 친구와의 상호작용의 공간을 넘어 건강한 사회 구성원으로서 성장하는 데 있어 중요한 역할을 담당해야 한다. 또한 학생들이 학교를 통해 전인교육 차원에서의 지식과 기술을 습득하고 사회에 적응할 수 있는 능력을 발달시켜 나갈 수 있는 장을 마련해 주어야 한다(주석진 외, 2013). 학교의 범위에 대한 정의는 다소 광범위하고 복잡한 한계가 있으므로, 여기서는 초등학교부터 고등학교 범위에서의 학교라고 설정해 두도록 한다. 이에 본 장에서는 학교교육의 목적, 학교의 기본 기능, 학교조직의 특성과 조직형태, 학교문화와 분위기 그리고 학교재정에 대하여 알아보고자 한다.

1. 학교교육의 목적

학교교육의 근본 목적은 학생의 지식과 진리를 추구하는 능력에 따라 지도하는 것이다. 즉, 민주주의적 생활양식을 습득하도록 준비해 주고, 학생으로 하여금 자존심과 자기 훈련 및 개인을 존경하는 도덕관을 발전시키도록 도우며, 학생으로 하여금 행복감과 위신을 갖고 생활을 영위할 수 있도록 준비하는 데 있다. 그것은 현대 민주주의가 요구하는 전인교육 실현에서 일어나는 사회적, 경제적, 정서적 및 정신적 활동에서 오는 많은 문제들을 해결할 수 있도록 도와줌으로써 교육의 사명에 기여하며, 학생으로 하여금 자기 잠재력을 충분히 발휘하여 자기가 소속한 사회에서 자기가 맡은 사회적 기능을 충분히 수행할 수 있도록 돕는 것이다(성민선 외, 2012).

2. 학교의 기본 기능

1) 삶의 공간

학교는 일종의 '삶의 공간'으로서 가정과 지역사회와 더불어 학생의 삶을 허용하는 곳이어야 한다. 또한 학생들이 삶을 가꾸고 자신의 소중함을 알게 하며, 앞으로의 희망을 키우는 곳인 동시에 하나의 온전한 인간으로 성장시키는 곳이 바로 학교여야 한다. 그 이유는 학생들이 학교를 행복한 공간으로 느끼고 경험할 때 비로소 학교는 가정과 더불어 학생들의 성장기 및 그 이후의 삶에 중요한 영향을 줄 수 있기 때문이다.

2) 배움의 공간

배우는 공간으로서 학교는 수업과 생활지도를 통해 학생들이 올바른 행위를 할 수 있는 의지를 기르게 해줌으로써 그들을 도덕적 존재로 성장시켜야 한다는 과제를 지니고 있다. 따라서 학교는 개별 학생이 지식의 세계를 배워

나가며 도덕적으로 고유한 존재가 됨으로써 보편적 인격성장에 도달하도록 도와야 한다.

3) 사회화의 공간

학교는 학생들에게 교육을 통해 사회적으로 건강하고 성숙한 성인으로 준비될 수 있도록 돕는다. 넓은 의미에서 교육은 사회화를 이루는 과정이라 할 수 있는데, 이는 학생들이 사회적 접촉과 상호작용을 전제로 하는 교육을 통해 사회화되고, 그 결과 사회에서 살아가야 할 능력을 획득하기 때문이다. 따라서 학교교육에 부여된 사회적 기능은 전인적·개별적 기능과 더불어 통합된 기능을 제공해야 한다.

4) 직업 및 사회적 실천을 위한 공간

학교는 학생에게 삶에 대한 준비를 시켜야 하고 또 그러기 위해서는 사회적으로 요구되는 지식과 기능을 우선적으로 가르치고 전수해야 한다. 또한 학교는 학생에게 직업의 의미와 가치를 알려주고 이러한 가치가 사회에서 바람직한 직업 활동으로 이어지도록 해야 한다. 이러한 사회적 기능에 초점을 맞추어 볼 때 학교는 인력을 양성하는 기관으로서 학생들이 자신의 적성과 흥미에 맞추어 학습하고 그와 관련된 곳에서 직업체험 경험을 가짐으로써 미래의 직업관을 확립해 나갈 수 있도록 도와야 한다(주석진 외, 2013).

3. 학교조직의 이해

1) 학교조직[1)]의 특성

(1) 수평적 구조

교사들은 수업을 진행하고 학급을 운영하는 기본적인 업무와 행정업무를 맡고 있으며, 경력에 따른 교사의 역할에는 큰 차이가 없고 상호 수평적인 구조를 가지고 있다.

(2) 이완결합체계

조직의 하위요소들이 서로 연결은 되어있으나 각자의 독자성을 유지하면서 어느 정도 분리되어 있는 이완결합체계(losely coupled system)의 특성이 있다. 즉, 학교조직 내에서 교사는 학교행정가의 지시와 통제를 받지만 전문적 자율성을 인정받으며 학생들에 대해서 폭넓은 자유 재량권을 가진다.

(3) 수직적 구조

학교는 교육부, 시 · 도 교육청, 지역교육지원청, 학교로 이어지는 교육 행정체계의 가장 하위조직이다. 여기에 교장, 교감, 보직교사, 일반교사로 이어지는 학교 내 행정체계가 더해진다. 이러한 조직체계는 철저히 관료적인 것으로 국가 교육시책의 전달체계가 되는 것이다. 학교는 수업과 학급 운영이라는 측면에서는 수평적 구조를 나타내지만 교육 행정체계의 측면에서는 수직적 구조를 나타낸다.

(4) 전문적 관료제

학교조직은 최고행정가인 교장에게 집중되어 있고 계층적 관계를 중시하는 피라미드형 조직이다. 따라서 전문적 관료제의 특성을 가지는데 그 내용

---

1) 학교조직(學校組織 , school organization)이란 교육목표를 설정하고 그 목표 달성을 위한 인적 · 물적 조건이 정비되어 있어 교육활동이 전개되도록 하는 단위조직체이다(서울대학교 교육연구소, 1995).

을 살펴보면 다음과 같다.

첫째, 학교는 전문화와 분업화의 특징을 가진다(초·중·고등학교/ 보건, 복지, 상담 및 독서지도를 위한 보건실, 학생복지실, 상담실, 도서실).

둘째, 학교조직은 명확하고도 엄격하게 규정되어 있는 권위의 계층을 가지고 있다(학교조직기구표, 부서별 업무분담표, 직제표).

셋째, 학교조직은 조직 구성원들의 행동을 통제하기 위하여, 또 과업수행에 일정한 통일성을 보장하는 기준을 설정하기 위한 여러 규칙을 사용한다(복무지침, 내규, 교원 편람).

넷째, 학교조직은 인화단결을 자주 내세우지만 조직관계에서 보면 몰인정성의 원리가 폭넓게 적용되고 있다(개인적인 사정이나 문제는 고려되지 않음).

다섯째, 교사들의 채용은 전문적 능력에 기초하여 이루어지며 대부분의 경우 전문적 경력으로 이어진다.

(5) 교사의 영향력

초·중등학교에서 담임교사의 영향력은 크다고 할 수 있는데, 그 이유는 수업, 방과 후 활동, 부모상담 및 생활지도 등에 담임교사가 깊숙이 관여하기 때문이다. 중등학교에서는 담임교사 외에도 교과담당교사들이 학생들을 접하는 기회가 많아서 학생들과 교사들의 관계가 폭넓게 이루어지나 밀접한 관계를 유지하는 데는 한계가 있다.

(6) 주기적 반복성

학교의 학사 일정은 1년 단위로 반복적으로 운영된다. 이로 인해 학교는 학사 운영에 있어서 관행과 속성을 가지게 된다. 이러한 주기적 반복성으로 인해 특정한 사안이나 내용을 바꾸는 것은 쉽지 않다.

(7) 교육목적의 모호성

교육의 실천에서 목적수행을 위한 방법이나 기술을 명세화하는 것은 어렵고 불확실하다. 한마디로 학교조직의 목적은 모호하고 그 실천기술이 불명확하여 참여가 유동적이라는 것이다. 이런 특성은 인간을 대상으로 하는 인간봉사조직의 공통된 특성이기도 하다. 이러한 조직에서는 의사결정의 대부분이 합리적 의사결정 모델로는 설명하기 어려우며 체제의 안팎에서 끊임없이 제기된 문제들, 수많은 해결방안들, 유동적이고 다양한 참여자들의 혼란스러운 상호작용 틀 속에서 의사결정이 이루어지는 쓰레기통 모델로 표현되기도 한다.

(8) 순치조직

대표적인 공립학교는 그 조직에 들어오는 사람들을 통제하지 못하며 그 조직의 구성원들도 조직에의 참여에 대한 선택의 여지를 갖지 못한다. 이처럼 조직과 개인에게는 선택권이 없고 참여만 하게 되는 것을 순치(domesticated)조직이라고 한다. 순치조직으로서 학교는 조직의 안정성은 보장되지만 변화에는 느리다. 순치조직에 있어서 가장 어려운 문제는 참여자들의 동기유발에 있다. 참여자들은 조직에 관여할 필요가 없다고 하더라도 참여하도록 강요당하고 있다. 예를 들면, 아동들은 6세부터 의무교육 기간 연령까지 학교에 다녀야 한다. 그래서 학교는 종종 그 학교에 들어오기를 좋아하지 않는 학생을 다루어야 하고 또 반대로 학교에 등록되지 않았으면 하고 바라는 학생을 가르쳐야 할 필요가 있게 된다.

2) 학교조직 형태

(1) 공식 조직과 비공식 조직

진동섭(2011)에 의하면, 공식 조직이란 조직의 목적 달성을 위해 의도적으로 구성된 조직으로서, 주로 조직표나 기구표를 통해 살펴볼 수 있다. 비공식 조직은 공식 조직 내에서 자연발생적으로 형성된 조직으로서, 공식 조직에 의해 충족되지 못하는 심리적 기능을 수행한다. Mayo와 동료들이 수행한 호손 연구 등을 통해 비공식 조직의 중요성이 밝혀지게 되었는데, 비공식 조직은 공식 조직의 기능에 직·간접적으로 영향을 미친다.

공식 조직과 비공식 조직은 조직의 두 가지 측면이라고 볼 수 있다. 이 둘 사이의 관계는 비공식 조직의 순기능과 역기능을 통해 살펴볼 수 있다. Barnard (1938)는 비공식 조직의 필요성과 기능으로 ① 비공식 조직을 통해 태도·이해·관습·습관·제도가 형성된다, ② 공식 조직에서 필요로 하는 조건을 형성한다, ③ 공식 조직 내 의사소통을 용이하게 한다, ④ 집단의 응집성을 유지할 수 있도록 한다, ⑤ 인간적 성실성·자존심 및 독립적 선택감을 유지시켜 준다는 것을 들고 있다.

반면 비공식 조직은 파벌을 조성하여 공식 조직의 목표 달성을 저해할 수 있고, 의사소통을 왜곡시킬 수 있다는 역기능을 가지고 있다. 그러나 비공식 조직의 목표가 공식 조직의 목표와 조화를 이루게 된다면 Barnard(1938)가 언급한 바와 같이, 조직 내 의사소통을 용이하게 하고, 조직 내 결속력을 높여 조직성과를 높일 수 있다. 공식 조직과 비공식 조직을 비교하면 다음 표와 같다.

〈표 2-1〉 **공식 조직과 비공식 조직 비교**

구 분	공식 조직	비공식 조직
생성 과정	조직 목표를 달성하기 위한 인위적인 조직	조직 구성원들 사이의 상호작용에 의한 자연발생적 조직
구성원	조직 전체 구성원	조직 구성원의 일부
조직 성립의 바탕	권한의 계층 명료한 책임 분담 표준화된 업무 수행 몰인정적인 인간관계	혈연·지연·학연 취미 종교 이해관계
조직의 수명	조직의 공식적 목표 달성, 설립 및 폐지 등에 따라 수명이 제한적임	공식 조직보다 선행하여 존재할 수 있고, 공식 조직을 떠나서 계속되기도 함
존재 형태	외면적이고 가시적	내면적이고 비가시적
과업 분담의 명확성	계층에 따른 분명한 과업 분담	계층이나 성원의 역할 분담이 불분명
운영 원리	합리성 또는 능률의 논리	비합리적인 감정의 논리

출처 : 남정걸(2001); 윤정일 외(2006).

(2) 계선 조직과 참모 조직

진동섭(2011)에 의하면, 계선 조직(line organization)은 조직 내에서 명령이 전달되는 수직적 · 계층적 구조를 갖추고 업무를 직접 수행하는 제1차적인 조직이다. 조직 구성원은 명령 일원화의 원칙에 따라 직속 상위자의 명령에 따라 행동하고, 이에 대한 책임을 진다. 계선 조직의 예로는 행정 관료 조직, 군대의 지휘명령 계통 등을 들 수 있으며, 학교 조직 내에서는 교무분장조직이 대표적인 계선 조직이라 할 수 있다.

참모 조직(staff organization)은 막료 조직이라고도 하는데, 계선 조직이 조직의 공식적 목적을 원활히 수행할 수 있도록 자문하고 조언하는 역할을 한다. 참모 조직에서 강조되는 행정 원리는 전문화의 원리이다. 참모 조직은 계선 조직이 그 기능을 원활히 추진하도록 연구 · 조사 · 계획 등의 기능을 수행한다. 학교 조직 내의 직원회, 기획위원회, 학교운영위원회 등이 참모 조직이라 할 수 있다.

계선 조직과 참모 조직이 혼합된 계선참모조직(line and staff organization)은 모든 조직의 기본 형태라고 할 수 있는데, 여기에서는 계선 부문과 참모 부문이 가지고 있는 각각의 장단점으로 인해 갈등이 야기되기도 한다. 두 부문의 장단점을 간단히 정리하면 <표 2-2>와 같다.

〈표 2-2〉 **계선 조직과 참모 조직 비교**

구 분	계선 조직	참모 조직
장 점	• 업무 수행의 효율성(명확한 권한과 책임의 한계) • 신속한 정책 결정 • 업무 처리가 간편하여 적게 드는 조직 운영비 • 강력한 통솔력	• 기관장의 통솔 범위 확대 • 전문적 지식과 경험을 활용한 합리적 결정 • 수평적 업무 조정 • 조직의 신축성 • 계선 조직 장의 독단과 전횡 방지
단 점	• 복잡하고 과도한 업무 처리 • 지도자의 주관적이고 독단적인 결정 가능성 • 전문가의 지식과 경험을 충분히 활용할 수 없을 가능성 • 조직의 경직성	• 조직의 복합성으로 인한 구성원 간 갈등과 불화 가능성 • 조직 운영을 위한 과다한 경비 지출 • 계선과 참모 간의 책임 전가 가능성 • 의사 전달의 혼란 가능성

출처 : 남정걸(2001); 윤정일 외(2006).

(3) 학교조직 및 업무분담표

① **초등학교 조직** : 학급담임제 방식으로 운영이 되고 행사 및 수업에 대한 모든 논의가 주로 학년을 중심으로 진행되기 때문에 같은 학년 교사들 간 결속과 유대감이 강하다.

② **중 · 고등학교 조직** : 교과담임제 방식으로 운영되고 학사 일정에 관한 논의가 주로 부장회의를 중심으로 진행된다.

(4) 학교조직의 하부구조

① **교원조직** : 학교조직이라고 말할 때는 일반적으로 교원조직을 의미하며, 초 · 중등교육법에서는 학교조직 구성원들의 역할과 업무 내용을 공식적으로 규정하고 있다.

② **학부모 조직** : 교육의 대상자인 학생들의 권익을 보호하고 학교가 지역사회와 협조하기 위해 조직되었는데, 1996년 교육개혁을 통해 학교운영위원회 설치가 법령화되면서 학부모의 권한 및 역할이 대폭 확대되고 강화되었다.

③ **학교운영위원회** : 학교 운영과 관련된 중요한 의사결정에 교원 · 학부모 · 지역인사가 참여함으로써 학교정책 결정의 민주성, 합리성, 효과성을 확보하여 학교교육 목적 달성에 기여하기 위한 집단 의사결정 기구이다.

④ **학생조직** : 초 · 중등교육법 제17조(학생자치활동)에서는 학생들의 학교 자치활동을 권장 · 보호하도록 하며 학생들의 조직인 학생회 및 학생자치회의 구성 및 운영을 보장하고 있다. 또한 인성교육진흥법이 2015년 1월 20일 제정되어 7월 21일 시행되었다. 인성교육진흥법은 건전하고 올바른 인성을 갖춘 시민 육성을 목적으로 한다.

3) 학교의 조직과 학교사회복지

학교사회복지사는 교원조직에 대한 이해와 공식적 의사소통 구조, 통제 구조, 업무분담의 형태와 권한에 대한 지식을 가지고 있어야 하며 교원조직의 관계망 형태와 상호 역동성에 대해 이해를 해야 한다. 또한 학부모 조직은 자원으로 잘 활용해야 하는 조직 중의 하나로 그 역할과 구성을 이해해야 하고 학생조직에 대한 관심과 학생조직과의 의사소통 채널을 확보하는 것이 필요하다.

4. 학교문화와 분위기

1) 학교문화 특성

학교문화(學校文化, school culture)[2)]란 학교의 일상적인 생활 속에서 존재하는 신념과 기대로서 학교 내에서 학생들이 서로 상호작용하는 방식과 함께 학생 · 교사 · 행정가 및 학교의 다른 직원에 의해서 공유되는 규범이나 신념을 포함한다(Dupper, 2002, 한인영 외, 2004 재인용). 이러한 학교문화는 다양한 구성원들 간의 관계 속에서 영향을 받게 되며 학생들의 생존과 학습에 많은 영향을 준다. 그 이유는 학교조직이 학생과의 수업을 통한 관계, 학생지도를 위해 만나게 되는 학부모들과의 관계, 교사들 간의 관계 등 기본적으로 사람과의 관계를 전제로 운영이 되기 때문이다.

한편 청소년 문화 역시 학교문화의 교집합이라 할 수 있다. 청소년 문화 활동은 청소년활동 진흥법 제2조(정의)에 따라 청소년이 예술활동, 스포츠활동, 동아리활동, 봉사활동 등을 통하여 문화적 감성과 더불어 살아가는 능력을 함양하는 체험활동이다. 이러한 문화활동은 주 5일 수업제의 확대 실시에 따라 늘어나는 청소년들의 여가 활용과 입시 위주의 공교육에서 충분히 지원하지 못하는 체험활동을 강화함으로써 공교육을 보완하는 중요한 기능을 한다고 할 수 있다. 청소년 봉사활동 분야를 제외하고 예술활동, 스포츠활동, 다양

2) 특정 학교가 가지고 있는 문화. 학교문화라는 말은 월러(W. Waller)에 의하여 사용되기 시작하였으며, 브렘베크(C.S. Brembeck)는 학교문화를 지리적 위치에 따라 산간벽지 학교의 문화, 읍지(邑誌) 학교의 문화, 교외학교의 문화, 도시학교의 문화로 분류하고 있다. 한편 클락(B.R. Clark)은 미국 중등학교의 문화를 흥취적(興趣的, fun) 문화, 학구적(academic) 문화, 나태적(懶怠的, delinquent) 문화로 분류하였다. 학교문화의 특성이 학생들의 학업성취에 미치는 영향에 관한 연구가 많다(교육학용어사전, 1995. 6. 29).

한 공연 및 비공연 동아리 활동, 청소년 문화존[3] 등이 청소년의 활동에 포함된다(보건복지가족부, 2008).

2) 학교 분위기와 정치적 환경

(1) 학교 분위기

학교 분위기는 "학교의 심장이자 정신이며 학생, 교사, 행정가, 그리고 기타 직원들로 하여금 학교를 사랑하도록 해주고, 매일 즐거운 마음으로 학교에 오도록 해주는 학교의 본질"로 표현될 정도로 학교사회복지사가 알아두어야 할 중요한 조직개념이다(Angelides & Ainscow, 2000). 학교 분위기는 앞서 살펴본 학교문화와 함께 학생들의 생존과 학습에 큰 영향을 준다. 따라서 학교 사회복지사는 학교 분위기가 학생들의 발전을 저해할 때 이를 적극적으로 변화시켜야 한다. 학교사회복지사가 학교문화와 분위기를 변화시키고 수정하는 개입에 초점을 둘 때 학교는 모든 학생들을 위한 안전하고 즐거운 공간이 될 수 있다.

한편 학교문화와 분위기는 여러 변수들에 의해 결정된다. 학교문화와 분위기에 부정적인 영향을 미치는 변수에는 훈육 및 출결사항에 관한 학교의 방침과 실천방법, 학교규모, 교사의 기대, 교육과정 그리고 학교 외부의 영향력이 있고 긍정적인 영향을 미치는 변수에는 긍정적인 관계성, 유대, 관여 그리고 적절한 수준의 구조와 통제가 있다.

(2) 학교의 정치적 환경

학교사회복지사가 학교에서 의사결정 과정에 영향을 미치려면 학교 내에서 어떤 행동이 선호되고 어떤 행동이 비난의 대상이 되는지, 교장에게 영향력을 행사할 수 있는 사람은 누구인지, 누가 가장 큰 영향력을 행사하는지,

3) 청소년 문화존은 주 5일 수업제의 확대 실시에 따라 늘어나는 청소년의 방과 후 시간대에 청소년들 스스로 전국의 광역 생활권 주변에서 쉽고 다양하게 문화향수, 문화감성, 문화창조 등 다양한 체험활동을 제공할 목적으로 추진되었다. 중앙과 지방이 50 : 50 매칭으로 예산을 투입·운영하고 있다.

학교에 교육당국은 얼마나 많은 권한을 위임하고 있는지를 알아야 한다. 이러한 정치적 지식은 학교에서의 직접적인 관찰과 학교 내의 일을 자신에게 알려줄 수 있는 교사, 교육 관련 신문, 인터넷, 회의(교직원회의, 동학년회의, 부서별 회의)를 통해 얻어질 수 있다. <표 2-3>은 학교사회복지사가 정치적 식견을 갖추기 위해 취할 수 있는 내용들을 정리한 것이다.

〈표 2-3〉 **정치적 식견 발달시키기**

• 아무도 학교사회복지사가 하는 일을 대신 홍보해 주지 않을 것이기 때문에 학교사회복지사는 자신이 하는 활동을 소리 없이 하기보다는 지속적으로 자신이 하는 일을 홍보해야 한다. • 학교사회복지사는 자신이 학교에 왜 필요한지, 자신이 학교 체계에 구체적으로 어떤 기여를 하고 있는지, 그리고 왜 다른 사람이 자신의 일을 대신할 수 없는지, 왜 더 많은 학교사회복지사가 고용되어야 하는지에 대해 설득력 있는 주장을 해야 한다. • 정보는 곧 힘이다. 학교사회복지사는 교육을 지원하는 데 사용될 수 있는 지역사회자원에 대한 정보를 정리하고 그것을 적극 활용해야 한다. • 갈등은 학교에서 피할 수 없는 것이기 때문에 학교사회복지사는 갈등을 중재하고 문제를 해결하는 전문 기술을 발전시키고 그에 적극적으로 임해야 한다(예를 들면, 갈등을 중재하고 동료들을 지지하는 데 주도적 역할을 수행한다). • 학교사회복지사는 서비스에 대한 욕구와 서비스 부족을 확인하고 이러한 요구와 부족을 해결하는 데 필요한 전문기술을 제공함으로써 자신을 학교에서 없어서는 안 되는 존재로 만들 수 있어야 한다. • 학교 내외에 권력자(예를 들면, 지역사회의 영향력 있는 기관장, 관공서, 기업, 시민단체, 학부모단체, 지역주민 대표)를 확인하고 이들과의 관계를 수립하라. 필요시 이러한 사람에게 도움을 청하라. • 학교사회복지사는 신중히 싸워나가야 한다. 처음에는 쉽게 승리를 얻을 수 있는 것을 위해 싸워 우선 학교 내에서 신뢰를 쌓고, 이후에 더 크고 중요한 사안을 위해 설득해 나가야 한다. • 학교사회복지사는 교육적 동향을 파악하고 교육정책 자료나 전달체계를 적극 활용할 수 있는 준비가 되어 있어야 한다. • 학교사회복지사는 자신의 개입이 교육적 성과(예를 들면, 성적, 출석률, 행동의 향상, 학교생활만족)를 높인다는 효과를 계속 보여주어야 한다.

출처 : Dupper(2002), 한인영 외(2004) 재수정.

5. 학교재정

주석진 등(2013)에 의하면, 학교예산은 학교행정의 중요한 한 부분이며 학교교육활동을 뒷받침하기 위한 재정적인 수단이 된다. 이는 예산편성, 예산심의, 예산집행, 결산 등의 일련의 과정으로 운영이 되며 교육과정을 중심으로 한 학교교육 활동 지원에 초점을 둔다.

1) 학교예산의 개념

학교예산은 일정 기간 동안 학교가 교육활동을 실천해 나가는 데 필요한 세입과 세출의 체계적인 계획서를 말하며, 예산편성, 예산심의, 예산집행 결산의 과정을 거친다.

2) 예산집행 방식

2010년 3월에 전국 초·중·고등학교 및 소속기관에 새로운 '에듀파인 학교회계시스템'이 전면 도입되었다. 이는 업무의 책무성과 성과중심의 선진재정구조 마련을 위해 지방교육 재정업무의 모든 처리과정을 사업별 예산제도와 발생주의·복식부기 회계제도를 기반으로 자동화한 회계시스템이다.

'에듀파인 학교회계시스템'은 예산이 사업별로 배부되고 이를 담당하는 교직원이 예산의 요구, 편성, 지출, 결산의 모든 회계과정을 자동화된 시스템에서 직접 관리할 수 있도록 설계되었다. 따라서 사업에 대한 예산편성 및 집행과정을 투명하고 자율적으로 관리할 수 있게 되었고 이에 따른 사업담당자의 책무성을 강조하고 있다.

PART

02

학교사회복지의 이해

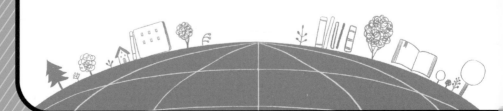

CHAPTER

03 학교사회복지의 개념 및 목적

학교사회복지는 '학교'와 '사회복지'라는 용어가 합쳐진 명사이다. 우리말 큰 사전에 의하면 학교는 어떤 의도와 목적 아래 일정한 장소에 시설을 갖추고 계획적이며 계속적으로 교육을 베푸는 기관이다. 그리고 사회복지는 공사의 단체에 의하여 사회공중의 생활개선, 보호교화를 목적으로 행해지는 사업이다.

아직 '학교사회복지'라는 용어는 사전에 없지만 우리나라 교육기본법에서 명시하고 있는 바와 같이 교육은 홍익인간의 이념 아래 모든 국민으로 하여금 인격을 도야하고 자주적 생활능력과 민주시민으로서의 필요한 자질을 갖추게 하여 인간다운 삶을 영위하게 하고 민주주의 발전과 인류공영의 이상을 실현하는 데 이바지하게 함을 목적으로 하고 있다. 학교는 이와 같은 목적을 가지고 교육을 실시하고 있는 장소이다. 사회복지는 학자에 따라 그 용어 정의를 달리하고 있지만 사회생활상의 곤란 또는 장애를 받고 있는 자에 대한 보호, 육성, 지도, 치료, 재활 등의 서비스시책을 총괄하여 지칭하는 용어이다. 그러므로 학교사회복지란 학교라는 실천영역에서 학교의 본질적 목적인 교육에 장애를 가진 학생을 도와주는 서비스를 총괄하는 것으로 볼 수 있다(전재일 외, 2016).

학교사회복지는 유동적이어서 개별 학생에 대한 직접서비스뿐만 아니라 학생을 위한 학교와 학교 직원과의 교류를 크게 강조한다. 학교사회복지사는 개인과 학교, 가족, 지역사회의 더 넓은 체계를 이해할 필요가 있는 실천현장에서 일을 한다. 따라서 변화가 일어난다면 개인적 수준뿐만 아니라 이러한 많은 체계 안에서 일어난다. 학교와 학생의 다양한 욕구는 학교사회복지사로 하여금 여러 대처방법을 강구하게 하였다. 개별 학생을 원조하는 전통적인 역할부터 학교정책개발, 가족, 자문관계, 지역사회의 자원과 함께 다양한 발전을 이룬다.

학생에 대한 사회복지적 접근은 다른 전문분야와 크게 두 가지 측면에서 다르다고 할 수 있다.

첫째, 사회복지의 이론적 자세가 단지 학생이나 가족 혹은 환경에 중점을 두고 있는 것이 아니라 생태체계이론을 기반으로 환경 내의 인간에 초점을 두고 있다.

둘째, 사회복지는 문제를 최소화하고 능력을 최대화하는 데 관심을 두고 있다는 점이다.

그러므로 이러한 독특한 관점의 학교사회복지란 학교, 가정, 지역사회와의 중재역할을 하면서 학교제도 내에서 아동과 청소년의 문제를 이해하고 치료하고 예방하여 학생 개개인이 건전한 인격을 형성할 수 있도록 사회복지의 적절한 원리와 기술을 활용하는 전문적인 활동이라고 할 수 있다.

1. 학교사회복지의 정의

미국에서 학교사회복지라는 용어는 미국 공립교육이 시작되는 1900년대부터 도입되어 시기에 따라 그 정의를 달리하여 사용되었다. 초기 학교사회복지사는 방문교사라고 불렸으며 그들의 역할에 대하여 학생의 복지를 위해 가정과 학교 사이의 협조를 최대화하는 것으로 정의되었다. 학교사회복지가 발달하는 시기인 중기에는 개인수준 사회복지 발달의 영향으로 전문성이 크게 강조되어 학교사회복지사의 역할은 개인수준 사회복지실천을 통하여 학생이 학교생활에 적응하도록 학교와 교사의 협조를 받아 활동하는 것으로 정의되었다.

이처럼 초기의 학교사회복지는 학생 개인에 대한 개인수준 사회복지실천에 한정되었는데, 오랜 발달과정을 거치면서 학생 개인뿐 아니라 가족, 학교, 지역사회 등의 환경적 요소와 예방적 접근까지도 포함하는 확장된 정의를 가지게 되었다.

학교사회복지는 학생들이 만족스러운 학교생활에 적응하도록 돕는 것이며, 학생이 학교생활에 잘 적응하도록 돕기 위해 학교, 가족, 그리고 지역사회가 수행하는 여러 가지 노력을 조정하고 관여하는 것이다(Barker, 2003).

현재의 학교사회복지는 개인수준 사회복지실천만으로는 학생을 중심으로 하여 일어나는 사회문제에 효율적으로 대처할 수 없으므로 학생, 학교, 가족과 지역사회가 학생이 만족스러운 학교생활을 성취할 수 있도록 서로의 노력을 조정하고 도와주는 사회복지의 한 분야로 볼 수 있다.

주석진 등(2013)은 여러 학자들에 의하여 내려진 정의를 다섯 가지로 나누어 정리하였다.

첫째, 학교사회복지는 여러 가지 장애로 학교생활에 적응하지 못하고 학습효과에 문제가 있는 학생을 돕는 치료적 활동으로 개인수준 사회복지실천에 초점을 두고 있다.

Konopka(1936)는 “학교사회복지는 학생이 사회적 · 정서적 문제를 가지고 있어서 학교에서 기대하는 기능이나 목표를 성취하지 못할 때 이를 도와주는 노력”이라고 정의하였다. 학교사회복지는 부적응아동이나 정서장애를 가진 아동들이 학교에서 자유롭게 교육목적을 성취할 수 있도록 돕는 전문서비스이며, 문제학생의 무력한 행동을 조기에 발견, 예방, 치료하는 교육의 중요한 도구라 하겠다. Nebo는 학교사회복지란 “교육정책이나 프로그램 내에서 교육자원의 활용에 어려움을 가진 학생을 이해하여 도움을 제공하는 학생복지서비스 접근의 분야로 학생들의 잠재능력을 최대로 발휘할 수 있도록 교육경험을 활용할 수 있게 한다”고 하였다. Pearman과 Burrows는 학교사회복지란 “학업 중에 문제가 발생했을 때, 개별 학생들과 그들 가족을 돕는 숙련된 한 방법이다”라고 말했다. Boston과 Ferguson(1965 : 250)은 “학교사회복지란 어떤 학생 개인이 학교생활에서의 정상적인 학습활동을 방해하는 정서적인 문제를 가지고 있을 때 이의 해결을 도와주는 협력으로, 이것은 인간의 행동에 대한 지식이 증가함에 따라 발전되었다"라고 정의하였다. 여기서 학교사회복지는 개인수준 사회복지실천을 활용하며 구체적으로 심리적인 도움, 정신의학적인 도움, 결석문제의 해결, 취업상담까지를 포함한다.

둘째, 학교사회복지는 개인수준 사회복지실천과 사회적 기능에 초점을 두고 사회적 역기능의 예방적 측면까지 고려하고 있다.

학교사회복지의 대표 학자인 Johnson과 Alderson의 정의가 이 분류에 속한다. Johnson은 학교사회복지를 "학생 개인 및 학생집단의 기능과 성취에 방해가 되는 사회적 혹은 정서적 문제를 극복하도록 돕는 것이며, 모든 사회복지영역이 그런 것처럼 손상된 사회기능을 회복시키고 개인과 지역사회에 자원을 제공하며 사회적 역기능을 방지하는 것"이라고 하였다(Lurie, 1967 : 672). Alderson도 학교사회복지란 "사회적 · 정서적 문제를 가진 개별 학생을 돕기 위해 ① 손상된 사회적 기능의 회복, ② 개인과 지역사회에 존재하는 불변적인 능력에 의한 자원의 제공, ③ 사회적 역기능을 예방하는 것이다"라고 말했다.

셋째, 학교사회복지는 학생 개인을 원조하기 위해 부모, 학교, 지역사회의 활용뿐만 아니라 이러한 환경요소들 간의 연결망을 중요시한다.

Costin은 학교사회복지란 "학교의 주요 목적 달성을 위한 사회복지의 여러 가지 원리와 방법의 적용으로 학생이 자신의 문제에 적절히 대처할 수 있도록 도와주고 학교와 부모가 똑같이 그들의 문제에 대해 느낄 수 있도록 원조하며, 필요한 경우 지역사회자원까지 활용하여 학생이 자기능력을 최대한 발휘하도록 하는 것"이라고 정의하고 있다. 학교사회복지는 "학생의 부적응문제를 치료 · 예방하기 위해 모든 학생을 상대로 사회복지의 여러 가지 접근방법을 활용하여 학생, 학교, 부모, 사회를 연계체계로 하여 손상된 기능 회복과 자아실현으로 최대의 학습효과와 건전한 인격을 형성하도록 돕는 과정으로 볼 수 있다"고 하였다(최인욱, 1985 : 23).

넷째, 학교사회복지는 전문직업적 특징을 바탕으로 해서 교육과 관계된 다른 전문가들과의 상호 협력적 관계를 강조한다.

Smalley와 Rowen은 학교사회복지는 "학생의 전인교육의 기본적인 목적을 달성하기 위해 전문적이고 교육적인 서비스와 전문가 간의 상호 협력적인 접근으로 학교가 제공하는 교육기회를 학생들이 최대한 활용할 수 있도록 돕는 전문직"이라고 정의했다. William은 학교사회복지란 "고도로 숙련된 훈육활동이며, 모든 학생을 위한 협력적이고 치료적인 환경 제공을 위해 돕는 원조전문직이다"라고 하여, 학교사회복지의 전문성과 그 위상을 설정하였다. 또한 미국 펜실베이니아주교육협회 학생복지국은 학교사회복지란 "학교제도 내에서 학생을 이해하고 돕는 전문가 간의 상호 협력적인 접근의 통합된 활동분야이다"라고 정의하였다.

다섯째, 학교사회복지는 생태체계적 관점에서 학생과 환경체계 사이의 관계를 강조한다.

특히 미국사회복지사협회(NASW, 1992)는 이 관점에 초점을 두고 정의하고 있는데, 학교사회복지란 "학교체계 내에서 학습능력을 완전하게 발휘하지 못하는 학생들이나 특별서비스를 필요로 하는 문제를 가진 학생들을 이해하고 교육적 기회를 최대로 활용할 수 있도록 원조하기 위한 전문가 간의 상호 협력적인 접근이다"라고 정의하였다. 즉, 학교사회복지는 학교 내에서 학생 개인이나 학생집단의 기능과 성취에 방해가 되는 사회적·정서적 문제를 극복하도록 돕기 위해 수행하는 전문적 활동이다.

2. 학교사회복지의 목적

오늘날 교육은 민주주의 교육으로 사회의 경제적·정신적 가치에 따라 교육제도가 계속 변화되고 있다. 이것은 교육의 책임이 인간을 보호하고 강화하며 민주주의를 확대시키고 수호하기 때문이다. 따라서 학교교육의 목적은 학생으로 하여금 지적, 신체적, 정신적 및 사회적 자질을 충분히 발휘하도록 지도하고 격려하는 데 있다고 하겠다. 이러한 목적을 위하여 현대 학교교육은 종전의 지식 위주의 교육과는 달리 학생의 신체적, 사회적, 그리고 정서적 차원에 관심을 둔 전인교육을 통하여 건전하고 원만한 인격을 갖춘 민주시민의 양성에 초점을 두고 있다.

따라서 학교는 교육적 욕구를 충족시키기 위하여 학생이 학교에서 최대로 교육경험을 활용하는 데 필요한 서비스를 언제든지 제공하여야 한다. 학교의 근본 목적은 학생 개개인의 지식과 권리를 추구하는 능력에 따라 학생을 지도하고 민주주의 방식을 터득하도록 하며 자긍심 강화 및 타인을 존경하는 도덕관을 발전시키도록 도우며, 행복감과 성취감을 가지고 생활을 영위할 수 있도록 하는 데 있다. 또한 학생들이 현재 살고 있는 세계와 미래에 다가올 세계에 대해 스스로 준비할 수 있도록 가르치고 배우는 환경을 제공하는 데 있다.

그러므로 학교사회복지사는 우선적으로 학교가 학교의 중심적 목적, 즉 학생들이 학습능력, 문제해결과 의사결정 능력, 변화에 대한 적응능력, 지속되는 학습에 대한 책임성 등을 가질 수 있도록 학습장면을 제공하고 더 나아가 삶의 질을 개선하는 데 기여하여야 한다.

학교사회복지의 목적은 ① 학생에게 자신감을 키워주고, ② 계속적으로 배울 수 있는 준비를 시키며, ③ 닥쳐오는 변화에 대한 적응력을 키워주는 것이다. 이처럼 학교사회복지의 목적은 정서와 성격 문제의 초점에서 벗어나 학생 자신이 '스스로 배우게 하고', '생각하게 하며', '문제해결을 하게 하는' 학생의 능력을 도와주는 것이다.

결론적으로 학교사회복지는 1차적인 목적을 학교장면 안에서 교육체계가 가지고 있는 본연의 목적이 원만하게 수행되도록 돕는 데 두고 있다. 즉, 학생이 민주사회의 시민으로서 본연의 역할을 수행하는 데 필요한 기초적인 요건, 즉 읽기, 쓰기, 계산하기 등을 학습할 수 있도록 도와야 한다.

학교사회복지의 2차적 목적은 학생의 특성, 학교체계, 외부 지역사회체계, 그리고 그 밖에 학생이 직면하는 사회 상황들과 관계가 있다. 사회복지의 목적이 클라이언트의 사회적 기능 향상에 있으므로 학교사회복지 또한 학생의 사회적 기능 향상, 즉 학교에 적응하고 학문적 성취를 이룰 수 있도록 도와야 한다.

3. 학교사회복지의 필요성

학생과 학생이 왜 사회복지의 실천대상이 되어야 하는가의 문제는 우선적으로 국민의 기본 권리인 교육권과 관련이 있다. <표 3-1>에서 볼 수 있듯이 우리나라의 헌법 제31조, 교육기본법 제3, 4, 8조, 초·중등교육법 제12조는 모든 국민에게 교육에 대한 권리와 의무가 있음을 명시하고 있다. 모든 국민은 능력에 따라 균등하게 교육받을 권리가 있으며 사회적 조건이나 상황에 관계없이 최소한의 의무교육을 제공하고 바람직한 교육환경을 조성할 책임이 있다. 따라서 헌법과 교육법에서 규정하고 있는 기본적 교육권이 국민 개개인 모두에게 보장되지 않는다면 사회복지사는 교육현장이 학생의 교육권을 보장할 수 있도록 개입해야 할 사회적 책임이 있다. 이러한 교육권의 보장이 결국 학생 개개인의 삶의 질을 향상시키는 사회복지의 실현이다.

학교는 모든 국민들에게 교육의 기회를 공평하게 제공하여 개인의 교육권을 보장하고, 학생 개개인들을 위한 최적의 교육환경을 제공하며, 학생들이 개인의 잠재성을 최대한 발휘할 수 있도록 지원해야 할 의무를 갖는다. 이런 의무가 제대로 수행되지 못하거나 수행되기 어려운 상황에 있을 때 학교사회복지는 학교와 학생을 도와 학교와 학생 개개인이 제 기능을 수행할 수 있도록 도울 사회적 책임이 있다. 따라서 현재 교육기회의 배분적 정의가 실현되지 못하는 대상이나 지역이 존재하고 교육병리현상과 학생문제의 심각성을 고조시키는, 즉 학교사회복지가 요구되는 사회적 배경을 구체적으로 살펴볼 필요성이 있다.

〈표 3-1〉 **국민의 교육권에 대한 법적 보장**

헌법	제31조 ① 모든 국민은 능력에 따라 균등하게 교육을 받을 권리를 가진다. ② 모든 국민은 그 보호하는 자녀에게 적어도 초등교육과 법률이 정하는 교육을 받게 할 의무를 진다. ③ 의무교육은 무상으로 한다. ④ 교육의 자주성, 전문성, 정치적 중립성 및 대학의 자율성은 법률이 정하는 바에 의하여 보장된다. ⑤ 국가는 평생교육을 진흥하여야 한다. ⑥ 학교교육 및 평생교육을 포함한 교육제도와 그 운영, 교육재정 및 교원의 지위에 관한 기본적인 사항은 법률로 정한다.
교육 기본법	제3조(학습권) 모든 국민은 평생에 걸쳐 학습하고 능력과 적성에 따라 교육받을 권리를 가진다. 제4조(교육의 기회 균등) ① 모든 국민은 성별, 종교, 신념, 사회적 신분, 경제적 지위 또는 신체적 조건 등을 이유로 교육에 있어서 차별을 받지 아니한다. 제8조(의무교육) ① 의무교육은 6년의 초등교육 및 3년의 중등교육으로 한다. ② 모든 국민은 제1항의 규정에 의하여 의무교육을 받을 권리를 가진다.
초· 중등 교육법	제12조(의무교육) ① 국가는 교육기본법 제8조 제1항의 규정에 의한 의무교육을 실시하여야 하며, 이를 위한 시설의 확보 등 필요한 조치를 강구하여야 한다. ② 지방자치단체는 그 관할구역 안의 의무교육대상자 전원을 취학시키는 데 필요한 초등학교 및 중학교와 초등학교 및 중학교 과정을 교육하는 특수학교를 설립·경영하여야 한다.

③ 지방자치단체는 지방자치단체가 설립한 초·중학교 및 특수학교에 그 관할구역 안의 의무교육대상자 전원을 취학시키는 것이 곤란한 경우에는 인접한 지방자치단체와 협의하여 합동으로 초·중학교 또는 특수학교를 설립·경영하거나 인접한 지방자치단체가 설립한 초등학교·중학교 또는 특수학교나 국립 또는 사립의 초·중학교 또는 특수학교에 일부 의무교육대상자에 대한 교육을 위탁할 수 있다.

④ 국공립학교의 설립 경영자 및 제3항의 규정에 의하여 의무교육대상자를 위탁받은 사립학교의 설립·경영자는 의무교육을 받는 사람으로부터 제10조의2 제1항 각 호의 비용을 받을 수 없다.

4. 학교사회복지의 대상

전통적인 대상은 요보호학생, 학교부적응 학생을 우선 대상으로 고려하는데, 학교사회복지사업의 일차적 대상은 다음과 같이 정의된다(전재일 외, 2016).

① 대인관계에 문제를 보이는 학생(폭력행동, 비사교적, 교사나 성인의 권위에 대항하는 행동 등)

② 심리, 정신적인 문제를 지닌 학생(우울, 소외, 공포, 불안, 자살기도 등)

③ 학교규칙을 위반하는 학생(장기결석, 등교거부, 잦은 지각 등)

④ 가정환경적인 문제를 지닌 학생(결손가정, 이혼, 재혼, 빈곤 등)

⑤ 학습부진을 보이는 학생

⑥ 반사회적 행동을 하는 학생(폭력, 절도, 가출, 약물남용, 불량서클 등)

⑦ 부모가 아동양육에 문제를 보이는 학생(방임, 학대 등)

⑧ 장애인 학생(정서, 신체, 발달 등)

생태학적 관점에서는 학교사회복지사업이 학생의 심리적·정서적 문제를 해결해 주는 심리치료적인 활동 외에 학생－가정－학교－지역사회의 역기능적 상호작용으로 인하여 발생하는 장기결석, 중퇴, 비행, 학습부진 등의 학교부적응 문제의 해결과 교육목적을 저해하는 사회, 경제, 정치환경의 개선을 위해서도 적극적으로 개입해야 한다고 보고 있다.

5. 학교사회복지가 요구되는 사회적 배경

홍봉선과 남미애(2010)에 따르면 학교사회복지가 요구되는 사회적 배경을 지식기반 사회 도래로 인한 인적자본의 강조, 평생학습의 강조, 신빈민층의 출현과 빈곤의 대물림, 공교육의 부재와 열악한 교육복지, 교육양극화와 교육격차, 학생복지서비스에 대한 욕구 증가의 측면으로 설명하고 있다.

1) 지식기반 사회 도래로 인한 인적자본의 강조

인적자본은 교육훈련이나 직무경력과 같이 인간이 생산활동에 있어서 생산성 향상을 통하여 소득증대를 가져올 수 있도록 하는 그에게 내재된 기술들을 말하는 것으로, 정부에서는 교육과 훈련과 같은 인적자본을 획득할 수 있는 기회를 확대시켜야 하며 사회복지정책의 수립방향도 결과의 평등과 더불어 기회의 평등을 강화하는 제도적 개선을 도모해야 한다고 주장한다.

지식기반 사회의 진입에 따른 산업 및 직종구조의 변화, 노동시장의 고용형태 변화, 인구의 노령화 등에 대응하기 위해서는 지식의 창출, 보급 및 활용능력을 기르기 위한 인간자본의 투자가 강조되는 새로운 교육체제가 정립되어야 한다. 그중의 하나로 학교에 학교사회복지제도를 도입하는 것은 당연하다.

2) 평생학습의 강조

평생교육은 개인의 가치 실현뿐만 아니라 직업의 유연성을 높이고 사회의 창조적 발전에 기여한다. 아울러 평생교육체제의 구축은 일자리와 교육의 연계, 교육투자와 생산성의 확보라는 측면에서도 중요하다. 이미 우리나라는 1980년 제5공화국 헌법을 통하여 평생교육을 국민의 기본권으로 명문화한 바 있고, 2000년 3월 1일 평생교육법의 제정 및 시행령, 시행규칙의 제정과 함께 학점은행제, 교육계좌제 등이 법·제도화되면서 사회적 평가와 인정을 받는 차원에서 교육체제 구축의 토대가 수립되었다. 따라서 누구든지 언제 어디서라도 교육받고 학습할 수 있는 조건과 환경을 마련해야 한다. 그중에서도 학생이 학교를 다니는 동안 학교생활을 잘 영위하고 바람직한 교육적 성취를 획득하는 것은 평생학습의 가장 중요한 토대가 되며 전 세대에 걸쳐 중요한 역할을 한다. 이는 학교사회복지의 목표와 동일하다.

3) 신빈민층의 출현과 빈곤의 대물림

빈곤문제에서 가장 두드러진 현상은 과거와는 달리 완전취업을 하고 있는 사람들이 빈곤선 이하의 생활을 하고 있는 것과 빈곤의 대물림이다. 이러한 빈곤의 원인에는 학력이 매우 중요한 요인으로 작용하고 있다. 빈곤층의 교육수준은 다른 계층보다 낮아 저임금, 불안정한 직업, 높은 실업과 저소득으로 삶의 질이 저하되고 있다. 이들의 교육 및 훈련 여부는 빈곤문제와 연결되고 이는 사회복지급여로의 의존을 야기한다.

또한 가족소득과 빈곤이 청소년의 교육성취에 통계적으로 유의미한 관계를 갖는다는 것은 이미 밝혀져 있다. 한국사회의 경우 교육수준과 학력에 따라 선택할 수 있는 직업과 소득의 차이는 매우 크다. 따라서 교육격차는 빈곤 대물림의 중요한 요인이 되고 있다.

아동 및 청소년 발달에 대한 빈곤의 영향을 주는 인적자본이론과 가족과정 모델에서도 알 수 있듯이 교육의 부작용으로 야기되는 신빈민층의 출현과 빈곤 대물림 등의 사회문제를 예방하고 극복하는 데 있어 상당히 유효한 수단 중의 하나는 학교사회복지 제도의 도입이다.

4) 공교육의 부재와 열악한 교육복지

① 한국의 공교육비 지출은 다른 선진국에 비해 훨씬 적다. 이러한 공교육의 부재는 교육의 격차와 직결되며 사교육비의 증가를 야기시킨다. 교육비의 사부담 의존도가 높다는 것은 교육의 소득재분배 효과가 적다는 것을 의미한다. 공교육비 지출 증가만으로 문제가 해결되는 것이 아니

라 공교육비의 재분배 효과를 높이기 위해서는 저학력 가구주 자녀에 대한 지원방안이 모색되어야 한다.

② 우리나라의 무상의무교육은 초등학교 6년과 중학교 3년의 총 9년의 교육을 법령에 의해 규정하고 있으나 현재의 무상의무교육은 수업료 면제와 교과서 등의 제공만으로 이루어지고 있는 형태로 엄격하게 말하면 무상의무교육이라고 단언하기 어렵다.

③ 열악한 교육환경이다. 학교시설은 기본적으로 교육활동을 수행하기에 적합한 구조로 공간이 구성되어야 한다. 최근 열린교육의 실시와 더불어 교수·학습 활동의 운영방식이 변화되고 있으나 학교시설 공간 구성 방식은 이에 대응하지 못하고 있으며 교과별로 하는 다양한 전용교실과 교과별로 필요로 하는 교재·교구의 수납공간이 부족하여 교과별 특성을 살린 교육이 제대로 이루어지지 못하고 있다. 이러한 문제들은 학생들을 대상으로 한 실증적 조사에도 잘 나타나고 있다.

④ 교육취약 계층에 대한 지원부족이다. 기초생활보장수급자에게 사회가 요구하는 최소한의 교육기회를 제공하여 줌으로써 부모로부터 가난이 세습되지 않고 이들이 저소득층에서 벗어나도록 하기 위하여 학비·급식비를 지원하여 주고 있으며 점진적으로 확대되고 있는 것 또한 사실이다. 그러나 전교생에게 무료로 지급되는 보편적 서비스가 이루어짐으로써 현 수급 학생의 스티그마(stigma)를 없애고 무상의무교육의 내용을 실질적으로 완성하는 것이 필요하다.

⑤ 교육양극화 및 교육격차이다. 정부에서는 지금까지 교육양극화 완화에 기여하는 지속적인 노력에도 불구하고 교육비 지출이 소득수준에 따라 여전히 큰 차이를 보이고 있는 등 질적 개선이 부족하고 양극화를 해소하는 데 여전히 미흡하다. 그리고 급격한 경제적·사회적 양적 팽창에 걸맞는 국가의 정책조정 시스템이 구축되지 못하여 정책의 비효율 문제가 해소되지 않고 있다. 특히 방과 후 학교사업은 부처 간 공유가 되지 못한 채 개별적으로 진행되고 있는 사례가 많다.

5) 교육양극화와 교육격차

우리 교육은 부의 대물림 수단으로 이용되고 있는 측면이 강하다. 다시 말해 교육이 사회계층의 고착화 또는 사회 양극화의 핵심 요인이 되는 것이다. 이러한 현상은 최근에 공교육의 기능과 위상이 예전 같지 않은 반면에 사교육의 영향력은 갈수록 커지고 있으며 있으며 특목고와 자립형 사립고 확대 등 수월성과 경쟁력 중심의 교육정책들이 속속 등장함에 따라 지역 간 계층 간 교육 불평등의 심화는 궁극적으로 사회통합을 저해하고 국가 균형 발전에도 커다란 걸림돌이 될 가능성이 크다.

6) 학생복지서비스에 대한 욕구 증가

학생들의 인권 및 참여의식의 고양을 들 수 있으며, 학교에서의 청소년의 문제가 다양화·복잡화되고 있지만 지금까지 학교에서는 소극적 통제 혹은 사후적 접근으로 일관하여 다양한 서비스를 통한 예방적·적극적 대응을 하지 못하고 있다.

우리나라 교육 및 학교현장은 교육에 있어 복지적 관점에서 보려는 노력이 부족하고 교육복지의 조건 중 교육기회의 균등이라는 차원에서는 겨우 중학교까지의 의무교육 확대 수준에 머물러 있을 뿐이어서 교육과정의 평등 및 교육결과의 평등이라는 과제에는 매우 부족한 상태이다. 중학교 의무교육이 무상이라는 법적 근거는 취약하고 애매하여 단순히 수업료를 징수하지 않고 있는 정도라고 할 수 있다. 적절한 기초생활 조건이 충족되지 못하고 있는 저소득층 아동·청소년들에게 가정의 보호·지지 및 학습에 대한 지원이 미흡하며, 또한 현행 교육복지정책은 교육취약계층 중에서도 특수교육을 요구하는 아동·청소년, 학교 밖 청소년에 대한 정책적 배려는 매우 열악하다.

이상과 같은 사회문화적 환경으로 인해 학교는 더 이상 교육만 이루어지는 곳이 아니라 학생들의 생활이 이루어지는 삶의 공간이므로 학교가 학생의 건강, 문화 등 복지의 기능도 수행해야 한다는 요구들이 높아지고 있다. 또한 학생의 학교적응 및 학업성취 등에는 학교 이외에도 부모, 친구, 지역사회 등 다양한 외부환경이 영향을 미치므로 학교가 교육목적을 성공적으로 수행하기 위해서는 학교 내부만의 노력으로는 한계가 있고 부모, 교사, 지역사회가 함께 유기적인 협력 및 지원이 이루어져야 한다는 생각이 확대되고 있다. 따라서 이러한 역할을 성공적으로 수행하기 위해서는 학교사회복지의 도입이 절실히 요구되고 있다.

6. 교육과 사회복지의 관계

교육과 사회복지의 관계는 상하위의 관계로 설정하기보다는 매우 중요한 부분에서 동일 목적을 지닌 별개의 영역이며, 별개의 기능으로 분리될 수 없는 통합적 개념의 틀이므로 학교사회복지는 사회복지의 한 전문영역으로 볼 수 있다.

성민선(2009)에 따르면 공유영역은 있으나 동일한 것은 아니다. 교육복지는 교육의 본질을 회복하는 교육적 활동이고, 학교사회사업은 교육의 장에서 특수욕구를 갖는 학생들을 포함한 모든 아동들에 대한 서비스를 제공하는 사회복지활동으로 교육과 학교사회복지의 관계를 정의하고 있다.

1) 교육복지

학교사회복지와 관련된 개념으로 교육복지가 있는데 학교사회복지의 개념을 더 분명히 하기 위해서는 교육복지의 개념을 살펴볼 필요가 있다. 우리나라에서 교육복지라는 용어가 사용되기 시작된 것은 1980년 이후 교육학 분야부터였으며 크게 두 가지 입장으로 대별된다.

- 교육복지를 사회복지의 한 영역으로 보는 입장
- 교육을 사회복지의 상위의 개념으로 보고 교육이 곧 복지라고 주장하는 입장

사회복지학계에서는 교육복지가 사회복지의 한 영역이라는 관점에서 교육복지와 학교사회복지의 차이점을 소개하고 있는데, 홍봉선(2004)에 따르면 교육복지란 사회복지의 한 영역으로서 인간의 출발점 평등 지향 가치를 근간으로 하고 전 국민의 교육적 욕구를 충족시키기 위해 교육취약집단은 물론 모든 일반 국민을 대상으로 교육기회의 확대에서부터 교육과정, 교육결과에 이르는 전 과정에 걸쳐 불평등을 해소하고 교육여건을 개선해 주는 정책, 서비스 및 전문적 활동을 말한다.

2) 학교사회복지

학교사회복지가 학생의 교육권을 근간으로 하여 학교라는 장(공간)에서 학생의 복지증진을 위하여 이루어지는 학교정책 및 전문적 활동에 상대적으로 그 초점이 맞추어져 있는 반면, 교육복지는 학생뿐만 아니라 그 이전과 그 이후까지를 포함하는 전 생애에 걸친 교육의 권리와 학교라는 장을 넘어선 전체 사회의 장에서 이루어지는 교육 관련 서비스이며 전문적 활동을 포함한 제도적 정책까지를 포함하는 포괄적 개념이다.

〈표 3-2〉 **교육복지와 학교사회복지의 비교**

구 분	협의의 교육복지	광의의 교육복지	학교사회복지
목 적	• 최소한의 교육기회 제공으로 교육기회의 불평등 완화	• 교육적 욕구 충족 및 교육기회 과정, 결과의 불평등 해소를 통한 인간을 육성하는 복지 실현	• 교육의 본질적 목적이 달성되도록 지원하여 학생복지 실현
주 체	• 국가 및 지방자치단체, 학교	• 국가 및 지방자치단체 및 학교와 피교육주체인 개인을 포함	• 국가 및 지방자치단체, 학교
객 체	• 교육취약계층	• 모든 국민	• 교육취약계층, 모든 학생
원 리	• 선별주의	• 보편주의	• 선별주의+보편주의

범 위	• 최소한(초 · 중)의 교육기회 보장	• 취학 전 초·중고등교육 기회 제공 및 교육과정, 결과의 불평등 해소를 포함	• 교육취약계층의 당면 문제 해결 및 지원. 모든 학생의 잠재력과 능력 증진, 학교교육 목적 달성을 위해 학교, 가족, 지역사회가 수행하는 노력 조정
접근 방법	• 서비스 중심의 미시적 접근	• 정책 및 제도 중심의 거시적 접근	• 서비스 중심의 미시적 접근과 학교 단위의 정책 및 제도 중심의 거시적 접근
구체적 내용	• 최소한(초 · 중)의 의무교육 • 교육취약계층에 대한 교육비 보조 • 학생, 가족 중심의 사회복지	• 취학 전, 초·중등, 대학까지 의무교육 보장 • 교육환경 및 여건 개선 • 교육복지 관련법, 제도, 전달체계 구축 • 직업 및 평생교육 체제 구축 • 학생, 가족, 교사, 학교 대상의 학교사회복지	• 직접서비스, 자문, 지역연계, 자원개발 등의 간접서비스

출처 : 홍봉선 · 남미애(2010).

CHAPTER

04 학교사회복지의 역사

학교사회복지는 사회적 필요에 의해서 만들어진 사회적 산물이다. 따라서 학교사회복지의 역사나 특성, 체계는 각기 나라마다 고유하며 독특한 성격을 가지고 있다.

학교사회복지는 19세기 말에서 20세기 초 영국과 미국에서 각각 시작되었다. 영국은 1870년대 의무교육의 실시와 함께 학교사회복지가 시작되었으며, 미국의 경우에는 1906년에 민간기관들의 주도에 의해 학교사회복지가 시작되었다. 그 외의 나라들은 주로 학교 출석의 의무적 이행을 돕는 것과 문제행동과 상황을 발견하고 개입하는 내용들로 학교사회복지가 진행되고 있다. 오늘날 각 나라의 학교사회복지는 교육복지, 교육사회사업, 학교사회복지사업 등의 이름으로 전 세계 43개국에서 실시되고 있으며, 학교사회복지사의 명칭도 학교사회사업가, 학교 내 사회복지사, 학교사회복지사 교육복지관, 교육사회복지사 등으로 나라마다 조금씩 달리 사용되고 있다(성민선 외, 2012).

1. 미국의 학교사회복지 역사

1900년대 이민자들의 급증으로 발생하는 사회문제와 의무교육에 대한 사회적 관심에서 학교사회복지가 태동하기 시작하였는데, 1906년과 1907년 뉴욕, 보스턴, 하트포트의 세 도시에서 시범적으로 시작된 방문교사제도를 통해 처음 시작되었다. 즉, 인보관[1]이나 자선조직단체에서 활동하던 사회복지사가 아동을 중심으로 가정과 학교, 지역사회를 연결하는 방문교사의 역할을 담당하면서부터 학교사회복지가 시작되었다.

1913년 뉴욕의 로체스터 교육과 1923년 뉴욕공동모금회의 지원 그리고 1921년 미국방문교사협회의 설립으로 학교사회복지 활동이 촉진되었으나, 1930년대 미국의 경제공황기와 맞물려 약간 주춤하였다. 하지만 1945년 미국방문교사협회가 '전국학교사회사업가협회'로 바뀌게 되면서 더욱 활발해지게 되었다(Dupper, 2004, 주석진 외, 2014 재인용).

이후 1975년 '장애아교육법(Education for All Handicapped Children Act)'이 제정되면서 민간재단과 연방정부의 교육법을 통해 지원을 받고 있던 학교사회복지 사업은 연방법에 의해 제도적으로 안정적인 운영을 할 수 있는 기틀이 마련되었다(한국사회복지사협회, 2008).

2014년 기준 미국에는 정부와 민간의 다양한 재원을 바탕으로 약 2만여 명 이상의 학교사회복지사가 활동하고 있는 것으로 추산되고 있다.

2. 영국의 학교사회복지 역사

1871년 지방 교육청에서 학교출석관을 고용하면서 실질적인 학교사회복지 사업이 시작되었다고 볼 수 있는데, 이 당시 학교출석담당관은 학업성취도가 낮은 학생들에게 공부를 가르치거나 가정방문을 통해 발견한 가난한 사람들에게 필요한 물품과 연료를 전달해 주는 역할을 하였다. 이후 '학교출석관'은 1906년 학급급식 실시에도 일정 부분 영향을 미쳤다. 1918년 영국의 교육법이 의무교육 연한을 14세로 연장함에 따라 학교출석관의 역할과 책임은 더욱 증대되었고, 이러한 계기로 관련 협회를 구성하여 전문가적 위치를 더욱 공고히 하였다.

---

1) 인보(隣保) 사업과 빈민 구제를 목적으로 세워진 단체나 기관으로, 빈민지역에서 함께 생활하며 지역사회 환경과 생활을 개선하는 것을 목표로 한다. 이러한 인보관이 사회개혁운동으로서 퍼져나가게 된 것을 인보관운동(settlement house movement)이라 한다(네이버 지식백과).

1944년에는 교육법이 개정되면서 "아동은 자신의 나이와 능력에 따라 적절한 일반 혹은 특별교육을 받아야 하나 그렇지 못한 상황이 발생할 경우 교육복지사가 해당 아동을 상담하여 필요한 도움을 받아 수행할 수 있다"는 규정이 생기게 되었다. 이를 통해 교육복지(education welfare)라는 말이 처음 등장하였고 '학교출석관'이라는 명칭도 자연스럽게 '교육복지관(education welfare officer)'이라는 명칭으로 바뀌게 되었다.

이후 영국에는 아동법, 교육법, 반사회행동법 등 교육복지와 관련한 다양한 법들이 제정되면서 교육복지서비스가 다양한 영역으로 확대되었다(홍봉선 외, 2009, 주석진 외, 2014 재인용).

현재 영국에는 약 3,000여 명의 교육복지관(학교사회복지사)이 있으며 이들은 초·중·고 재학생들의 교육을 어렵게 만드는 다양한 문제에 대한 예방적·치료적 접근에 초점을 두고 활동하고 있다(주석진 외, 2014).

3. 한국의 학교사회복지 역사

1970년대 이후 시기의 교육은 개인의 성취와 사회참여, 계층 상승의 기회를 제공하여 국가발전의 근본적인 역할을 담당하였다. 하지만 1990년대 중반 이후 경제위기와 청소년 문제의 심화를 경험하면서 기존 교육에 대한 제고와 새로운 평가 및 대안을 요구받게 되었다(한국학교사회복지사협회, 2010). 그리고 이 과정에서 학교에 부적응하는 학생들을 지원하기 위해 등장한 제도가 학교사회복지이다.

우리나라 학교사회복지의 역사를 이해하는 데 있어 중요한 두 가지 사업형태가 있는데, 첫째는 학교에서 학교사회복지사를 고용하여 진행하는 학교중심형의 학교사회복지이고, 둘째는 지역사회기관에서 학교사회복지사를 고용하여 방문 프로그램을 진행하거나 학교 내에 상주할 수 있도록 지원하는 지역사회기관 중심형의 학교사회복지이다(주석진 외, 2014).

〈표 4-1〉 **우리나라 학교사회복지의 발달과정**

연 도	구 분	주요 내용
1969년	현대적 의미의 학교사회복지 시작	• 민간 외원기관인 캐나다 유니태리언 봉사회(USCC)에서 운영했던 서울시 마포사회복지관은 마포초등학교 학생을 대상으로 경제적 원조와 상담서비스를 제공
1993년	공식적인 최초의 학교사회복지활동	• 은평종합사회복지관에서 학교생활에 문제가 있는 특수학급 아동 9명 대상, 꿈나무교실 운영(12회의 집단지도 프로그램) • 지역사회복지관 중심의 학교사회복지, 초등학생 대상
	최초 학교에서의 사회복지 실습	• 숭실대 대학원생인 윤철수가 서울 화곡여상에서 주 1회, 1년간 실습함
1994년	지역복지관 중심의 학교사회복지 시작	• 연세대학교 김기환 교수와 사회복지학과 학생들이 자원봉사자의 자격으로 3개 학교에서 문제학생들에 대한 개인상담, 집단상담, 가정방문 등의 학교사회사업서비스를 제공
1995년	정부에 학교사회사업의 제도화 권고	• 보건복지부 산하 '국민복지기획단'이 정부에게 학교사회사업의 제도화를 실시하도록 권고
	민간기업재단인 삼성복지재단의 지원 시작	• 삼성복지재단이 처음으로 은평종합사회복지관의 '아동의 학교생활 적응력 향상을 위한 학교사회사업' 프로젝트 지원 • 1996년에는 사업 공고 시 학교사회사업 등 4개 분야의 주제를 제시하여 재단 지원사업의 전문화를 도모
1996년	학교에서 교수와 대학원생의 활동 시작	• 사회복지학과 교수(노혜련)와 대학원생이 중심이 되어 서울 동작중학교와 백석중학교에서 1년간 학교사회복지활동과 연구 수행
	서울시교육청 시범사업(1차)	• 시의회로부터 학생들의 복지와 문제해결을 위해 학교사회사업 프로그램을 실시하라는 요구를 받고 1997년부터 실시 • 서울대학교 사회복지연구소가 용역을 받아 서울 광신고등학교, 연북중학교 그리고 영등포여자상업학교 등 3개교를 시범연구학교로 선정, 각 학교에 석사학위 이상의 책임연구원과 실무자를 파견하여 사회복지서비스를 제공하면서 연구를 진행
1997년	교육부 시범사업(1차)	• 1997년부터 1999년 2월까지 학교사회복지 시범연구사업 실시 • 학생에게 소위 사회복지서비스를 제공하되 상담교사, 교육학 부전공 교사, 학부모 자원봉사자를 통해 실시 • 무학여고(서울), 충남중학교(대전), 북성중학교(광주), 제일여상(대구) 등 4개교에서 2년간 실시 • 적은 예산(프로그램 실비 예산 연간 500만 원)과 사회복지사가 학교 안에 상주하지 않는 등의 문제로 소기의 성과를 거두지 못함

	한국학교사회사업학회 창립	• 한국학교사회사업학회(이후 한국학교사회복지학회가 명칭이 변경됨)가 창립
1998년	최초의 학교사회복지사 탄생	• 서울시교육청의 제1차 시범사업을 실시한 영등포여상에서 우리나라 최초의 학교사회복지사가 탄생
2000년	한국학교사회사업 실천가협회 창립	• 학교사회복지사의 전문성 신장과 권익옹호를 위해 한국학교사회사업실천가협회 창립
	서울시교육청 시범사업(2차)	• 서울시교육청의 직접 사업으로 진행 • 대상 학교도 5개교(송파공업고등학교, 당곡고등학교, 남강중학교, 은평공업고등학교, 동마중학교)로 확대 • 해당 학교에 투입된 전문인력은 제2회 학교사회사업 대학원 연수를 통해 기본과정을 이수한 사람들과 1년의 실습과정을 통해 배출된 사람들임
2001년	서울시교육청 시범사업(3차)	• 서울시교육청 본청 사업으로 이루어짐 • 5개교(서울북공고, 삼성고등학교, 경성여실, 안천중학교, 성원중학교)에서 5명의 학교사회복지사가 투입
	삼성재단 지원	• 학교 상주 모델 연구 지원
2002년	삼성재단 지원	• 학교사회복지 인프라 구축사업 지원
	서울시교육청 시범사업(4차)	• 2002년부터 2003년까지 2년간 시범사업으로 확대 • 4개교(서초공고, 성덕여상, 도봉중학교, 연서중학교), 4명의 사회복지사가 투입 • 사회복지사는 서울시교육청에서 직접 선발, 단위학교에 추천
	공동모금회	• 중앙공동모금회에서 2002년부터 3년 계획으로 학교를 중심으로 학교사회복지 시범사업에 대한 지원 • 전국 14개 학교에 학교사회복지사의 3년간의 인건비와 프로그램 비용을 지원 • 부산, 대전 및 충북의 지역공동모금회에서도 실시함
2004년	교육인적자원부 학교사회복지 시범사업(2차)	• 1년간 사회복지사를 활용하는 연구사업으로 교육복지와 학교폭력예방 등 종합적 프로그램 운영에 활동하기 위한 것임 • 전국 시·도 교육청별로 초·중·고등학교 각 1개교씩 모두 48개 학교에 학교사회복지사가 배치 • 2006년 교육인적자원부에서 실시하는 연구학교는 전국 94개교
	서울시교육청 시범사업(5차)	• 2004년과 2005년 2년간 시범사업을 실시 • 생활지도 시범사업이 아닌 학교사회복지 시범학교라는 명칭으로 운영

2005년		• 서울, 부산, 광주, 인천, 대전, 대구, 울산 등 전국 16개 시·도에서 50개 지역으로 확산 운영
2006년	서울시교육청 시범사업(6차)	• 구암중학교 1곳에서 2년간 실시

출처 : 홍봉선·남미애(2010).

1) 1945년 해방~1960년대

해방과 더불어 시작된 이 시기는 국가가 정치, 경제, 사회적으로 매우 혼란스럽고 어려운 시기였다. 6·25 전쟁 이후 많은 외원단체들이 전후 복구사업을 위해 우리나라에 들어옴에 따라 보호가 필요한 학생을 위한 지원이 지역사회 안에서 활발히 이루어지기 시작하였는데, 그 사회복지 서비스는 주로 물자지원이나 시설수용을 통한 구호적 성격의 서비스였으며 학교와의 연계나 협조 속에 이루어진 것이 아니었다. 1950년대 말과 1960년대 초반으로 오면서, 1961년 아동복지법이 제정되고 학생을 위한 사회복지기관도 확대되었으며, 집단상담 등 아동, 청소년들을 위한 활동들도 활발해졌다(한인영, 2004, 장수한 2010 재인용).

1960년 후반에 캐나다 유니태리언 봉사회(USCC)에서 운영하는 서울시 마포사회복지관은 지역 내 한 초등학교에 상담서비스를 제공하며 학생의 학교적응과 학업성취를 돕는 활동을 하였는데 이것을 우리나라 최초의 학교사회복지로 볼 수 있다.

이 시기는 우리나라에 처음 공교육이 도입되고 국민의 의무교육이 법으로 보장(한인영, 2004, 장수한, 2010 재인용)되면서 외원기관과 사회복지기관을 중심으로 지역사회에서 행해지던 학생상담은 학생생활지도의 한 방법으로 학교제도 내에서 도입되고 발전되기 시작하였다.

1957년 서울시 교육위원회에서 중·고등학교에 카운슬러제도를 두는 것을 문교지침으로 규정하고 1958년 각 학교에서 교도교사제도[2]가 실시되었다. 1958년 7월에 이들을 양성하기 위한 240시간의 교도양성 강습회가 서울시 교육위원회 주최로 덕성여대에서 처음으로 개최되었고 1962년에는 서울대학교에 학생지도연구소가 설립되어 중등학교의 생활지도가 대학까지 확대되었다. 그 당시 교도교사제도는 의무사항이 아니었다. 1963년 교육공무원법을 제정하면서 교도교사를 정식교사의 하나로 법제화하고 교도교사가 되기 위한 자격증제도를 신설하였다(장수한, 2003, 장수한, 2010 재인용). 그러나 교도교사의 배치, 의무고용, 활동업무, 상담실 설치 등의 후속법규가 제정되지 않아 당시 자격증제도의 신설은 명목상에 지나지 않았다.

2) 1970년대~1980년대

1970년대에는 급격한 경제성장으로 사회 불균형이 발생되고 외원기관[3]의 철수로 인해 사회복지의 자주화와 전문화가 강조되었고, 학교사회복지에 관한 이론과 개념이 소개되기 시작했다. 또한 사회복지에 관한 법률들이 제정되면서 아동복지와 교육에 관한 기본권이 확대되었지만 급격한 사회변화로 인해 학교부적응이나 비행 등의 요보호학생도 점차 증가했다. 따라서 이 시기는 사회복지계에서 요보호학생을 위한 사회적 개입이 소개되고 교육계에서는 1950년대에 도입된 교도교사제도가 법적으로 정착되었다(장수한, 2003, 장수한, 2010 재인용).

그리고 1960년대에 제정된 보호가 필요한 아동중심의 아동복리법하에서 1970년대는 지속적으로 아동 및 청소년 복지사업들이 확대되었다. 1981년에는 아동복리법이 모든 아동을 포함하는 아동복지법으로 개정되면서 일반아동을 포함한 확대된 아동복지 사업으로 전개되었다. 또한 1984년 소년소녀가장세대

---

2) 학교교육의 중요한 한 부분으로서 생활지도 활동을 전개함에 있어서 교장 이하 모든 교사의 적극적인 활동을 전제하면서 학교 전체의 교도활동을 조직·조정하고, 특히 전문적 자질을 가지고 임해야 할 활동을 담당할 생활지도 담당 전문교사를 배치하는 제도로 담당 업무는 상담조언, 개인기록, 정보제공 등이다(김희대, 2007).

3) 외국의 원조기관.

에 대한 지원정책, 1988년 보호관찰 등에 관한 법률 등과 같이 보호가 필요한 아동과 학생에 대한 다양한 법률들이 제정되어 이들에 대한 사회복지서비스가 확대되었다.

하지만 현대적 의미의 학교사회복지나 방문교사 형식의 사회복지서비스가 학교제도 내에서 시행되는 경우는 드물었다. 사회복지사 개인의 노력이나 학교장의 재량에 의해 학생상담 수준의 단편적 학교사회복지가 특정 학교에서 시행되었다. 그리고 학생을 위한 사회복지 서비스의 대부분은 학교와 연계하지 않은 채 사회복지지관에서 독자적으로 제공되었고, 당시 학교는 사회복지기관의 역할에 대해서 알지 못했고 사회복지기관도 학교의 연계 필요성이나 접근방법을 알지 못했다.

3) 1990년대 이후

(1) 사회복지관 중심 학교사회복지의 시작(1993~현재)

우리나라 최초의 공식적인 학교사회복지 활동은 1993년 은평종합사회복지관(당시 태화은평종합사회복지관)에서 서울특별시에 소재한 수색초등학교 특수학급 학생을 대상으로 진행된 ‘꿈나무교실’ 프로그램이다(주석진 외, 2014). 학교생활에 문제가 있는 특수학급 아동 9명을 대상으로 사회복지기관에서 주 1회씩 총 12회의 집단 프로그램을 실시하였다(교육복지연구소, 2006, 장수한, 2010 재인용). 이후에 프로그램의 성과를 인정받아 1995년에는 대상을 일반학급 아동 중 학교생활에 적응하지 못하는 아동으로 확대해 나갔다. 은평종합사회복지관은 그 후에도 학교와 연계한 학교사회복지 프로그램을 지속적으로 수행하였다.

(2) 학교중심 학교사회복지의 시작(1993~1994)

숭실대학교 대학원생인 윤철수는 1993년 서울 화곡여자상업고등학교를 실습지(주 1회씩 1년간)로 개척하여 학교에서 해결하기 어려운 문제에 대해 사회복지적인 방법으로 학생들에게 접근하였다(전재일 외, 2011, 주석진 외, 2014 재인용). 학교중심형 학교사회복지는 윤철수의 이러한 노력들로 인해 그 기초가 놓이게 되었다.

(3) 삼성복지재단의 학교사회복지 후원사업(1995 이후)

1993년 은평종합사회복지관에서 시작된 '꿈나무교실' 사업을 계기로 차츰 복지관들이 학교사회복지에 관심을 가지게 되었다. 특히 삼성복지재단에서 운영한 프로그램 후원사업은 복지기관들의 전문성을 강화하는 데 중요한 계기가 되었다. 삼성복지재단은 1995년 민간재단 최초로 '학교사회복지' 프로그램을 지원하였고, 이후 청소년복지에 대한 관심이 높아지면서 학생들에 대한 서비스의 질을 높이고자 사업을 확대해 나갔다. 특히 1997년 지원사업부터는 청소년사업에 학교사회복지를 명시함으로써 지역사회 복지기관들의 관심을 증폭하는 계기가 되었고, 전국적으로 학교사회 복지사업에 대한 인식을 증진시켰다. 또한 단순히 프로그램을 지원한 것뿐만 아니라 전문가의 정기적인 자문을 받을 수 있는 슈퍼비전 체계를 마련하여 학교사회복지의 성공적인 수행을 유도하였다. 이후 삼성복지재단은 전국에 있는 사회복지기관을 중심으로 아동·청소년 관련 사업에서 학교사회복지를 필수적으로 포함하는 데 중요한 역할을 하였다.

(4) 국민복지기획단의 건의(1995)

1995년 문민정부[4] 시절 보건복지부 산하 국민복지기획단은 폐쇄적인 학교가 이제는 개방되어 외부의 원조를 받아야 할 필요가 있다고 인식하여 정부로 하여금 '학교사회복지' 제도화를 실시하도록 권고하였다. 이는 1997년 교육부 시범사업을 실시하게 되는 중요한 계기를 마련하였다.

4) 1997년부터 2001년까지

(1) 교육부 시범사업(1997~1999)

1995년 국민복지기획단의 건의 후 1996년 교육부에서는 학교사회복지제도

4) 군인이 아닌 보통사람, 즉 일반인 출신의 대통령이 통치하는 정부를 말한다. 한국은 1961년부터 박정희(朴正熙)의 5·16 군사정변 이후 32년간 전두환(全斗換), 노태우(盧泰愚) 등으로 이어지는 군사정권이 통치한다. 그러나 1987년 6월 민주항쟁으로 대통령 직선제가 실시되고, 1993년 2월 25일에는 제14대 대통령으로 일반인 김영삼(金泳三) 정부가 들어섬으로써 문민정부가 시작된다(네이버).

의 도입을 공식으로 표명하였고 1997년 3월부터 1999년 2월까지 2년간 학교사회복지 시범사업을 무학여자고등학교(서울), 충남중학교(대전), 북성중학교(광주), 대구제일여자상업고등학교(대구)에서 실시하였다. 그러나 인력을 활용할 수 없을 정도의 예산(연 500만 원)으로 인해 사회복지사들이 주체적으로 사업을 추진하지 못하고 상담교사, 교육학 부전공 교사, 학부모 자원봉사자들에 의해 운영되었다. 또한 학교사회복지에 대한 모형이나 지침도 없이 운영되었다. 이에 따라 이 시범사업은 소기의 성과를 나타내지 못하였고 그 결과 교육부의 1999년 이후 확대 계획도 실현되지 못하였다.

(2) 서울특별시 교육청의 연구사업 및 1, 2차 생활지도 시범사업(1997, 2000~2001)

교육부와 별도로 서울특별시 교육청은 지방 교육청으로는 처음으로 1997년 본격적인 학교사회복지 연구사업(광신고등학교, 영등포여자상업고등학교 등)을 시작하였다. 서울특별시 교육청이 학교사회복지에 대한 이해가 없음에도 연구사업을 채택하게 된 데에는 숭실대학교 노혜련 교수의 추천과 서울특별시 의회로부터의 권고가 있었기 때문이었다. 이 사업은 이후 영상고등학교와 한가람고등학교에 학교의 예산으로 학교사회복지사를 고용하는 계기와 서울특별시 교육청 산하 지역청 상담센터 내에 사회복지사가 고용되는 결과를 낳았다.

이후 서울특별시 교육청은 2000년 학교사회복지를 활용한 생활지도 시범사업을 다시 시작하였다. 이는 1997년 연구사업 당시 담당자였던 김성심 장학사가 다시 업무를 담당하면서 서울특별시 교육청 직접사업으로 더 발전적이고 전문적인 시범사업을 진행하게 된 것이다. 2001년 제2차 시범사업은 서울북공업고등학교, 삼성고등학교, 경성여자실업고등학교, 안천중학교, 성원중학교 등 5개교에서 실시되었는데, 이전과 달리 5개교가 공동으로 진행하는 공동사업을 수행하였고, 발표회와 보고서(CD) 발간 등을 통해 학교사회복지의 우수성을 인정받았다.

(3) 한국학교사회복지학회 창립(1997)

서울특별시 교육청 연구사업과 삼성복지재단의 지원이 시작되면서, 1997년 5월 22일 학교사회복지 현장과 실무의 이론적 뒷받침을 제공하기 위해 '한국학교사회복지학회(초기 한국학교사회사업학회, http://www.schoolsocialwork.org)가 만들어졌다. 학회는 학교사회복지에 대한 연구뿐만 아니라 실천현장 지원(자문교수), 다양한 워크숍, 학술지 출판 등을 전개하면서 학교사회복지의 실천과 이론 발전에 기여해 왔다.

(4) 한국학교사회복지사협회 창립(2000)

현장 실무자들의 전문성 신장과 학교사회복지의 제도화를 위해 실무자들의 조직이 2000년 8월 실무자들의 조직인 '한국학교사회복지사협회'(초기 한국학교사회사업실천가협회, http://www.kassw.or.kr)가 창립되었다. 이후 전국적인 지회를 결성하는 등 협회원들을 중심으로 조직적인 활동을 활발히 하고 있으며, 인력양성을 위한 교육과 자격제도 운영, 제도화를 위한 다양한 정책활동 등을 전개하고 있다.

5) 2002년부터 2008년까지

(1) 서울특별시 교육청의 3, 4, 5차 학교사회사업 시범사업(2002~2007)

제2차 생활지도 시범사업 이후 제3차 학교사회사업 시범사업(2002~2005)부터는 1년 단위가 아닌 2년 연속 시범 연구사업을 수행하게 되는 이례적인 결과를 도출하였다. 다만, 예산 확보의 어려움으로 인해 5개교에서 4개교로 대상학교 수가 축소되었고 서울특별시 교육청에서 학교사회복지사를 직접 선발하여 단위학교에 추천하는 형식으로 인력선발 형식이 변경되었다. 그리고 시범사업명을 생활지도 시범사업이 아닌 학교사회복지 시범사업으로 명칭을 변경하여 운영하였다. 이후 제4차 시범사업(2004~2005)은 제3차 시범사업과 같은 형태로 진행되었으며, 제5차 시범사업(2006~2007)을 마지막으로 종료되었다. 시범사업은 비록 종결되었지만 이 사업은 학교사회복지의 가장 바람직한 모형으로 실시되었고, 학교사회복지의 저변 확대에 크게 기여를 하였다는 점에서 그 의미가 크다.

(2) 사회복지공동모금회 기획사업(2002~2004, 2005, 2008)

중앙 공동모금회는 학교사회복지제도화를 목적으로 2002년부터 3개년 기획사업으로 학교사회복지를 실시하였다. 이 사업은 한국학교사회복지사협회가 주관하는 6개 학교(학교중심), 8개 사회복지관(지역사회기관 중심)이 학교사회복지사를 고용하여 8개 학교에 파견하는 형태로 운영되었다. 3년간의 사업이었지만 결과가 좋게 나타나고 학교에서의 반응도 긍정적으로 평가되어 지원사업으로는 예외적으로 1년간 더 연장하여 2005년까지 사업이 진행되었다. 그리고 이 사업은 지역 공동모금회 사업에도 영향을 미쳐 2003년부터 전국적으로 부산, 대전, 대구, 충북, 인천, 경남 등 지역공동모금회가 합류하면서 지역중심의 학교사회복지사업이 확대되고 교육계에 학교사회복지에 대한 인식이 증대되었다. 사회복지공동모금회의 기획사업이 주는 의미는 학교사회복지 실천을 위한 안정적이고 지속적인 장(setting)을 마련해 주었고, 학교 내 상주하는 인력에 대한 임금기준과 사업예산 기준을 마련하였다는 점에서 그 의미가 크다. 이후 사회복지공동모금회는 2008년 특수학교에 학교사회복지사를 배치하는 시범사업을 3개교에서 실시하였으나 1년만 운영되고 중단되었다.

(3) 지방자치단체지원 학교사회복지사업 시행(2003~현재)

과천시에서는 2008년 학교사회복지사업을 시 예산으로 배정하여 관문초등학교에서 최초의 지방자치단체 지원사업을 실시하였다. 이전까지는 민간 차원, 정부 차원의 예산으로 사업이 운영되었다면 이 사업은 지방자치단체가 예산을 배정하여 운영하는 방식이 특징이다. 이 사업은 2007년부터 학교사회복지사업을 운영하고 있는 용인시와 2009년 최초의 학교사회복지 관련 조례를 제정한 성남시를 포함해 수원시, 군포시, 의왕시, 화성시 등의 학교사회복지사업 실시에도 큰 영향을 미쳤다.

〈표 4-2〉 지방자치단체지원 학교사회복지사업 현황

지 역	내 용	학교 수
과천	• 2003년부터 과천시 청소년 상담복지지원센터 직접 운영 • 8개교(초등 4개교, 중등 2개교, 고등 2개교-청계초, 관문초, 과천초, 문원초, 과천문원중, 과천중, 중앙고, 과천고)	8개교
용인	• 강남대학교 사회복지연구소 위탁운영에서 「용인시 학교사회복지활성화 및 지원에 관한 조례(2011. 1. 11)」로 용인시청에서 지원 • 6개교(초등 3개교, 중등 3개교)-용천초, 신갈초, 용마초, 수지중, 용인중, 용인백현중	6개교
수원	• 2010년 「수원시 학교사회복지사업에 관한 교육경비 보조에 관한 조례」(2010. 10. 11) 수원시청 교육청소년과 지원 • 2010년 4개교(초등 3개교, 중등 1개교) • 2012년 10개교 → 2013년 34개교로 확대 운영	34개교
성남	• 2009년 「성남시학교사회사업활성화에 관한 조례」(2009. 6. 4)	21개교
안양	• 2011년 학교사회복지 조례 제정 • 2013년 3개교에서 사업추진 예정	3개교
군포 의왕	• 조례제정 추진 중 상위 근거법의 부재로 무산되었으나 지역의 욕구로 사업 시작 • 2012년 군포(초 2, 중 2), 의왕(초 1, 중 2) • 2013년 의왕지역 학교사회복지 2개교 추가 확대	9개교
화성	• 2012년 창의지성센터 사업으로 추진 • 총 16개 학교에 사회복지사 배치	16개교
학교별 예산 : 인건비 포함 약 40,000천 원		97개교

출처 : 한국학교사회복지사협회 내부자료(2013년 1월 기준).

(4) 교육부의 교육복지투자우선지역 지원사업(2003~현재)

1997년도에 학교사회사업 연구학교를 2년간 실시한 바 있는 교육부는 2003년도에 2년에 걸친 '교육복지투자우선지역 지원사업' 실시를 발표하였다. 학교를 중심으로 지역교육공동체를 구축하기 위해 시행된 이 사업은 그 효과성이 입증되면서 2008년 전국 100개 지역으로 사업이 확대되었고 2012년 기준으로 1,490개 학교에 지역사회 교육전문가(교육복지사)가 배치되어 활동하고 있다.

(5) 교육부(당시 교육인적자원부)의 교육복지 증진 및 학교폭력 예방을 위한 사회복지사 활용 연구학교 및 보건복지부(당시 보건복지가족부)와의 공동사업 (2004~2008)

교육부는 2004년 5월부터 2005년 4월까지 1년간 사회복지사를 활용하는 연구사업을 시작하였다. 전국 16개 시・도 초・중・고 3개교씩 총 48개 학교로 시작된 연구사업은 그 효과성이 입증되면서 2005년부터 96개 학교로 확대되어 진행되었다. 2006년에도 96개 학교를 중심으로 사업이 운영되었으나, 교육계에서의 지속적인 인건비 지원이 어렵다는 결정으로 인해, 2006년을 마지막으로 사업이 종결될 위기에 놓여있었다. 그러나 방송 및 언론에서 학교사회복지의 효과성이 보도되면서, 사업을 중단하기에는 정부 차원의 심적 부담이 가중되었고, 그 해결방안으로 인건비는 보건복지부에서, 사업비는 교육부에서 담당하는 사업으로 전환되었으며, 사업명칭도 파견사업으로 2년간 지속되다가 2008년에 종결되었다. 그 이유는 교육부에서 시행되는 교육복지우선지원사업(당시 교육복지투자우선지역 지원사업)과 유사하다는 것이었다.

(6) 위스타트사업과 (희망)드림스타트사업(2004)

2004년부터 시작된 위스타트사업[5)]은 지방자치단체와 민간단체가 협력하여 공동으로 추진하는 복지(Welfare)와 교육(Education) 지원 사업으로 12세 이하 아동에 대한 맞춤서비스를 지향하며 실시되었다. 초기에는 안산 지역만 학교사회복지를 주요 사업내용으로 구성하여 실시하였으나 이후 경기도 지역에서 위스타트 사업 확대 시 학교사회복지사를 의무적으로 배치하도록 하였다.

또한 아동에 대한 전달체계를 갖추지 못하고 있던 정부에서는 위스타트 사업을 벤치마킹[6)]하여 아동의 공평한 양육여건과 출발기회를 보장하기 위해 희망스타트사업이라는 명칭으로 정부 차원의 사업을 시도하였다. 이후 이명박 정부 출범과 함께 드림스타트[7)]로 개명하여 진행되었다. 2009년까지만 해

---

5) 위스타트(We Start) 사업은 빈곤 및 소외된 어린이들이 뒤처지지 않고 공동의 출발선에서 미래의 희망으로 자라날 수 있도록 아동-가족-지역사회의 역량을 강화하고 지원해 주는 역할을 한다(http://www.westart.or.kr).

6) 개인, 기업, 정부 등 다양한 경제주체가 자신의 성과를 제고하기 위해 참고할 만한 가치가 있는 대상이나 사례를 정하고, 그와의 비교 분석을 통해 필요한 전략 또는 교훈을 찾아보려는 행위를 가리킨다(네이버 지식백과).

도 19개의 초등학교에서 학교사회복지가 실시되었으나 최근 다른 사업에 의해 학교에 전문인력이 다수 배치되어 있는 상황이어서 학교사회복지사가 의무적으로 배치되지는 않고 있다.

〈표 4-3〉 **학교 안의 상담 및 복지활동 현황**

구 분	지방자치단체 학교사회복지사업				위스타트 학교사회복지사업				학교사회복지사 파견사업				교육복지 우선지원사업			
급	초	중	고	계	초	중	고	계	초	중	고	계	초	중	고	계
학교 수	23	21	2	46	14	0	0	14	1	2	1	4	873	773	64	1,710

구 분	위클래스				혁신학교				사업시행학교			
급	초	중	고	계	초	중	고	계	초	중	고	계
학교 수	648	1,019	785	2,452	188	126	40	354	1,748	1,941	892	4,581

출처 : 한국학교사회복지사협회(2012). '학교사회복지 유사사업 현황' 내부자료(2012년 기준).

(7) 학교사회복지사 자격시험(2005~현재)

학교사회복지사의 안정적인 인력수급을 위해 2005년 한국사회복지사협회, 한국학교사회복지사협회, 한국학교사회복지학회 소속 위원으로 구성된 학교사회복지사 자격관리위원회 주도로 학교사회복지사 자격시험이 처음 실시되었다. 자격시험제도는 자격관리위원회에서 국내·외의 각종 휴먼서비스 전문가 자격제도를 비교 검토하여 완성하였는데, 학교사회복지사가 되기 위해서는 사회복지사 1급 자격증 소지자로 학교사회복지론과 아동·청소년복지론/교육학 관련 과목을 수강하였고 실습(240시간)이나 현장경험(기관은 1년, 학교는 6개월 이상 근무)의 실천적 요건을 충족한 사람만이 자격시험에 응시할 수 있다. 이러한 학교사회복지사 자격제도로 인해 사회복지 전공이 있는 대학의 경우 자격취득 요건을 마련하기 위해 학교사회복지론을 개설하게 되었고, 이를 통해 대학생들도 학교사회복지에 많은 관심을 가지게 되었다.

7) 취약계층 아동에게 맞춤형 통합서비스를 제공하여 아동의 건강한 성장과 발달을 도모하고 공평한 출발기회를 보장함으로써 건강하고 행복한 사회 구성원으로 성장할 수 있도록 지원하는 사업(http://www.dreamstart.go.kr)

6) 2009년부터 법제화 준비

(1) 교육부(당시 교육과학기술부)의 위프로젝트(2009~현재)

학교사회복지 파견사업을 운영했던 교육부는 학교사회복지사의 존재를 인식하고 학교 내에서 다양한 전문가가 활동하여 학생들을 지원할 수 있는 제도에 대해 고민하게 되었다. 이에 학교사회복지사 파견사업이 종결되자 2009년 교육부는 Wee-project사업을 실시하였다. 이 사업은 학생들(We)의 감정(emotion)을 보듬어 안는다는 목표로 다양한 인력이 상주하면서 학생들의 어려움을 지원하는 위센터를 구축하고, 이후 학교에 위클래스를 운영하는 형태를 취하면서 학생들을 지원해 주는 사업을 추진하고 있다. 특히 위센터에는 전담인력으로 상담교사, 임상심리사, 사회복지사를 배치한다는 근거를 마련하였다는 점과 공식적으로 사회복지사를 채용인력으로 언급하였다는 점에서 의미가 있다.

(2) 성남시 학교사회복지사업 활성화 및 지원에 관한 조례 제정 및 시행

2009년 6월 우리나라 최초로 성남시에서 학교사회복지 관련 조례(지관근 의원)가 제정되었다. 이 조례 제정이 가지는 의미는 이후 중앙단위의 학교사회복지 법안이 발의(2010년 2월 이주영 의원)되는 데 도움이 되었으며, 타 지역의 학교사회복지 관련 조례(용인시, 경상남도, 수원시)를 제정하는 데 기준이 되었다는 것이다. 그리고 일부 다른 지방자치단체(화성시, 군포시, 안양시 등)의 학교사회복지사업에도 간접적인 영향을 미쳤다.

(3) 법제화 준비

2010년 2월 이주영 의원이 학교사회복지에 관한 법안을 발의하였으나 통과되지는 못하였다. 하지만 2012년 8월 27일 국회에서는 "아이들이 행복한 학교 만들기를 위한 사회복지사의 역할제고 방안"이라는 주제를 가지고 토론회를 개최하였고 19대 국회가 개원되면서 여당과 야당에서는 공통적으로 사회복지사를 활용하여 학생들의 문제를 해결하려는 노력을 하고 있다.

7) 한국의 한국사회복지 발달과정의 특징

첫째, 우리나라의 학교사회복지는 민간기관 주도 및 동참과 정부 당국, 지역 교육청 등의 시범사업으로 꾸준히 실시되어 왔다는 점이다(윤철수 · 진혜경 · 안정선, 2006, 홍봉선 · 남미애, 2010 재인용). 민간기관들은 아동 · 청소년에 대한 복지사업의 일환으로 혹은 제도화를 전제로 한 기획사업의 하나로, 그리고 정부나 지방교육청 등은 학교사회복지 제도화에 앞서 사회복지사들의 전문성과 역량을 탐색하기 위한 시범사업을 펴왔다고 할 수 있다(성민선 외, 2004, 홍봉선 · 남미애, 2010 재인용). 이러한 민간, 지역교육청, 중앙정부 등에서 학교사회복지를 실천하고 있는 학교의 수는 앞으로 그 숫자가 대폭 늘어날 수도 있고 대폭 줄어들 가능성도 있으나 학교사회복지사업이 시작된 지 10여 년 정도에 이르는 기간의 성과로는 결코 무시할 수 없는 큰 성과라고 할 수 있다. 가장 큰 성과는 지난 10여 년간 나름대로 학교현장 속에서 복지서비스의 필요성과 그 효과를 입증하는 기틀을 마련한 것이다. 이는 우리나라 학교교육의 여건과 상황이 그만큼 학교사회복지와 같은 전문적 도움을 절실히 필요로 하고 있었음을 의미한다(윤철수 · 진혜경 · 안정선, 2006).

둘째, 학교사회복지의 운영은 크게 학교상주형과 지역중심형으로 대별된다. 학교상주형은 학교라는 공간에 사회복지사가 상주하여 활동하는 것을 의미하는 것으로, 이들을 고용하는 주체와 재원은 교육부, 사회복지공동모금회, 지방자치단체와 지방교육청 그리고 민간 기간과 단체들이다. 극히 일부이지만 어떤 사회복지관은 독자적으로 학교사회복지사를 선발하고 학교에 파견하여 학교사회복지를 주요 사업으로 실천하고 있기도 하다. 한편 지역중심형의 학교사회복지는 정확히 실태를 파악하는 것이 어려울 만큼 대부분의 사회복지관들이 청소년사업을 함에 있어 학교와 연계하고 있다(성민선 외, 2004).

셋째, 학교사회복지사에게 법적으로 보장된 지위가 없다는 것이다. 현재 우리나라 학교사회복지는 대부분 시범사업 차원에서 한시적으로 이루어지는 성격을 가지고 있을 뿐 아니라 관련법에서도 학교사회복지에 대한 규정이 없어 현재 활동하고 있는 학교사회복지사들은(일부는 장차도) 신분보장이 안 된 상태에서 열악한 처우로 근무하고 있다. 이들은 학교사회복지에 대한 신념과 사명감으로 학교사회복지에 매진하고 있으나 신분의 불안정과 열악한 근무여건이 계속될 경우 이것이 계속 유지된다고 하기 어렵다. 결과적으로 잦은 이직과 교체로 연결될 가능성이 크고, 직업적 정체성과 전문성을 가지고 역할을 수행하는 데 상당한 지장이 초래될 수 있다.

넷째, 학교사회복지는 있지만 학교사회복지로 불리지 않는다. 학교가 교육의 기능만 담당하는 것에는 한계가 있고 학교 안에 건강, 문화, 사회복지 등의 기능도 병행되어야 한다는 인식이 확대되면서 교육부, 보건복지부, 지방자치단체, 민간재단 등 다양한 주체들이 학교를 중심으로 하는 사업들을 동시적, 산발적으로 진행하고 있으며 이들은 사업명칭만 다소 차이가 있을 뿐 비슷한 기능을 하고 있다. 이미 외국에서 학교를 중심으로 오랜 기간 동안 이론 및 경험이 축적되어 발전하고 있는 학교사회복지가 있음에도 불구하고, 학교사회복지로 통일되지 못하고 있다. 또한 학교를 대상으로 활동하는 이들을 부르는 호칭도 지역사회교육전문가, 프로젝트조정자, 사회복지사, 학교사회복지사, 전문상담사 등 다양하다. 이러한 일들을 하고 있는 대다수가 학교사회복지사의 자격을 갖춘 사람이며 스스로 학교사회복지사로 생각하고 있지만 이들을 부르는 명칭들은 사업에 따라 다양하다. 따라서 실제 학교의 장에 학교사회복지사들이 상당한 비율을 차지하고 있고 이들에 의해 학교사회복지가 행해지고 있음에도 불구하고 이들의 활동이 학교사회복지로 드러나지 못하고 학교 및 지역사회에 제대로 인식되지 못하고 있다.

다섯째, 학교사회복지사의 역할 및 업무에 대한 명확한 기준이 이루어지지 않아 방대한 역할을 수행하고 있지만 개입의 효과 및 성과를 측정하기 어려워 제대로 역할을 평가받지 못하고 있다. 외국의 학교사회복지가 학생들의 결석 방지에 초점을 두고 출발하였고 그 이후에도 학교사회복지사의 업무 및 역할이 비교적 분명하여 학교사회복지사의 개입에 대한 적절한 평가 및 인정을 받기 쉽다. 반면 우리나라의 경우 교육열이 높아 학생들의 결석문제보다는 입시교육 위주에서 생기는 학교부적응 문제(학교폭력 등)나 열악한 교육복지의 문제로 인해 생기는 문제(빈곤아동의 방과 후 지도, 결석아동 지원 등) 등 복잡하고 다양한 요인에 발생되는 문제에 개입하고 있다. 교육복지의 수준이 미비하고 학교사회복지가 제도화되어 있지 않은 상태에서 학교사회복지를 부각하고 인정받기 위해 학교사회복지사는 자신들에게 주어지는 방대한 역할들을 무리해서 수행하고 있지만 역할이 모호하고 개입의 효과 및 성과를 측정하기 어려운 역할 수행으로 인해 제대로 전문가로서 평가받지 못하고 있다.

여섯째, 학교사회복지의 사업방향 및 성격이 시대에 따라 다소 변화한다는 점이다. 미국과 영국의 역사에도 마찬가지로, 학교사회복지는 고정된 형태로 계속 머물러 있는 것이 아니라 실천현장인 교육체계 내의 상황 및 사회적 조건에 영향을 받아 계속 변화하고 사업의 성격이나 학교사회복지사의 역할에서도 조금씩 변화가 있다는 것이다. 최근 우리나라 학교사회복지는 학교-가정-지역사회를 통합하고 협력하는 방향이 강조되고 있으며 학교사회복지사의 역할은 전통적인 역할[8] 이외에도 조정자, 자원개발자, 사례관리자의 역할이 강조되고 있다.

일곱째, 특수교육 학생에 대한 개입 근거가 마련되어 있지 않다. 외국의 경우 특수아동에 대해 학교사회복지사가 개입하는 나라도 있고 그렇지 않은 나라도 있다. 예를 들어, 호주와 뉴질랜드에서는 특수교육을 학교사회복지사들이 다루는 문제로 포함시키지 않고 있고, 반면 미국의 경우 장애인교육법(IDEA)에서 학교 내 사회복지서비스를 규정하고 있고 학교사회복지 기반이 바로 특수교육과 관련하여 행해진다. 이러한 차이는 국가 간 사회복지의 범위 및 성격, 장애인복지의 특성 등에 따라 차이가 있을 수 있는데, 우리나라의 경우 장애인복지의 적용범위도 제한적이고 교육복지 수준도 미비하여 어떤 대상보다도 장애학생들이 학교에서 상대적으로 욕구가 높은 집단이라고 할 수 있다. 1994년 전면 개정된 특수교육진흥법에서 특수교육대상자의 교육적 요구에 적합한 교육을 제공하기 위하여, 보호자, 특수교육교원, 일반교육교원, 진로 및 직업교육 담당 교원, 특수교육 관련 서비스 담당 인력 등으로 개별화

8) Caseworker(개별사회사업가), Groupworker(집단사회사업가), 무단결석 지도교사, 상담가, 부모연계(교사와 학부모를 연계)

교육지원팀을 구성하고 특수교육대상자와 그 가족에 대하여 가족상담 등 가족지원을 제공한다고 명시되어 있지만 사회복지사라는 명확한 규정은 없다. 사회복지의 욕구가 가장 높은 대상이 서비스에서 제외되고 있으며 이들에게 전문 사회복지서비스를 제공할 인력이 포함되어 있지 않다.

그러나 교육부의 학교사회복지시범사업은 안타깝게도 예산의 삭감으로 2009년부터는 더 이상 시행되지 못하였다. 그에 비해 교육복지투자우선지역사업은 그동안의 60개 지역에서 우여곡절 끝에 2009년 100개 지역으로 확대되었으며, 2011년 교육복지사업은 새로운 변화를 겪고 있다.

2015년 교육복지사업학교 약 1,300개 학교 중에 교육복지사 투입률은 약 80%에 이르렀다. 이는 전국 약 300개 학교에서 교육복지 프로그램은 진행하고 있으나 교육복지사는 투입되지 않고 있음을 보여준다.

우리나라 학교사회복지는 중앙정부 차원에서 법제화 및 지방자치 차원에서 조례제정을 기반으로 한 학교사회복지서비스의 의무화가 필요하다.

CHAPTER

05 학교사회복지 실천이론

학교사회복지를 실천하는 데 지침이 될 수 있는 모델에 대해 Anderson(1972)이 제시한 전통적 임상모델(clinical model), 학교변화 모델(school changed model), 지역사회－학교 모델(community-school model), 사회적 상호작용 모델(Costiv, 1975)과 학교－지역사회－학생 관계 모델(school-community-pupil relations model)을 중심으로 살펴보기로 한다.

1. 전통적 임상모델

1) 개 념

전통적 임상모델(clinical model)은 정신분석학, 자아심리학, 개별사회사업이론에 근거한 모델로 학생의 문제가 학생 개인이나 가족 또는 이 둘의 역기능적인 어려움으로 발생한다고 보기 때문에 이를 해결하지 않고는 학교교육의 목적을 달성할 수 없다는 것을 전제로 한다.

따라서 학교사회복지사는 학업성취나 학교적응에 방해되는 심리, 사회적인 문제를 가진 개별 학생에 대해 개입하고 필요한 경우 그 가족들을 개입 대상으로 삼는다(성민선 외, 2009).

2) 특 징

전통적 임상모델은 학교에 학교사회복지사가 배치되면 가장 먼저 활용하는 모델이다. 그 이유는 다음과 같다.

첫째, 학교가 특별한 문제를 지닌 학생들에게 도움을 줄 수 있는 임상 전문가를 요구하기 때문이다.

둘째, 새롭게 학교에 투입되는 학교사회복지사들은 취약한 자신들의 입지를 넘어서 전문가로서 해야 할 역할을 획득 · 정립하기 위하여 학교의 욕구에 적극 응해야 하기 때문이다. 그러므로 전통적 임상 모델은 학교사회복지사가 자신의 전문성과 역할을 가장 빨리 인정받아야 하므로 학교사회복지실천 초기에 가장 많이 활용된다(한국학교사회복지사협회, 2012).

전통적 임상모델의 가장 큰 장점은 학교사회복지사의 전문성을 쉽게 입증할 수 있다는 것이다. 학교사회복지사가 처음으로 학교에 배치되었을 때 교사들로부터 '무엇을 하는 사람인가?', '어떤 전문가인가?'라는 의심을 받게 된다. 이때 학생의 문제를 해결할 수 있는 능력을 보여주게 되면 교사들로부터 '전문가'라는 인정을 쉽게 받게 된다. 다음으로 이 모델은 임상적 접근을 통해 학생의 문제 해결을 돕기 때문에 다양한 욕구를 가진 학생들에게 학교사회복지를 알리는 홍보수단이 될 수 있다.

마지막으로 이 모델로 인한 효과를 통해 학교 당국 및 교사들로부터 학생 문제 사안 및 관련 문제 해결을 위한 지속적인 개입 요청을 받을 수 있어 안정적으로 학교사회복지실천을 할 수 있다. 하지만 이러한 장점에도 전통적 임상 모델은 몇 가지 단점을 가지고 있는데, 그 내용을 살펴보면 다음과 같다.

첫째, 학교사회복지사의 임상적 개입이 상담교사의 활동과 구분이 쉽지 않다는 것이다. 이러한 전통적 임상모델만 적용하다 보면 학교에 배치된 전문상담교사와 역할 상충이 발생할 수 있고 학교사회복지사 자신도 정체성의 혼란을 경험할 수가 있다.

둘째, 학교사회복지사가 학생 중심의 임상적 개입만 하다 보면 다른 학교사회복지실천을 할 수 없어 문제가 생길 수 있다. 즉, 학교체계 변화, 가정과 지역사회의 관계 개선 등 학교사회복지사의 다양한 역할을 소홀히 하게 될 수 있다.

마지막으로 전통적 임상모델에 고착된다면 학교나 지역사회 내에서 별다른 영향력이 없게 될 수도 있기 때문이다. 왜냐하면 학교사회복지사는 임상 전문가의 역할만을 하는 것이 아닌 여러 전문가와 함께 팀 접근으로 통합적 서비스를 제공할 수 있는 능력을 갖춘 조정자, 연계자로서의 역할도 담당해야 하기 때문이다(한국학교사회복지사협회 부설 교육복지연구소, 2006).

3) 학교사회복지사의 역할

전통적 임상모델에서 대상학생에 대한 개입은 교사가 학교사회복지사에게 의뢰한다거나 학생이 자발적으로 도움을 요청하기도 하며 학교사회복지사가 도움이 필요한 학생들을 학교나 학급 내에서의 관찰, 가정방문, 지역조사 등 아웃리치를 통해 발굴하여 이루어지기도 한다.

이 모델에서 개입의 초점은 개별학생의 잠재적 학습 능력을 저해하는 사회·정서적 문제에 초점을 맞추며 문제 해결을 위해 학생, 가족 또는 이들 모두에게 개별사회복지서비스를 제공한다. 따라서 전통적 임상모델을 적용하는 학교사회복지사는 개별개입, 집단활동, 가정방문과 함께 학생의 문제와 관련된 가족상담 및 부모상담을 한다. 이때 학교사회복지사가 담당하는 주요 역할은 학생의 문제를 사정하고 상담하는 상담자 역할, 가족과 교사에게 학생의 문제를 설명하는 정보제공자의 역할, 정서적 지지자의 역할 등이다(성민선 외, 2009).

2. 학교변화 모델

1) 개 념

학교변화 모델(school changed model)은 일탈이론과 조직이론을 근거로 한 모델로 제도적 변화모델이라고도 불린다. 이 모델에서는 학생들의 문제가 학교제도에서 비롯되며, 그 원인을 학교제도 및 환경이 제공하는 것으로 여긴다. 이 모델에서는 학교조직을 구성하고 있는 모든 구성체, 즉 교장, 교사, 학생, 행정직원 등 모두가 학생들의 교육목표를 달성하기 위한 분위기를 조성하여야 하며, 교칙과 학교 운영방침 등은 학생 중심으로 이루어져야 한다고 본다(성민선 외, 2009). 따라서 주요 표적 체계는 규범과 같은 학교환경과 학교 안에 있는 학생, 교사, 교장, 교감, 행정직원 등이 된다.

2) 특 징

학교변화 모델의 목표는 학생이 학업을 성취하지 못하게 하는 역기능적인 학교규범과 제도를 변화시키는 것이다. 이 모델을 학교사회복지사가 적용하려면 학교 내 조직원들과 충분한 신뢰관계가 있어야 한다. 이러한 신뢰관계는 전통적 임상모델을 통해 학교사회복지사가 전문가로서 인정을 받은 후 가능하다. 신뢰관계가 형성된 이후 학교사회복지사는 학교 내 의사소통의 절차에 관여하면서 학생과 교육환경에 대한 문제를 공식적으로 제의하여 학교가 그 방안을 모색할 수 있도록 한다.

3) 학교사회복지사의 역할

학생과의 교제에 노력하고 학교의 상황에 보다 많은 관심을 가져야 하며, 교사와 행정가가 학습과 학교적응에 적절하지 않은 학교의 규칙과 수행활동을 확인하도록 도와야 한다.

또한 학교 안에서 학생의 어려움에 대한 원인을 다루는 동시에 특정한 개인에게 서비스하는 방법을 발견하여야 하고, 학교의 변화 요인을 인지해야 하며 학교의 의사결정 과정에 참여해야 하고, 학교사회복지사는 학교와 관련된 전문직과 파트너십을 발휘할 수 있는 전문성을 가져야 한다.

3. 지역사회 – 학교 모델

1) 개 념

지역사회－학교 모델(community-school model)에서 학교는 단순한 교육기관이 아니며, 또한 지역사회는 지리적 영역이 아닌 상호 유기적 체계로 보아 '지역사회 내의 학교(school in community)'로 인식한다. 즉, 학교는 지역사회 안에 공존하는 중요한 공적 기관으로 지역사회와의 협력적 관계가 형성될 때에 비로소 학교교육의 목표를 달성할 수 있다고 본다(성민선 외, 2009).

이 모델은 사회조직이론, 조직이론, 체계이론, 의사소통이론 등을 근거로 하며 학생문제의 원인이 빈곤을 포함한 지역사회의 사회적 조건과 지역사회의 문화적 차이에 대한 학교의 이해 부족에 기인한다고 본다. 특히 낙후된 지역일수록 가정기능이 약화하여 교육적 소외나 불평등 현상이 심화하고 그 결과 학교교육만으로는 교육목적 달성이 어렵다고 인식한다. 따라서 지역사회－학교 모델을 적용하는 학교사회복지사는 학교와 지역사회는 학교교육의 성과를 이루기 위하여 유기적인 협력시스템을 구축해야 하며, 어느 특정한 체계에만 개입하는 것이 아니라 학교, 학생, 가정, 지역사회의 상호작용에 개입하여 문제를 해결한다(한국학교사회복지사협회 부설 교육복지연구소, 2006).

2) 특 징

지역사회－학교 모델을 적용하기까지 학교사회복지사는 전통적 임상모델로 자신의 전문성을 인정받아 학교 내 신뢰를 쌓고, 이를 바탕으로 학교 내부식구로 인정받게 되면 학교변화 모델로의 접근을 시도할 수 있다. 이후 학교사회복지사는 지역사회와의 협력 구축을 위한 새로운 역할을 모색하면서 지역사회－학교 모델을 적용하게 된다(한국학교사회복지사협회 부설 교육복지연구소, 2006). 이 모델은 기본적으로 소외되고 취약한 지역사회에 초점을 맞추는 특징이 있다.

3) 학교사회복지사의 역할

학교사회복지사는 학교와 지역사회가 함께 협의회를 구성하도록 하여 지역사회에 적합한 교육 프로그램을 계획·실행한다. 내용은 지역사회를 대상으로 학교의 교육내용과 방침에 대한 설명, 지역사회의 환경에 대한 이해와 자원 개발, 학교직원에게 지역사회의 역동성과 사회적 요인 설명, 혜택받지 못하는 학생을 원조하는 학교 프로그램 개발 등이 포함된다.

특히 지역사회－학교 모델은 지역사회로 하여금 학교에 대한 신뢰를 회복하며, 교육목표 달성에 협조, 지원해 줄 수 있는 공동체로 발전하도록 하는 것을 개입내용의 핵심으로 한다. 따라서 개입 목표는 학교와 지역사회 간의 신뢰 형성이며 학교와 지역사회 모두가 개입의 초점이 된다. 그러므로 이 모델을 적용하는 학교사회복지사는 지역사회를 대상으로 학교에 대한 교육과정을 이해시켜 학교의 역할을 이해하고 지지하도록 하며 학교를 대상으로는 낙후된 지역의 역동성과 사회적 요인들에 대해 설명을 한다. 또한 지역사회－학교 모델에서 학교사회복지사는 학교와 지역사회가 유기적으로 상호 교환, 교류할 수 있도록 도와주는 중간 매개자 역할을 비롯하여 지역사회가 학교에 대한 신뢰를 형성할 수 있도록 학교교육의 내용과 목표를 정보로 전달하는 정보전달자의 역할과 지역사회에 학교를 알리는 홍보담당자의 역할을 수행한다(성민선 외, 2009).

4. 사회적 상호작용 모델

1) 개 념

사회적 상호작용 모델(social interaction model)은 체계이론과 집단사회사업 실천이론, 의사소통 이론 등을 근거로 하고(한인영 외, 2003), 개인과 집단의 행동들이 서로에게 미치는 영향을 강조한다. 또한 이 모델에서는 문제의 원인을 개인들과 다양한 체계들이 서로 의사소통하고 상호 보조하기 위해 행하는 사회적 상호작용에 어려움이 있는 것으로 보고 있다. 따라서 사회적 상호작용 모델을 적용하는 학교사회복지사는 학교, 학생, 가정과 지역사회 간의 기능적 상호작용을 방해하는 요소를 확인하고, 이 체계 간의 역기능적 상호작용 유형에 변화를 주어 학교, 학생, 가정과 지역사회가 서로 원조할 수 있도록 도와야 한다(성민선 외, 2009).

2) 특 징

사회적 상호작용 모델에서 학교사회복지사는 역기능적 관계 요인들을 평가하는 데 주안점을 둔다. 문제해결 과정은 학생과 학교, 가정 및 지역사회가 상호작용하고 있는 역동성을 파악하는 과정이며, 학생문제에 대한 포괄적인 사정에 근거한 행동 지향적 실천과정이다. 이 모델에서는 학교에 대한 가정과 지역사회 그리고 학생의 기대가 모두 달라서 역기능이 발생하며, 이러한 역기능이 다시 학생들의 문제에 영향을 줄 수 있다고 본다. 그러므로 이 모델을 적용하는 학교사회복지사는 학생 문제의 해결을 위해 어느 특정 체계에만 개입하는 것이 아니라 이들 모든 체계에 대해 개입을 한다. 즉, 특정한 문제에 노출된 학생에 대해 학교사회복지사는 학생, 학교, 지역사회와 다른 의미 있는 체계들에 대한 사정을 토대로 학교 내부뿐만 아니라 학교 외부까지 그 범위를 확대하여 개입을 한다(성민선 외, 2009).

3) 학교사회복지사의 역할

사회적 상호작용 모델에서 학교사회복지사는 중재자, 자문가, 가능가로서의 역할을 수행하게 되며, 시시각각으로 변화하는 표적체계의 성격에 따라 다양한 방법론을 적용할 수 있어야 한다. 그리고 학교사회복지사는 학교, 학생, 지역사회 등의 역동성을 이해하기 위해 다학제적 팀으로 접근하여 팀 구성원들과 상호작용하면서 다양한 수준과 방법들을 사용하여 업무를 분담한다(한인영 외, 2003).

5. 학교 – 지역사회 – 학생 관계 모델

1) 개 념

학교－지역사회－학생관계 모델(school-community-pupil relations model)은 코스틴(Costin, 1975)이 3년간 시범사업을 통해 개발한 것으로, 학생, 학교와 지역사회 간의 복잡한 상호작용을 강조한다(성민선 외, 2009). 이 모델은 인간행동의 발달과 수정에 대한 사회적 변인들의 역할을 강조한 사회학습이론의 원칙들에 근거하고 있고, 체계이론과 조직개발, 상황이론역할과 체계와 문제의 분류화와 같은 이론들을 기초로 하고 있다(한인영 외, 2003).

2) 특 징

학교－지역사회－학생 관계 모델은 학생들이 경험하는 문제를 사회적 상황의 한 특성으로 보고 있기에 그 주요 관심은 학생 집단과 학교의 특성이다(홍봉선·남미애, 2009). 따라서 학생－지역사회－학생 관계 모델에 근거한 사정은 주로 학생의 특성이 학교와 지역사회 상황과 어떻게 상호작용하는지 그리고 학생의 특성이 학생집단에 어떻게 영향을 미치는지를 조사하고 평가하는 데 주안점을 둔다. 이러한 사정을 위해 학교사회복지사는 표적 집단인 학생들과 학부모와의 면담, 관찰 그리고 주변 관련인들과의 면접, 자문 등을 통해 각 욕구를 파악한다. 이러한 과정을 통해 학교사회복지사는 학생과 학부모가 어떤 것을 문제라고 인식하고 있는지, 스트레스와 불만족을 일으키는 교육과정은 어떤 것인지 학교에서 잘되어 있는 것은 무엇이라고 생각하는지 등에 대해 알아간다.

6. 학교사회복지사의 역할

학교-지역사회-학생 관계 모델에서 학교사회복지사는 교장, 교감, 교사 등 여러 교직원으로부터 지속적인 자문을 거쳐 개입 계획을 세우게 된다. 이 과정에서 학교사회복지사는 서비스 계획을 세우고 문서화하여 계획한 바를 달성하기 위해 참여와 협조가 필요한 모든 사람에게 제출한다. 이후 서비스 계획에 필요한 조정과정을 거쳐, 서비스 계획을 수행할 책임을 진 사람들과 계약을 체결한다. 이 과정에서 학교사회복지사는 프로그램 기획자, 학생과 지역사회 특성을 조사하는 연구자, 정보제공자, 학교와 지역사회와의 서비스를 연계하는 조정자 등의 역할을 수행한다.

학교사회복지의 학교사회복지실천 모델의 이론적 배경과 개입의 초점에서는 분명한 차이를 보이고 있으나 궁극적으로는 모든 학교사회복지실천 모델들이 학생들의 교육목적 달성을 목적으로 한다는 공통점을 가진다. 즉, 학교교육 목적을 달성하기 위한 개입이나 서비스의 초점이 개인, 학교, 지역사회, 학교와 지역사회 상호작용, 제도적인 부분 중 어디에 집중하는가에 따라 접근모델이 달라진다. 또한 각 접근모델에서 설명하고 있는 많은 부분은 학교사회복지실천에서 공통으로 필요한 것이기에 실천현장에서 한 모델만 적용되는 것이 아님을 알아야 한다. 즉, 학교사회복지사가 학교현장에 처음 진입했을 때에는 전통적 임상 모델을 활용하고 학교와 전문성과 신뢰를 형성한 후에 여타 다른 모델을 추가하여 활용하는 등 단계적으로 통합적으로 활용할 수 있다(Allen-Meares, et al., 2007).

CHAPTER

06 학교사회복지 실천과정

최근 학교사회사업(학교사회복지)에 대한 관심이 높아지면서 학교사회사업에 관한 많은 논문들이 등재되고 있다. 그 관심분야 역시 다양화되어 학교사회사업의 제도화 방안에 관한 연구, 개선방안에 관한 연구, 학교사회복지사의 역할에 관한 연구, 학교사회복지의 모델 모형에 관한 연구, 학교사회복지의 만족도에 관한 연구 등으로 다양하게 이루어지고 있다. 이러한 많은 연구들에서 우리나라 학교사회복지가 나아가 방향이나 법체계 미비나 학교사회복지 모형의 개발 미흡 등 개선해 나가야 할 많은 문제점들에 대해 지적하고 있다.

학교현장에서 학교사회복지사로 실제적인 활동을 하기 위해서는 학교사회복지 실천과정이 어떻게 이루어지는지를 제대로 이해하여야 한다. 일반적으로 학교사회복지 서비스는 사회복지서비스와 마찬가지로 전문적 활동으로 구성된 일련의 과정을 통해 제공된다. 학교사회복지 서비스가 제공되는 과정은 학자에 따라 약간씩 상이하게 규정하고 있으나 다수의 학자들은 해당 학교와 지역사회 상황 그리고 학교사회복지에 대한 이해도에 따라 실천과정이 달라질 수 있다고 보고 있다.

학교사회사업 실천은 몇 가지 과정으로 이루어진다. 학자에 따라 초기조사, 계획, 개입, 종결, 평가의 5단계로 나누기도 하고 초기과정, 중기과정, 말기과정의 3단계로 나누기도 한다. 본 장에서는 학교사회사업 실천의 전체과정을 먼저 설명하였고 그 후에 초기과정, 중간과정, 종결과정에 대해 살펴보고자 한다.

1. 전체과정

학교사회사업 실천과정의 전체과정에 대해서는 학자마다 약간의 차이가 있고 각 학교가 처한 상황이나 학교사회사업에 대한 이해도에 따라 다르게 진행될 수 있다. Allen-Meares와 동료들(2000)은 학교사회사업서비스의 초기 사정부터 수행, 종결, 평가까지의 전 단계에 대해 다음과 같이 정리하고 있다.

〈표 6-1〉 **학교사회사업 서비스의 전체 단계**

실천 단계	세부내용
본인에 대한 사정	• 학교업무가 본인에게 맞는지를 파악한다. • 전이 · 역전이에 대해 인지한다. • 지역 문화에 대해 익힌다. • 전문가 윤리강령을 학교업무에 맞추고 있는지 사정한다. • 본인의 전문지식, 개입기술 정도, 관심영역에 대해 인식한다.
학교사회사업 업무에 대한 신뢰와 당위성 구축	• 교장이나 다른 행정가와 신뢰관계를 형성한다. • 학교사회사업 업무에 대해 공식, 비공식적으로 그 당위성을 인정받는다.
학교와 지역사회의 자료와 역동성 조사	• 학교의 체계, 비공식 권력구조, 교육철학에 대해 안다. • 교육법, 아동복지법, 청소년 기본법, 특수교육법에 대해 관련 조항을 익힌다. • 학교의 학생 수, 연령, 성별 등 인구통계자료를 파악하고 기타 자원, 욕구, 역동성을 파악한다. • 지역의 인구통계자료와 역동성을 파악한다. • 학교와 지역의 관계를 사정한다.
학교사회사업 계획서를 작성하고 수행하기	• 학교 행정가와 협력해서 서비스의 우선순위를 정한다. • 그 학교만의 독특한 욕구에 맞는 개입계획과 목표를 설정한다. • 책임을 맡은 행정가와 사업계획을 재검토하고 의견을 조정하여 연간계획을 조정하여 연간계획을 확정한다.
평가와 연간보고서 작성	• 행정가에게 연간업무를 보고한다. • 목표가 성취된 것, 변화가 요구되는 항목에 중점을 두어 만든 연차보고서를 교사들에게 배포한다. • 매년 새 계획서를 작성한다.

출처 : 한인영 · 홍순혜 · 김혜란(2005).

학교사회사업 실천의 전체과정은 해당 학교와 지역사회의 상황에 따라 다르게 진행될 수 있다. 김연옥(1998)은 한국에서 시범사업을 이해한 다음 학교사회사업의 단계를 한국 상황에 알맞게 제시하였다. 김연옥은 학교사회사업의 각 단계에서 특히 진입 전 단계의 중요성을 강조하였고, 두 번째의 진입단계와 세 번째의 협력·정착 단계로 나누었다.

진입 전 단계에서는 학교 행정 책임자와 관계형성, 지역사회조사, 학교 내 물리적 공간의 확보, 보호가 필요한 학생집단 파악, 학교 내 협력 가능 인력의 파악, 연간 활동계획 수립, 서식개발, 상담보조 인력의 확보와 교육, 교사모임 참석을 통한 홍보, 학생배포용 홍보물 작성 등을 하게 된다.

진입단계에서는 탐색과정과 적응과정을 거치게 되는데, 탐색과정에서는 지역사회기관 방문과 연계체계 수립, 학교조직에 대한 이해, 학생욕구조사 실시, 홍보활동 개시, 교직원과의 관계형성 등의 활동들을 하게 된다. 적응과정에서는 학생을 둘러싼 담임교사와의 역할중첩, 학교교육 방침 수용과 학생대변 간의 균형 유지, 외부자원 연계의 어려움과 이의 극복, 비밀보장·자기결정 원칙과의 갈등조정, 교사 간 역할 분담, 공동작업의 태도 마련, 대체기관 확보 등의 활동을 하게 된다.

마지막으로 협력·정착 단계에서는 공동작업의 활성화, 활용 기능한 외부기관 확보, 학교 내 서비스조직으로서의 위상 확보, 학교 가정의 유기적 연계를 통한 통합적 지도 관리 등을 주로 하게 된다.

이러한 학교사회사업의 단계는 <표 6-2>와 같이 정리될 수 있다.

〈표 6-2〉 **학교사회사업 수행 관계에 따른 주요 활동 및 특성**

<table>
<tr><th colspan="2">단 계</th><th>주요 활동 및 특성</th></tr>
<tr><td colspan="2">진입 전 단계</td><td>• 학교 행정책임자와 관계 형성
• 지역사회조사
• 학교 내 물리적 공간의 확인 및 확보
• 보호가 필요한 학생집단 파악
• 학교 내 협력 가능 인력의 파악
• 연간 활동계획 수립
• 서식개발
• 상담보조 인력의 확보 및 교육
• 교사모임 참석을 통한 홍보
• 학생배포용 홍보물 작성</td></tr>
<tr><td rowspan="2">진입단계</td><td>탐색과정</td><td>• 지역사회기관 방문 및 연계체계 수립
• 학교조직에 대해 이해
• 학생욕구조사 실시
• 교직원과의 관계 형성</td></tr>
<tr><td>적응과정</td><td>• 학생을 둘러싼 담임교사와의 역할중첩 조정
• 학교교육 방침 수용과 학생 대변 간의 균형 유지
• 외부자원 연계의 어려움과 이의 극복
• 비밀보장/ 자기결정 원칙과의 갈등 조정
• 교사 간 역할 분담
• 공동작업의 토대 마련
• 대체기관의 확보</td></tr>
<tr><td colspan="2">협력 및 정착 단계</td><td>• 공동작업의 활성화
• 활용 가능한 외부기관 확보
• 학교 내 서비스 조직으로서의 위상 확보
• 학교-가정의 유기적 연계를 통한 통합적 지도관리</td></tr>
</table>

출처 : 한인영 · 홍순혜 · 김혜란(2005).

2. 초기과정

1) 관계형성

학교사회복지실천의 초기과정에서는 개인이나 조직을 막론하고 우호적 관계를 만들고 필요한 정보를 사정하는 일이 우선된다. 김연옥(1998)은 학교사회사업가의 실천과정 중 진입 전 단계에서 특히 관계형성이 중요하다고 강조하면서 다음의 10가지를 제시하였다.

① 학교행정 책임자와 원만한 관계를 형성하여야 한다. 즉, 교장이나 학생부장이 학교사회사업가의 업무를 이해하도록 돕고, 새로운 전문직 활동에 대해 호의와 호기심을 갖도록 촉진하기 위해 우호적 관계를 맺는 것이 중요하다.

② 학교가 위치하고 있는 지역을 이해하고 학생의 교외생활에 영향을 주는 환경적 특성을 알면 학생을 연계시키기 위한 기관을 파악하기 위해 지역에 대한 광범위한 조사가 필요하다. 특히 지역 내에 전문 상담시설, 구청 사회복지과, 복지관, 정신보건센터, 보호가 필요한 이들을 위한 시설, 응급실을 갖춘 병원, 교회 등을 파악하고 학교 주변의 유흥가, 임대아파트가 있는지 등을 파악하며, 지역사회연계망을 구축해야 한다.

③ 학교사회사업가가 활동할 물리적 공간을 확인하고 확보할 필요가 있다. 즉, 기존의 비대면 상담실을 이용할 것인지, 집단 프로그램은 어느 방을 사용할 것인지, 이용 가능한 공간과 기자재를 파악하고 확보하도록 한다. 대학생 자원봉사자를 모집하여 보조 인력을 적극적으로 활용하는 것도 바람직하다.

④ 보호가 필요한 학생을 파악함으로써 업무의 우선순위를 정한다. 전체학생 중에서 우선적으로 개입하여야 할 '위험군'을 먼저 도울 필요가 있다. 빈곤가정이나 학대가정의 학생인 경우에 개입이 우선시되어야 한다.

⑤ 학교 내 협력가능 인력을 확인하여 학생상담활동에 협조체계를 구축하며, 특히 관심을 보이는 담임교사들과 보건교사, 학생부장 교사 등을 협력자원으로 활용한다.

⑥ 학교사회사업가의 활동을 학교 일정에 공식적으로 반영하도록 학기별 계획을 수립하되, 학생에 대한 욕구조사를 반영하여 집단 프로그램, 예방 프로그램, 특별활동 프로그램 등의 활동계획을 수립한다.
⑦ 각종 서식을 개발한다. 학생접수에 필요한 양식, 상담파일, 평가서식 등을 확정하여 사용한다.
⑧ 보조 인력을 확보한다. 학교에 필요한 활동내용은 많은데 인력이 모자라는 점을 감안하여 사회복지 전공 대학원생들을 실습의 형태로 참여시켜 보조 인력을 확보하는 것이 바람직하다.
⑨ 교사모임을 통해 학교사회사업 활동을 홍보한다. 공식적인 교직원회의를 비롯해서 비공식적인 회식이나 교사연수회 등에 적극 참석하여 학교사회사업가의 활동내용을 홍보하고 교사들의 이해와 인식을 증대시킨다.
⑩ 학생들에게 학교사회사업가의 활동내용을 알리는 홍보물을 작성하여 배포한다.

2) 학생 초기사정

학교사회사업가는 학생에 대한 개입계획을 세우기 전에 문제를 파악하기 위한 사정작업에 임해야 한다. 사정은 체계이론에 따라 대인에 대한 것, 가족에 대한 것, 학급에 대한 것, 학교 행정과 지역사회에 대한 것으로 구분된다. 개인에 대한 사정은 모든 임상사회사업가가 자기에게 찾아온 클라이언트를 사정할 때에 초기에 사용하는 기술을 기본으로 하며, 여기에 학교의 행정과 학교가 속한 지역사회에 대한 이해를 첨부시킴으로써 '환경 속의 개인'을 이해하는 것이 필요하다.

또한 학교사회사업가는 제시된 문제를 효과적으로 해결하고 학생의 학습효과를 높여 사회성을 고양시키기 위해서 개별상담을 할 것인지, 비슷한 문제를 가진 학생들과 집단상담을 할 것인지, 부모를 개입시켜 가족상담을 할 것인지를 결정하게 된다. 또한 문제의 위급 정도에 따라 위기개입을 할 것인지, 일반상담을 할 것인지를 결정해야 한다.

(1) 학교사회복지실천에서의 생태학적 사정

학교사회복지실천에 있어서 사정은 학생 개인에 대해 이해하고 가정과 학급에서 학생이 어떻게 지내고 있으며, 가족과 학교와의 관계가 어떠한지를 이해하고, 의사소통을 촉진하며, 가장 효과적인 개입이 필요한 개입 체계를 탐색하기 위한 체계적인 방법이다. 학교사회복지실천에서의 사정은 생태학적 관점에 근거하여 다양한 수준에서 이루어지게 된다. 학교사회복지실천에서의 사정은 학생을 돕는 데 필요한 학급의 분위기나 무리적인 구조, 학교의 역동성, 학교와 지역사회의 관계 등을 포함하며, 가정과 학교 그리고 지역사회에 있어서의 학생의 사회적 기능에 초점을 맞추어야 한다. 학교사회복지사는 사정을 실시할 때 학생과 그의 생태체계가 가지고 있는 강점을 확인하고 개입의 기간 동안 강점을 강화시키는 관점을 가져야 한다.

Allen-Meares와 동료들은 학교사회복지실천에 있어서 생태학적인 사정 준거틀을 통해서 세 가지 차원으로 설명하고 있다. ❙그림 6−1❙은 세 가지 차원을 육면체를 통해 보여주고 있다.

육면체의 가로 영역에서는 사정의 대상이 되는 학생의 생태학적 환경으로 클라이언트와 가정, 학교, 지역사회가 제시되었으며, 세로 영역은 사정에 필요한 자원으로서 학생 자신과 그들에게 영향을 미치는 중요한 사람들 그리고 지역사회에서 직접적으로 포함되어야 할 변수로 학생의 인지, 정서, 행동, 신체 등의 변수와 학생의 문제와 관련된 상황적 맥락에 포함된 중요한 변수들을 제시하였다.

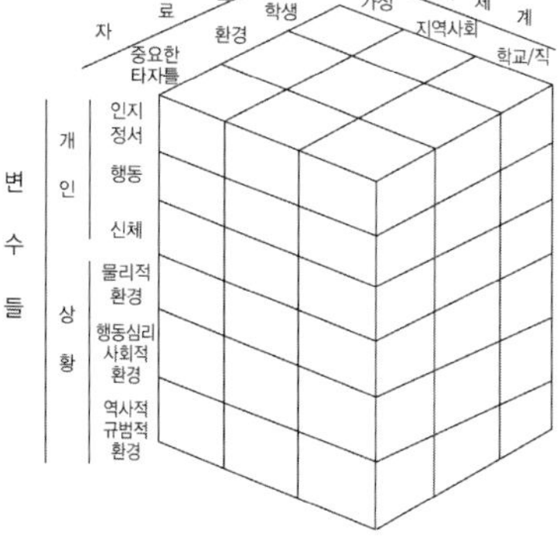

❙그림 6−1❙ 생태학적 사정 준거틀

출처 : Allen-Meares(1987).

준거틀에서 여섯 가지의 생태학적 사정 원칙을 살펴보면 다음과 같다.

첫째, 학교사회복지실천에서 포괄적인 사정은 학교, 가정, 지역사회 등과 같은 다양한 생태체계에 관한 정보를 필요로 하며, 학생과 그를 둘러싸고 있는 다면적인 체계를 대상으로 실시하여야 한다.

둘째, 학교사회복지실천에서의 사정자료는 다양한 자료원으로부터 수집되어야 한다. 사정의 자료원에는 학생과 학생에게 영향을 미치는 중요한 사람들 그리고 학생이 생활하는 환경에서 직접적으로 학생을 관찰하는 사람들이 포함되어야 한다.

셋째, 학교사회복지실천에서의 사정자료에는 학생의 인지, 정서, 행동, 신체적인 태도 등과 같은 중요한 자료들과 동시에 학생들이 처한 상황적인 맥락도 포함되어야 한다.

넷째, 학교사회복지실천에서의 포괄적인 사정은 가능한 한 많은 요소들을 포함하여야 한다.

다섯째, 학교사회복지실천에서의 사정자료는 종합적으로 분석되어야 한다. 사정을 통해서 얻어진 각각의 정보는 클라이언트가 처한 전체적인 상황의 한 부분이라는 것을 인식해야 하며, 학생이 겪는 어려움이 학생 개인적인 차원인지, 환경적인 차원 또는 양자 모두와 관련되어 있는 것인지를 판단해야 한다.

여섯째, 학교사회복지실천에서 포괄적으로 이루어진 사정의 결과를 근거로 효과적인 개입전력이 선택되어야 한다. 학교사회복지는 학생과 환경을 표적체계로 하는 개입전략에 대해 정보를 가지고 있어야 한다.

(2) 학교사회복지실천에 있어서 사정도구

학교사회복지실천에서 체계적인 사정을 위해 다양한 사정도구를 사용하는 것이 바람직한데, 대표적인 가정도구의 특징을 소개하면 다음과 같다(정일봉, 2006).

첫째, 클라이언트의 구두보고다. 중요한 자료원 중에 하나인 일차적인 자료원이다. 구두보고에는 학생이 경험하고 있는 문제, 감정, 사건, 목격한 것에 대한 설명 등이 포함될 수 있으며, 문제해결에 대한 동기와 자원, 문제해결을 위해 실시했던 노력 등을 포함할 수 있다.

둘째, 사정양식이다. 이 방법은 초기면접에서 클라이언트에게 제시되는 양식으로 클라이언트의 이름, 주소, 가족에 대한 정보 학교에 대한 정보 등을 학생이 채워나가는 양식을 말한다. 학교사회복지실천에 있어서 학생이나 가족상담의 초기면접양식이나 학교와 지역사회의 역동성 분석을 위한 양식 등과 같이 다양한 양식을 개발하여 활용할 수 있다. 사정양식을 활용하는 또 다른 방법은 학생이 자기기입식으로 표기하는 표준화된 척도가 있다.

학교사회복지실천에 있어서 학교사회복지실천의 목적에 맞도록 개발된 다양한 표준화된 척도를 활용할 수 있으며, 필요한 경우에는 직접 개발해서 활용하는 방법도 있다.

셋째, 비언어적인 행동에 대한 직접적인 관찰이다. 비언어적인 행동을 관찰하는 단서에는 제스처나 자세, 숨을 쉬는 방식, 얼굴과 목의 근육, 얼굴색, 눈동자의 움직임, 신체적인 특징, 목소리의 톤, 눈 맞춤 등이 포함한다. 학교사회복지사는 이와 같은 비언어적인 단서들을 확인하고 해석함으로써 학생의 정서적인 상태나 반응 등을 파악할 수 있게 된다.

넷째, 상호작용 관찰이다. 가족 구성원이나 친구, 교사들과의 직접적인 상호작용을 관찰하는 것은 새로운 사실을 설명해 줄 수 있다. 많은 경우에 자기자신이 보고한 정보와 직접적으로 관찰한 결과 간에 상당한 차이를 보이는 경우가 많다.

다섯째, 클라이언트의 자기점검이다. 이는 학생 스스로 문제와 관련된 자신의 감정이나 행동 그리고 사고의 발생을 인지하고 표나 그래프로 기록하는 것을 말한다.

여섯째, 심리검사다. 이 방법은 자기보고식 설문으로서 표준화된 측정도구를 활용하여 클라이언트의 상황을 사정하는 것으로서 심층적인 분석이 필요한 검사 도구를 말한다. 자기보고식 사정도구에는 우울감, 자존감, 임상적인 스트레스, 동료관계, 성적인 태도 등 다양한 것들이 개발되어 사용되고 있다. 대부분의 심리학적인 검사들은 심리학적 틀에 의해 고안되었으며, 해석 또한 심리학자들이 상담한다는 측면에서 사회복지실천에서 신중하게 사용하는 것이 바람직하다.

3. 중간과정

1) 학생개입

(1) 개별상담

성민선(2009)에 따르면 학생 개인 차원에서 학교사회복지실천은 학생의 심리사회적 기능을 강화하는 것을 목적으로 자신감이나 자존감의 향상과 같이 자신에 대한 긍정적인 이미지를 개발하고 학교생활적응력을 향상하는 것을 목표로 하고 있다.

또한 개별상담을 위해서는 학생과 신뢰관계를 형성하는 것이 무엇보다 중요한데, 학교사회사업가는 진지하고도 관심이 있는 태도로 임해야 한다. 학교사회사업가는 학생을 개별적으로 면담할 때에 필요한 정보를 듣고, 개입계획을 세우고, 종결 때까지 몇 번을 면담할 것인지를 학생과 함께 결정하는 것이 좋다. 학교사회사업가는 상담 초기에 필요한 관계형성 기술, 자료수집 방법, 상담 중기의 기법, 상담의 종결 등에 각각 필요한 기술을 익혀야 한다.

① 초기면접
② 관계형성
③ 계약
④ 고지된 동의
⑤ 정보제공 및 조언하기
⑥ 격려, 재보증, 일반화기술
⑦ 직면과 도전하기
⑧ 반영기술
⑨ 경청기술

(2) 가족상담

학교사회복지실천에서 가족체계에 대한 개입은 가정방문과 가족상담, 가족에 대한 복지서비스 제공 등을 통해서 자녀들과의 의사소통 개선이나 학교와 가정의 연계 강화, 지역사회자원의 활용 등의 목표를 성취하게 된다. 학교사회복지실천에서 가족자원에 기대하는 목표를 재개념화하면 '가족건강성'이라고 규정할 수 있다. '가족건강성'이란 '가족 구성원 간의 긍정적인 의사소통', '관심과 사랑', '문제해결 능력'을 포함하는 개념으로, 가족개입에 있어서 다루어야 할 중요한 요소이기 때문이다.

(3) 집단상담

사회복지실천의 고전적 개입방법 가운데 집단을 이용한 개입방법은 개별개입과 더불어 학교에서 많이 활용될 수 있다. 집단 프로그램을 운영할 때 프로그램 자체가 집단의 목적이 되어서는 안 된다.

집단을 활용한 개입은 개별 구성원과 집단 전체 그리고 집단에 속한 환경의 세 가지 모두에 초점을 둔다. 이는 집단을 통하여 개별 성원의 욕구를 충족시키고 집단 전체의 목적을 성취하면서, 집단에 영향을 줄 수 있는 외부환경과의 관계 속에서 집단이 성장하고 발달하는 것이다.

2) 학부모 · 지역사회 개입

학교사회사업가는 학생에 대한 개입의 기술은 물론이고, 더 거시적 차원에서 학교가 학생에게 높은 질의 교육을 제공하는 장소로서의 기능을 다하도록 돕는 데 최선을 다해야 한다. 학교사회사업가는 자원을 발견하고, 학생을 그러한 자원과 연결시켜 주고 적절한 서비스를 제공하며, 다른 서비스 제공자의 어려움을 다루는 동시에 학생에게 필요한 새로운 서비스를 지역사회 내에서 개발하여야 한다. 학교와 가정 사이의 의견 차이가 심할수록, 더 많은 자원체계가 요구되면, 문제 영역별로 자원체계를 구조화시킬 필요가 있다.

여기에서 학교사회사업가의 주요한 기술은 지역사회의 자원에 의뢰를 하고, 특정한 문제 상황을 해결하기 위해 다른 기관과 협력하며, 학생과 부모를 위해 새로운 자원을 개발하는 것이다.

4. 종결과정

한인영 등(2005)은 학교사회사업 실천과정의 마지막 단계를 다음과 같이 제시하였다. 중간과정에서는 개인상담, 가족상담, 집단 프로그램을 통하여 학생과 가족을 돕고, 실제적 프로그램을 운영하며, 지원을 연결하고, 상담을 통해 학생의 내적 문제를 함께 해결하게 된다. 중간관계에서의 과정은 학생과 학교사회사업가의 '치료동맹관계', 즉 친밀하고도 신뢰감 있는 관계를 형성함으로써 효과를 가져오는데 이는 때때로 의존성을 유발시킬 수 있다.

그러므로 종결과정에서는 준비된 상태에서 종결이 이루어지도록 해야 한다. 적절하게 준비되지 못한 종결은 의존했던 관계에 대한 상실감, 무가치함, 거부당하는 느낌을 유발시키므로 중간과정에서의 발전을 퇴보시키는 경우가 생긴다.

종결은 학생·가족·집단의 문제가 해결되었거나, 증상이 완화되었을 경우에 실행한다. 때로는 학생이 다른 학교로 전학 감으로써 인위적 종결이 생길 수도 있다. 외부전문가에게 의뢰한 경우에는 완전히 종결하지 않고 외부전문가와 계속 접촉하며 학생의 진전 상황을 알아볼 수 있으므로 사례종결과는 다르다.

종결시기에는 지금까지의 수행과정에 대하여 논의하고 학생이 발전되고 성숙해진 부분에 대해 인정해 주도록 한다. 미해결 문제도 있음을 언급하고 이에 대해 학생이 스스로 해결해 나갈 수 있는 상황인지를 판단하여 논의한다.

학교사회복지의 직접적인 실천장면인 학교는 모든 사람들의 사회화를 위한 1차 집단인 가장 중요한 사회화기관이다. 그러므로 학교사회복지사는 학교체계를 이해하고 학교와 더불어 실천해야 한다.

CHAPTER

07 학교사회복지사의 역할과 직무

오늘날의 대부분의 청소년은 많은 시간을 학교에서 보내고 있다. 학교는 지식과 기술을 전수시킬 뿐만 아니라, 학생의 능력과 적성을 개발시켜 학생 모두가 건전한 사회 구성원으로 성장할 수 있도록 교육하는 것을 목적으로 한다. 그러므로 학교는 교육을 통하여 학생들이 올바르고 독립된 인격체로서 성장할 수 있도록 도와주어야 한다. 그러나 현재의 학교 상황을 보면, 지나친 입시경쟁으로 학생, 교사, 학부모, 학교 구성원 모두가 엄청난 고통을 겪고 있다. 입시경쟁은 학교 중퇴, 학교 부적응, 가출, 성폭력, 집단따돌림, 폭력 등 많은 사회적 문제를 발생시키고 있다. 문제를 해결하기 위해 교도교사 제도나 진로상담교사 제도를 실시하고 있지만 학생들의 고민과 문제해결에 적절하게 대응을 하지 못하고 있다. 이런 문제들을 해결하기 위해서 학교사회복지사는 한 개인에 대한 단선적인 접근보다는 개인을 둘러싼 환경에 대한 다각적인 접근이 필요하다.

이러한 접근이 가능하기 위해서는 학교사회복지사의 역할 정립과 그 역할을 수행하기 위한 직무 등 학교사회복지사의 정체성 확립이 선행되어야 한다. 이에 따라서 학교사회복지사가 실제 수행하는 역할이 무엇인지, 학교사회복지사의 역할과 직무를 살펴보면 다음과 같다.

1. 학교사회복지사의 역할

한인영(2005)에 의하면 학교사회복지사의 역할을 크게 임상전문가, 교육적 상담자, 학생－학교－가정－지역사회의 연계자, 지역사회의 자원 활용가, 정책입안자의 다섯 가지 역할로 구분하고 있다.

1) 임상전문가

학생의 문제를 명확히 규정하기 위해 학생, 가족, 학교제도, 지역사회에 대한 정보를 수집하고 원인을 명확히 사정한다. 이를 위한 가정방문 및 기관방문을 통해 문제가 된 내용의 종류, 강도 등을 조사한다. 학생의 심리·정서적 문제 해결을 위해 개별, 집단상담 및 가족치료 등의 전문적인 치료를 제공하고 학교 내 도움으로 불가능할 경우에는 지역사회의 자원 개발이나 전문 기관에 의뢰하여 해결한다.

2) 교육적 상담자

교직원이나 학부모들에게 학생의 문제 원인과 특징, 심리상태, 예방방법을 교육시켜 학생문제의 예방과 해결에 도움을 준다. 학교와의 관계에서 학교 프로그램과 연관하여 교직원과의 협력관계를 형성하고 학생지도에 필요한 정보 제공과 교직원을 대상으로 전문적인 연수를 실시하고 학부모에게는 청소년의 발달 및 심리적 특징에 대해 이해를 돕는 부모교육, 성교육, 사회성 기술, 동료상담 기법과 같은 교육을 실시한다.

3) 학생 – 학교 – 가정 – 지역사회의 연계자

학교사회복지사는 학생－학교－가정－지역사회의 관계를 증진시키는 연계자로서, 학교의 교육목적을 주민에게 홍보하고 청소년 유해환경을 개선하도록 지역주민에게 요청하거나 학교시설이나 환경을 지역주민에게 열린 환경으로 개방하도록 학교와 협력할 수 있다.

또한 학생 자원봉사자들을 관리·교육하고 학생을 위한 편의시설을 설치하도록 학생의 불편을 학교에 설명하고 설득하는 역할을 할 수 있다.

4) 지역사회 자원 활용가

학생의 심리·정서적인 문제는 학생 개인의 인성적 특성에 의해 발생하기도 하지만 경제적 혹은 사회 환경적 영향이 중요한 역할을 하기도 한다. 빈곤이나 결손 가정에는 심리적 치료 외에 경제적 원조를 제공하고 결식아동에게는 장학금이나 무료급식을 알선하며 결손가정에게 대리부모의 역할을 하는 자원봉사자를 연결시켜 줄 수 있다. 부모 중 알코올 중독자가 있는 가정의 학생일 경우 학업부진 예방을 위해 지역사회 내에 알코올 프로그램을 부모님이 이용할 수 있도록 돕고 후원금 및 방과 후 학습지도 프로그램에 참여할 수 있도록 연결해 줄 수 있다.

5) 정책입안자

학교사회복지사는 학교 내외의 타 전문직과 협력하여 학교정책이나 교육정책이 학생을 위한 최선의 결정이 되도록 도움을 준다.

예를 들면, 학생들의 능력과 적성을 위한 교과과정을 제공하기 위해서 진로상담교사와 협력하고 특별히 질병이나 장애가 있는 학생을 위해 보건·특수교사와 협력하며 학생의 수준과 특징에 적합한 환경을 제공하는 역할을 하여 타 전문직과 상호 협력하는 다 학문적 접근으로 학생들이 최적의 교육환경에서 교육을 받도록 학교교육의 본질적인 목적을 달성하도록 돕는다.

〈표 7-1〉 **학교사회복지의 업무 및 역할**

역 할	내 용
임상전문가	• 학생을 위한 개별, 집단 상담 및 치료적 개입
교육자/ 자문가	• 학습, 진로를 위한 정보의 제공 • 사회성 기술, 학습전략, 의사소통 훈련, 각종 예방을 위한 교육
매개/ 연계자	• 학생과 가족에게 필요한 자원의 발굴, 연계
조정자/ 중재자	• 학생, 가족, 교사 간 이해 증진과 갈등 해소를 위한 중재활동 • 전문가팀의 관리·조정을 통해 서비스를 효과적·효율적으로 제공
옹호자	• 학생과 가족의 인권을 보장하기 위한 옹호활동
자원개발자	• 학생과 가족, 학교에 필요한 지역사회자원의 발굴 및 개발 촉진
공조자/ 협력자	• 교사를 비롯하여 다양한 전문가, 관련 기관과의 협력 공조
조사연구자	• 실태조사 및 효과성 연구를 통한 효과적 복지서비스 제공
정책제언자	• 학생복지 증진을 위해 다양한 수준에서의 정책감시, 제언에 참여

출처 : 장수한(2010).

〈표 7-2〉 **학교사회복지사의 제공서비스**

서비스	내 용
사례관리	• 복잡 다양한 문제와 욕구를 가진 학생에게 여러 가지 자원 방법을 활용하고 내외의 자원을 연계하여 효과적으로 문제를 해결하고 욕구가 충족되도록 모든 서비스 과정을 운영하는 사회복지실천 전문방법
개별개입	• 대면상담, 이메일이나 전화상담, 심리검사 정보 제공
집단개입	• 공통의 욕구나 문제를 가진 학생들을 집단으로 구성하여 프로그램을 제공하거나 학급단위로 예방교육적인 집단 프로그램을 제공
가정개입	• 가정방문 및 학부모 면담을 통한 상담, 학교와 가정 간 연계 지원, 생활지원을 위한 서비스 연계
지역사회연계	• 학생복지 증진을 위한 학교 밖 자원 개발 및 관계자 네트워크 구축, 학교의 지역사회봉사
기 타	• 실태조사, 욕구조사, 연구 및 자원봉사 활동 등

출처 : 장수한(2010).

2. 학교사회복지의 직무

학교사회복지사의 직무변화는 학교사회복지사의 전문성과 정체성을 확보하고 학교사회복지서비스의 질을 향상시키고 더 나아가 급변하는 교육환경의 변화에 대처하기 위해서도 필요하다. 학교사회복지사의 직무가 명확히 제시되지 않는다면 서비스의 질적 저하는 물론 타 전문직과의 역할구분을 모호하게 하여 관련 전문직들 간에 역할갈등을 초래하고 전문성을 보장받기 어렵다.

윤철수(2006)에 의하면 "미국에서 최초로 학교사회복지사의 직무에 대한 연구는 Costin(1960)에 의해 이루어졌으며, 그 이후 Allen-Meares(1994)는 Costin의 척도를 수정하여 다섯 가지 직무로 분석하였다. 즉, 행정적 그리고 전문적 직무, 가정 · 학교 연계, 학생에 대한 교육적 상담, 가족의 지역사회자원 원활화와 옹호, 지도력과 정책결정이었다"라고 말한다. 1989년에서 1990년에 걸쳐 NASW (National Association of Social Workers)와 ETS(Education Testing Service)는 전국적인 직무분석을 실시한 결과 초보 학교사회복지사에게 요구되는 가장 중요한 여섯 가지의 직무 차원으로 아동과 가족의 관계와 서비스, 교사와 학교직원의 관계와 서비스, 기타 교직원에 대한 서비스, 행정적 과업과 전문적 과업, 기관 간 협력, 예방과 옹호로 나타났다(홍봉선 · 남미애, 2011 재인용).

또한 윤철수(2006)는 "우리나라는 1993년부터 학교사회복지사가 활동하기 시작하면서 이들의 활동이 학교사회복지사의 역할로 인식되기 시작하였다.

2000년 이후 학교사회복지의 활동이 서울시교육청, 사회복지공동모금회, 교육부의 전국 16개 시 · 도 연구시범학교 운영 등 점차 학교사회복지사의 활동이 공식화되면서 이들의 공통적인 역할규정이 필요하게 되었다"라고 말했다. 그러나 학교의 상황에 적절한 학교사회복지사의 직무규정과 표준안이 아직까지 마련되지 못하고 있는 실정이므로 과학적인 표준화 작업이 이루어져야 한다(홍봉선 · 남미애, 2011).

홍순혜(2005)는 학교사회복지사의 직무를 6개 영역, 24개로 분류하였으며 이들 직무가 교사 및 전문직종들과 중첩되는지에 대해 분석하였다. 이에 따르면 학교현장에서 근무하는 학교사회복지사에게 다양한 직무에서의 능력이 요구되고 있으며 특히 교사를 포함한 타 전문가들과의 공유영역에서는 학교사회복지사가 타 전문가들과 함께 일할 수 있는 팀워크의 능력, 조정자의 능력을 필요로 하며 타 전문직과는 차별적이면서도 효과적인 개입능력을 필요로 함을 알 수 있다고 하였다.

〈표 7-3〉 **학교사회복지사의 직무**

영 역	학교사회복지사의 주 업무	타 전문직과의 공유	
		공유 여부	타 전문직종
학생문제에 대한 직접적 개입	사례관리		
	지역사회 지원개발 및 연결		
	급식 및 직접적 서비스 제공	○	교사
	개별상담 및 집단상담	○	교사, 전문상담교사
학부모에 대한 개입	학생 또는 학부모와의 매개		
	지역사회 자원 개발 및 연결		
	학부모 상담 및 교육	○	교사, 전문상담교사
	가정방문		
교사에 대한 개입	자문 및 연수		
	학생 또는 문화개선		
학교 차원의 개입	학교 분위기 또는 문화 개선		
	위기개입	○	전문상담교사
	학교폭력 대처 및 예방	○	전문상담교사
	학교징계위원회	○	교사
전체 학생 대상 개입	자원봉사활동 지도		
	예방교육	○	보건교사
	인성교육	○	교사
	복지교육		
기타 활동	동아리 지도	○	교사
	문화체험	○	교사
	학교행사 기획 및 진행	○	교사
	신입생 오리엔테이션	○	교사
	CA활동 지도 및 관리	○	교사
	휴식 공간, 쉼터 운영	○	전문상담교사

출처 : 홍순혜 외(2004).

교육복지 증진 및 학교폭력 예방을 위한 사회복지사 활용 연구학교 운영지침(교육인적자원부, 2004a)에서는 학교사회복지사의 직무를 7가지로 제시하였다.

첫째, 학생에 대한 사회복지서비스 제공이다. 학교사회복지사들은 학생들의 문제와 욕구 그리고 그들이 가지고 있는 장점과 자원을 사정하고 이를 기초로 개별실천, 집단실천과 같은 방법에 의해 학생복지서비스를 수행한다.

둘째, 가정-학교-지역사회서비스이다. 학교사회복지사들은 학생 개인 또는 집단에 대한 활동뿐 아니라 교사와 부모와의 연계활동 등 가정-학교-지역사회를 연계하는 적극적인 직무를 수행한다.

셋째, 가정에 대한 사회복지서비스이다. 학교사회복지사들은 부모들을 대상으로 자녀양육과 교육에 대한 상담과 자문을 제공하며 특별한 욕구와 문제를 경험하는 가족의 문제해결을 돕기 위해 지역사회 자원을 활용하여 사회복지서비스를 제공한다.

넷째, 교사와의 협력적인 활동이다. 학생들의 문제를 조기에 발견하여 예방하고 해결하기 위해서는 교사들과의 협력적인 활동이 필수적이다. 학교사회복지사들은 학생들을 효과적으로 돕기 위해 교사들에게 자문과 정보를 제공하고 필요한 경우 교사에 대한 개인적인 서비스와 지지 등의 업무를 수행한다.

다섯째, 사례관리이다. 학교사회복지사는 도움이 필요한 사례를 발굴, 상담자원 개발, 자원의 연계와 조정 등의 활동을 실시한다. 또한 학생을 효과적으로 돕기 위해 사례회의를 개최하며 학생의 문제 및 자원, 제공된 서비스, 학생의 변화 등에 대한 정보를 체계적으로 점검한다.

여섯째, 정책결정 지원과 행정이다. 학교사회복지사들은 학생들의 복지에 영향을 미치는 정책의 형성, 새로운 프로그램의 개발, 학교사회복지서비스 제공을 위한 행정적인 직무를 수행한다.

일곱째, 전문적 활동이다. 학교사회복지사들은 사회복지 실습생이나 자원봉사자를 활용하여 사업운영을 위한 원조를 받는 동시에 이들을 교육하는 전문적 활동에 참여한다. 아울러 학교사회복지사업을 통해 이루어지는 다양한 활동의 효과성을 측정하기 위한 연구 활동도 실시한다.

노혜련과 김상곤(2004)에 의하면, Constin의 척도를 활용하여 우리나라 사회복지사의 직무를 8가지 차원으로 제시하였다. 즉, 학생에 대한 사회복지서비스, 교사와의 협력적 활동, 가정에 대한 사회복지서비스, 가정에 대한 사회복지서비스, 사례관리, 교사와의 협력적 활동, 정책결정 및 행정, 가정-학교-지역사회 연계이다. 그 결과 미국과 마찬가지로 우리나라 학교사회사업실천에 있어서도 정책결정 및 행정, 가정-학교-지역사회 연계의 실제 수행 빈도는 상대적으로 낮은 순위로 나타났다(홍봉선·남미애, 2011).

〈표 7-4〉 **학교사회복지사의 세부직무 및 표준화 안**

세부과업		직무등급			
		빈 도	중요도	우선도	난이도
개별개입(학생)	개별사정	2	3	3	2
	개별상담	3	3	2	2
	사례관리	2	4	3	3
집단개입(학생)	성장집단개입	1	3	1	2
	문제해결집단개입	2	4	3	3
	학급개입	2	3	2	2
	특별 프로그램(캠프 등)	1	2	1	2
가족개입	가정방문	2	3	2	2
	가족지원	2	3	3	2
학교체계지원	교사지원	3	3	2	3
	정책참여	1	4	1	3
	학교환경지원	2	2	2	2
지역사회개입	지역사회지원자 개발 및 관리	2	4	3	2
	지역사회연계	2	4	3	2
	지역사회지원	1	2	1	3
일반 정업무 및 기타 업무	인력관리	1	3	2	3
	전문성 신장 활동	2	4	3	3
	행정서류 관리	3	3	2	2
	시설 및 비품 관리	2	2	1	2
	학교사회복지실 홍보	1	3	3	1

출처 : 윤철수·진혜경·안정선(2006).

한편 현재 교육부에서 시행하고 있는 교육복지우선지원사업의 영역별 목표와 프로그램은 <표 7-5>와 같다.

〈표 7-5〉 **교육복지우선지원사업 영역별 주요 프로그램**

영 역	목 표	프로그램
학 습	학력 향상 및 학습결손 치유 · 예방	▪ 독서교육 프로그램 ▪ 기초학력 부진학생 지도 ▪ 창의체험 활동 ▪ 학습 멘토링 ▪ 공부방 운영 ▪ 학습동기강화 프로그램 ▪ 학력신장 프로그램 ▪ 자기주도학습 프로그램 ▪ 탐구활동
문화 · 체험	다양한 체험활동을 통한 전인적 인격 형성	▪ 문화체험 활동 ▪ 진로탐색 활동 ▪ 테마체험 ▪ 청소년 예절교실 ▪ 동아리활동 ▪ 가족캠프 운영
심리 · 정서	긍정적 자아개념 및 건강한 사회성 함양	▪ 상담활동(개별상담, 집단상담, 가족상담) ▪ 심리 · 정서 멘토링 ▪ 학교적응력 향상 ▪ 심리검사 및 치료 ▪ 가정의 역할 강화
복 지	교육취약 학생의 정상적인 교육활동	▪ 위기가정 지원 ▪ 초등돌봄교실 지원 ▪ 학습준비물 지원 ▪ 보건 · 의료 지원
지 원	사업운영 지원	▪ 학부모 연수 ▪ 교사 연수 ▪ 사업 홍보 ▪ 교육복지사, 담당교사 업무 지원

출처 : 부산시교육청 교육복지우선지원사업 업무매뉴얼(2016).

〈표 7-6〉 **교육복지우선지원사업의 주요 목표**

목표(구분)	사업명 예시
학교 적응력 강화	• 자원봉사활동(중점학교 필수) • 교육과정 연계, 학습동기강화 및 진로지도 – 학습동기부여 프로그램(단순 학습지원 지양) – 진로지도 및 직업교육 프로그램 – 문화체험 및 캠프 – 동아리 활동 • 학생 맞춤 지원 – 집중지원 학생 복지 지원(위기개입비 등) • 통합사례관리(중점학교) : 사례관리 연간계획 수립 – 개별상담 – 가정방문 – 교내 사례관리 회의(팀구성)

가족기능 강화 (중점학교 필수)	• 부모 및 자녀양육 상담 지원 • 가족기능 강화를 위한 가족봉사활동/ 문화체험/ 캠프
지역네트워크 활성화	• 통합사례회의 및 네트워크 • 지역 연계사업 • 학교 간 공동사업
사업운영의 효율화	• 교사 및 학부모 대상 사업 관련 연수, 사업 홍보 • 교육복지위원회 등 관련 조직 운영 • 교육복지사, 담당교사의 사업 운영 지원

출처 : 부산시교육청 교육복지우선지원사업 업무매뉴얼(2016).

CHAPTER

08 학교사회복지 관련 정책과 제도

학교사회복지는 교육현장에서 어려움을 가진 아동·청소년 시기의 학생을 중심으로 사회복지적 시각에서 통합적인 개입을 한다. 만약 학교사회복지사가 교육현장에서 학생을 둘러싼 환경에서 발생되는 교육 여건의 불평등과 같은 문제를 해소하고자 한다면 우선 교육부가 담당해 온 교육복지정책과 보건복지부와 여성가족부가 담당해 온 아동·청소년 정책에 대해 보다 관심을 가져야 한다. 이에 여기에서는 이 두 가지 정책에 대해 살펴보고 더불어 학교사회복지실천이 학생복지적 측면에서 가지게 되는 함의를 찾아보고자 한다.

1. 교육복지정책

1) 교육복지

그동안 교육복지는 교육과 복지의 결합 특성을 고려하거나 추구하는 목적에 따라 다양하게 정의되어 왔다. 교육복지는 교육적 측면에서 주로 학생의 교육에 초점을 두어 학습자가 경험한 학습의 질을 강조하고, 복지적인 측면에서는 교육 기회의 형평성에 대한 문제제기나 대안을 강조한다. 그러므로 제도교육의 문제는 교육적 측면의 관점에서 문제가 제기될 수 있고 교육을 받기에 불리한 여건에 관한 문제는 복지적 측면에서 문제가 제기될 수 있다. 이는 교육복지라는 말에 이 두 가지의 문제의식이 복합되어 있음을 보여준다.

안병영과 김인희(2009)는 교육복지에 대해 교육소외를 극복하여 정상적인 교육과 학습이 이루어지는 상태, 또는 교육소외를 극복하려는 의도된 노력을 의미한다고 하였고, 교육소외는 정상적인 교육의 기회를 통해 자신에게 필요한 학습경험을 갖지 못함으로 자신이 지닌 잠재능력을 제대로 개발하지 못하여 정상적인 성장의 길을 걷지 못하고 그 때문에 질 높은 삶을 누리지 못하는 현상이라고 하였다.

또한 류방란(2011)은 교육복지를 누구나 공정한 교육기회 속에서 유의미한 학습 경험을 하며 잠재력을 충분히 발휘하여 교육적 성취를 거둘 수 있도록 하며, 적어도 사회 구성원이 갖추어야 할 기초적인 공통의 기준을 공유함으로써 배제되지 않고 공동체로서 살아갈 수 있도록 하려는 공적 행위로 정의하였다.

2) 교육복지정책

현재 한국에는 교육복지 증진을 위한 다양한 사업들이 교육부, 보건복지부, 여성가족부, 문화체육관광부 등 정부의 여러 부처와 자치단체에서 실시되고 있다. 다음의 <표 8-1>은 교육복지와 관련된 사업을 정리한 것인데 이 사업들은 크게 '저소득층 및 취약계층 가족의 학생 지원', '학교부적응 학생 지원 및 복지증진', '방과 후 보육 및 방과 후 활동 지원', '다문화가정자녀지원' 등의 네 가지 범주에 포함된다. 이러한 교육복지정책이 실질적으로 이루어진 것은 2000년 중반 이후이며, 사업의 종류와 실시하는 부처 및 예산 규모도 점점 늘어나고 있다. 특히 교육부에서는 학생지원국으로 조직을 개편하여 교육복지와 관련된 업무를 담당하는 전담부서를 설치하고 교육복지 종합추진계획을 매년 수립하고 실행하고 있다(교육과학기술부, 2016).

〈표 8-1〉 **한국의 교육복지정책**

영 역	사업주체	사업명
저소득층 및 취약계층 지원	교육부	1. 교육복지우선지원사업 2. 특수교육지원 3. 교육소외계층 및 지역에 대한 교육지원 4. 농산어촌 교육지원
	보건복지부	1. 드림스타트
	자치단체 · 한국복지재단 · 중앙일보	1. 위스타트
학교부적응 지원 및 복지증진	교육부	1. 학업중단학생 교육지원 2. Wee Project
	시 · 도 교육청	1. 학교폭력예방을 위한 전문상담사 배치
	보건복지부	1. 찾아가는 학교상담 서비스
	자치단체(과천 · 성남 · 용인 · 군포)	1. 학교사회복지사업
방과 후 보육 및 방과 후 활동 지원	교육부	1. 방과 후 학교사업
	보건복지부	1. 지역아동센터
	여성가족부	1. 방과 후 보육사업 2. 청소년 방과 후 아카데미 3. 청소년공부방
	문화체육관광부	1. 문화예술교육지원
다문화가정자녀 지원	교육부	1. 다문화가정, 탈북청소년 교육지원
	여성가족부	1. 무지개청소년센터(이주배경청소년지원)

출처 : 주석진 외(2014).

교육복지정책에서 저소득층 및 취약계층 가족의 학생에 대한 지원은 <표 8-2>에 제시된 교육복지우선지원사업을 중심으로 드림스타트와 위스타트 사업을 통해 현재까지 이루어지고 있다. 이와 함께 학교부적응 학생을 지원하는 Wee project 사업은 2008년부터 현재까지 실시되고 있다. 이 사업은 학교에 위클래스(Wee Class)를 설치하여 상담과 지원의 기능을 하고, 지역에 위센터를 설치하여 단위학생을 지원하고 있다. 또한 2009년부터 학생복지 증진을 위한 학교사회복지사업이 경기도의 지방자치단체를 중심으로 실시되고 있으며,

시 · 도 교육청별로는 2012년부터 학교폭력예방을 위한 전문상담사가 배치되고 있다. 각 학교에서는 교육의 기회 평등과 사교육을 줄이고 공교육을 활성화하면서 보육의 기능을 지원하는 방과 후 보육 및 방과 후 활동 지원을 위한 방과 후 학교 사업이 2004년부터 교육부에서 실시되고 있다. 학교 밖에서는 보건복지부에서 지역아동센터를 지원하여 저소득층 자녀에 대한 방과 후 보육을 지원하고 있다. 이와는 별도로 최근 급증하고 있는 다문화가정의 자녀를 지원하기 위해 언어 교육과 적응을 위한 다양한 사업이 해당 학교와 지역기관에서 이루어지고 있다(주석진 외, 2014).

하지만 이러한 사업들이 진행되고 있음에도 불구하고 학교의 기능은 여전히 교육을 중심으로 편재되어 있다. 이러한 이유로 다양한 부처의 교육복지 정책들은 오히려 조직의 혼선을 주고 있으며, 통합적인 상급기관의 정책이 일원화되지 않는 한계를 드러내고 있다. 이는 교사의 업무 과중과 사업을 진행하기 급급하여 형식적인 지원에 그치는 문제를 낳고 있는데, 이 점은 학교사회복지 및 전문 인력에 대한 배치가 교육과정과 더불어 이루어져야 함을 보여주는 대목이다. 한시적인 사업들을 남발하는 정책을 넘어 정규 학교교육 계획에 포함된 지속적이고 항시적인 지원이 가능한 교육복지정책이 필요하다(주석진 외, 2014).

〈표 8-2〉 **교육복지우선지원사업**

구 분	내 용
법령상 근거	초 · 중등교육법 시행령 일부 개정, 교육부 훈령 제정
재정지원 방식	보통교부금 기준재정수요에 반영
사업대상 지역 및 학교급	전국 저소득층 밀집 초 · 중학교
사업학교 선정방식	저소득층 밀집 학교별 선정 (지역기준에서 탈피하되, 지역사회와의 연계 · 협력은 강화)
대상학교 선정기준	시 · 도 교육청 실정 · 여건에 맞도록 자율성 확대
보통교부금 산정기준	기초생활수급자 수가 50명인 초 · 중학교 수

단위학교 내 관련 사업 연계운영	교육지원청과 개별 학교의 여건·실정에 맞추어 관련 사업 운영 및 재정 집행시 유연성 제고 및 통합적 연계 운영 강화
추진·지원 체계	1. 교육부 : 한국교육개발원, 중앙연구지원센터 2. 시·도 교육청 : 시·도 교육복지협의회 3. 교육지원청 : 지역교육복지지원센터 4. 단위학교 : 교육복지위원회
사업평가 성과관리	1. 공시·정량지표 중심 성과평가로 전환 2. 연수, 컨설팅 제공 등 운영 내실화 지원에 역점

출처 : 주석진 외(2014).

2. 아동·청소년 관련 정책

아동·청소년 정책을 둘러싼 정치사회적 환경은 지속적으로 변화하고 있으며 점차 그 변화속도가 빨라지고 있다. <표 8-3>에 제시된 내용과 같이 저출산·고령화로 인해 아동·청소년 인구는 지속적으로 줄고 있고 이혼가구의 급격한 증가에 따라 가족해체로 인해 1차적 안전망으로서의 가족의 기능이 약화되었다. 이는 자녀에 대한 양육과 보호가 느슨해졌다는 것을 의미한다. 한편으로 결혼이민자, 외국인 근로자, 탈북자 등 다문화가족이 증가하면서 이전과 다른 새로운 다문화 아동·청소년의 비중도 빠른 속도로 증가하고 있다. 이러한 사회·환경적 변화 속에 한국의 교육환경은 고졸자의 대학진학률이 80%에 이르고 있지만 입시 위주의 교육과 방과 후 사교육 등으로 인한 스트레스가 커서 청소년의 삶의 만족도는 아주 낮으며, 최근에는 자살이 청소년 사망원인 중 가장 많은 것으로 나타나고 있다(한국교육개발원, 2011). 또한 청년 후기가 되어서도 실업과 고용불안정의 문제로 인해 결혼이 늦어지는 등 결혼해서 자녀를 양육하기 힘든 환경에 놓이게 된다.

〈표 8-3〉 **아동 · 청소년 정책의 환경 변화**

아동 · 청소년 정책 환경	정책적 환경의 변화
저출산으로 인한 아동 · 청소년 인구의 지속적 감소	9~24세 인구 구성비 : 1980년 36.8% → 2012년 20.4% → 2030년 13.7%(예상)
이혼가구 증가에 따른 가족해체와 가족 기능 약화	이혼가구 : 1990년 17만 가구 → 2010년 127만 가구
다문화가족 증가(결혼이민자, 외국인 근로자, 탈북자 가족)	한국의 외국인 가구 증가율 : 2005년 53만 명 → 2011년 126만 명 국제결혼가정 자녀의 재학생 수 : 2005년 6,121명 → 2011년 36,378명
청년 실업, 고용 불안정에 따른 성인기로의 진입 지연	대기업 입직연령 : 1998년 남 26세, 여 25.6세 → 2009년 남 28.7세, 여 25.6세 초혼연령 : 2001년 남 29.5세, 여 26.8세 → 2011년 남 31.9세, 여 29.1세
입시경쟁과 사교육의 만연에 따른 아동 · 청소년의 불균형 성장	우리나라 청소년의 '지적 역량' OECD 36개국 중 2위 공동체 참여와 사회적 협력도를 보여주는 '사회적 상호작용 역량' 35위
청소년의 낮은 행복도와 삶의 만족도	OECD 아동 · 청소년 주관적 행복지수 : 3년 연속 최하위 2009년 64.3점, 2010년 65.1점, 2011년 65.98점
아동 · 청소년 유해환경 증가 및 학교 폭력의 심화	학교폭력 피해율 : 2009년 9.4% → 2010년 11.8% → 2011년 18.3%
사회양극화의 심화에 따른 취약가구 아동 · 청소년의 증가	상대적 빈곤율 : 1989년 8.6% → 1999년 12.4% → 2010년 14.9%
SNS(Social Network Service) 등 스마트 미디어의 영향력 증가	청소년의 휴대전화 이용률 : 2007년 68.2% → 2010년 88.8%
학교 중도탈락, 가출 청소년 등 학교 밖 청소년 증가	중도탈락 : 2011년 초 · 중 · 고등학생 76,489명 가출경험률 : 1999년 8.6% → 2011년 13.1%
아동 · 청소년의 신체적 · 정신적 건강의 악화	초 · 중 · 고등학생 비만율 : 2006년 11.6% → 2010년 14.3% 우울감 경험률 : 2005년 29.9% → 2010년 37.4% 청소년 자살 : 2010~2011년 청소년 사망원인 1위
물질주의적 · 개인주의적 가치관 증가	교육을 취업의 도구로 바라보는 시각 명품, 휴대폰 등 물질주의적 가치 추구

출처 : 주석진 외(2014).

이처럼 아동·청소년 관련 문제들은 거시적인 차원에서 해결해야 하는 포괄적인 사회적 과제들이다. 이는 한국사회가 앞으로 사회환경의 변화에 대한 맥락을 잘 판단하여 아동·청소년 정책을 세밀하고 체계적이면서 장기적으로 수립해야 함을 보여주는 것이다(주석진 외, 2014).

하지만 그동안 아동·청소년 정책은 교육, 노동, 여성, 복지, 문화, 행정 등 정부의 각 부처를 넘나들며 주무부처가 계속 바뀌어 왔다. 「청소년문제개선종합대책(1985~1987)」이 세워졌고, 2008년도에 청소년정책은 국가청소년위원회에서 보건복지가족부로 이관되면서 2008년 「미래세대 희망플랜」, 「아동·청소년 정책기본계획(2009~2013)」이 시행되었다. 이후 4차에 걸쳐 범정부 청소년 정책 기본계획이 수립되었고, 현재는 제5차 청소년정책기본계획(2013~2017)이 시행 중이다.

제5차 청소년정책기본계획(2013~2017)에서는 "청소년이 행복한 세상, 청소년이 꿈꾸는 밝은 미래"를 비전으로 "역량함양 및 미래핵심인재 양성", "참여와 권리증진", "균형 있고 조화로운 성장", "안전하고 건강한 생활환경"을 목표로 하고 있다.

특히 제5차 기본계획은 제4차 기본계획의 연속성을 담보하면서 가족·여성 정책과 연계한 발전전략을 지향하며, 위기청소년을 포함한 모든 청소년으로 대상을 확대하여 글로벌 시민으로 성장을 위한 필수역량 함양을 정책과제로 설정하고, 청소년의 건강한 성장을 위해 "청소년의 정신건강"과 관련한 과제를 강화하였으며, "청소년의 참여와 권리증진"을 별도 과제로 부각하는 한편, "청소년의 진료와 자립" 등 상대적으로 미진했던 분야의 정책과제를 적극 개발하였다.

제5차 기본계획은 5대 영역 15대 중점과제로 구성되어 있으며, 26개 중앙행정기관이 참여하고 지방자치단체가 함께 추진할 계획으로, 주요 정책과제는 다음과 같다.

① 청소년의 역량증진 활동 활성화를 위해 역량개발 인프라와 다양한 체험활동을 확대하고, 글로벌·다문화 역량을 키우는 한편 청소년의 인성 및 민주시민 교육을 강화한다.

② 청소년의 정책결정 과정 참여를 확대하고, 신체적 · 정신적 건강을 강화하는 한편, 근로환경여건 등 청소년의 권리증진 기반을 조성할 계획이다.

③ 다문화가족, 이주배경청소년, 저소득 · 장애 · 농산어촌 청소년 등 대상별 맞춤형 서비스를 강화하고, 학업중단 · 가출 등 위기청소년의 보호와 청소년 진로체험 및 자립지원을 적극 추진한다.

④ 청소년들의 삶의 질을 높이기 위한 종합적인 사회안전망 구축을 통해 건강한 가정 및 지역사회를 만들고, 각종 범죄로부터 청소년 보호를 위한 생활환경과 건전한 매체환경을 조성해 나갈 계획이다.

⑤ 청소년정책 총괄 · 조정 기능을 강화하고 청소년단체 활동 활성화 등 청소년지원 인프라 보강을 통해 청소년정책 발전을 선도할 수 있도록 정책 추진체계를 강화한다.

이처럼 아동 · 청소년에 대한 정책은 포괄적이고 통합적인 지원이 필요하다는 측면도 있지만, 또 다른 측면은 책임부서가 명확하지 않아 책임성과 일관성이 없다는 것을 보여준다.

또한 정책 대상의 규정에서 아동은 아동복지법에서 18세 미만으로 보고 있으며, 청소년은 청소년보호법에서 19세 미만, 청소년기본법에서는 9~24세, 민법에서는 20세 미만, 소년법은 19세 미만, 주민등록법은 17세 미만이다. 그리고 공직선거법은 선거권자 연령을 19세로, 국민투표법은 투표권자를 19세 이상으로, 근로기준법의 연소근로자는 18세 미만으로 규정하고 있다. 하지만 보통 아동은 유치원생, 초등학생으로 보며 청소년은 중 · 고등학생으로 이해된다. 그리고 만 20세 이상은 청년으로 받아들여지고 있는데, 아동과 청소년의 정책 대상 연령의 중복 문제가 발생하고 있으며, 이러한 측면을 고려하여 생애주기적 접근의 필요성에 따라 정책 방향을 제시하는 것이 필요하다(한국청소년정책연구원, 2012).

청소년정책의 전달체계는 2011년 기준 16개 시 · 도에서 634개 청소년 관련 사업이 추진 중에 있으며 활동분야(청소년활동진흥센터)와 보호분야[청소년(상담)지원센터]로 양분되어 있다. 전자는 시 · 도 단위까지 구축되어 있고 후자는 시 · 군 · 구 단위까지 구축되어 있어 불균형 상태에 놓여있다(한국청소년정책연구원, 2012).

청소년정책의 예산은 주관부처가 국가청소년위원회였던 시기인 2007년까지 꾸준히 증가하였고 보건복지부로 이관된 이후에도 증가했지만, 이는 청소년 정책과 아동 정책 예산을 합친 결과로 청소년 정책 예산은 줄어들었으며 여성가족부 이관 후에도 감소 추세가 이어지고 있다. 이는 청소년 사업을 안정적이고 지속적으로 추진하지 못하게 되는 원인이 되었다(주석진 외, 2014).

3. 학교사회복지 관련법에 대한 이해

학교사회복지사로서 알아야 할 법은 크게 학교사회복지의 실천근거가 되는 법과 학교사회복지의 배치근거가 되는 법으로 나누어 살펴볼 수 있다.

먼저 전자와 관련된 법을 살펴보면, 헌법에서는 국민의 기본권으로서 인간의 존엄 및 행복추구권, 평등권, 교육을 받을 권리 등을 명시하여 학생복지의 당위성에 대한 근거를 담고 있다. 그리고 교육과 관련한 교육기본법, 초・중등교육법, 고등교육법, 「장애인 등에 대한 특수교육법」, 「지방교육자치에 관한 법률」 등에서도 학생복지에 관한 내용이 일부 포함되어 있다. 이 외에도 「아동・청소년의 성보호에 관한 법률」, 다문화가족지원법, 아동복지법, 청소년기본법, 청소년보호법, 청소년복지지원법 등의 일부 내용은 학교사회복지의 실천과 직・간접적으로 관련이 있기 때문에 학교사회복지사가 꼭 알아야 할 법률이다(주석진 외, 2014).

1) 교육과 관련된 법률

(1) 헌법

헌법은 국가의 기본 조직과 통치의 원칙을 정하고 국민의 기본권을 보장하는 규정을 가진 최고의 기본법이다. 헌법에는 사회복지에서 추구하는 인간의 존엄성과 평등 및 삶의 질 추구라는 가치반영과 함께 차별 없이 교육을 받을 권리가 제시되어 있다. 헌법에 명시된 가장 기본권인 존엄성과 행복추구는 인간으로서 당연히 가지는 기본적 욕구인 동시에 법해석의 최고 기준인 근본규범이다. 이 규정은 헌법개정의 방법으로써 전면 개폐할 수 없으며, 단순한 프로그램적 규정이 아니라 국가가 이를 보장할 의무를 지고 있다. 따라서 학교 현장에서 학생 개개인이 존중을 받고 행복을 추구할 수 있도록 하는 것도 국가의 책임이라 할 수 있다(헌법 제10조).

평등권은 모든 사람은 법 앞에 평등하다는 것을 내용으로 하는 권리로서 시대와 이념 그리고 문화적인 상황에 따라 결과적 평등, 기회의 평등, 비례적 평등의 형태로 나타난다. 한국 헌법에서는 기회의 평등(전문), 법 앞에서의 평등, 성별·종교·사회적 신분에 의한 차별금지(헌법 제11조 제1항), 교육기회의 균등(헌법 제31조 제1항)을 제시하고 있다. 이러한 평등권은 사회복지의 목적과도 부합하는 것으로 학교사회복지실천의 방향성과 필요성을 보여주는 조항이다.

헌법 제31조에서 교육을 받을 권리는 사회권적 기본적으로, 교육관계법의 토대가 되며, 이에 대한 구체적인 주요 조문을 살펴보면 다음과 같다.

① 모든 국민은 능력에 따라 균등하게 교육을 받을 권리를 가진다.
② 모든 국민은 그 보호하는 자녀에게 적어도 초등교육과 법률이 정하는 교육을 받게 할 의무를 진다.
③ 의무교육은 무상으로 한다.
④ 교육의 자주성·전문성·정치적 중립성 및 대학의 자율성은 법률이 정하는 바에 의하여 보장된다.
⑤ 국가는 평생교육을 진흥하여야 한다.
⑥ 학교교육 및 평생교육을 포함한 교육제도와 그 운영, 교육재정 및 교원의 지위에 관한 기본적인 사항은 법률로 정한다.

(2) 교육기본법

한국에서는 교육과 관련하여 현재 교육기본법, 초·중등교육법, 고등교육법으로 분리·제정되어 시행되고 있다. 하지만 고등교육법은 고등교육에 관한 사항을 정하기 위한 법으로 그 대상이 주로 대학생이므로 여기에서는 학교사회복지와 더 관련이 있는 교육기본법과 초·중등교육법을 중심으로 살펴보고자 한다. 교육기본법은 교육에 관한 국민의 권리 · 의미 및 국가 · 지방자치단체의 책임을 정하고 교육제도와 그 운영에 관한 기본적 사항을 규정함을 목적으로 하는 법으로 교육의 목적과 학생, 학부모, 교사의 교육주체가 갖는 권리에 대하여 명시하고 있다.

(3) 초 · 중등교육법

초 · 중등교육법은 교육기본법 제9조의 학교교육에 따른 유아교육 및 초 · 중등교육에 관한 사항을 정하고 있는 법으로 1997년에 제정되었다. 이 법의 주요 내용을 살펴보면 먼저 제3조에서는 학교를 국가가 설립 · 경영하는 학교인 국립학교와 지방자치단체가 설립 · 경영하는 학교인 공립학교 그리고 법인이나 개인이 설립 · 경영하는 사립학교로 구분하고 있다. 제8조(학교규칙)에서는 학교의 장이 법령의 범위에서 학교 규칙을 제정 또는 개정할 수 있다고 명시하고 있다. 제13조(취학 의무)에서는 모든 국민은 보호하는 자녀 또는 아동이 6세가 된 날이 속하는 해의 다음 해 3월 1일에 그 자녀 또는 아동을 초등학교에 입학시켜야 하고, 초등학교를 졸업하고 중학교를 입학하여 졸업할 때까지 다닐 수 있도록 해야 한다는 의무교육을 명시하고 있다.

(4) 장애인 등에 대한 특수교육법

「장애인 등에 대한 특수교육법」은 기존의 특수교육진흥법을 2007년에 전면 개정한 법이다. 이 법은 장애인 및 특별한 교육적 요구가 있는 사람에게 통합된 교육환경을 제공하고 생애주기에 따라 장애 유형, 장애 정도의 특성을 고려한 교육을 실시하여 이들이 자아실현과 사회통합에 기여할 수 있도록 돕기 위해 제정되었다. 제4조에서는 장애를 이유로 입학을 거부하지 못하도록 하고, 특수교육 관련 서비스 제공에서의 차별이나 수업참여 배제 및 교내 · 외 활동참여 배제를 하지 못하도록 하는 규정을 두어 특수교육대상자에 대한 권리를 보장해 주고자 하였다.

(5) 지방교육자치에 관한 법률

한국에서는 교육의 자주성, 교육의 전문성, 교육의 정치적 중립성이라는 이념에 근거하에 지방교육자치제가 시행되고 있다. 한국 지방교육자치제는 1949년에 처음으로 시작되었으나 6·25 전쟁으로 실시하지 못하다가 1952년에서 1961년까지 다시 실시되었다. 하지만 5·16 군사쿠데타로 중단되었다가 다시 1963년에서 1991년에 시행되는 등 정치적인 배경과 그 맥을 같이하였다. 이렇듯 지방교육자치는 존폐의 위기 속에서도 지방교육이 독립적인 지위를 가질 수 있도록 하는 기반이 되고 있다. 현행 법률의 모태는 1991년에 제정된 「지방교육자치에 관한 법률」이고 이로 인해 지방교육자치제가 새롭게 실시되었다. 그리고 1995년 개정을 통해서는 학교운영위원회의 설치 근거가 마련되었으며, 2000년에는 교육의원 및 교육감 선출이 명시되면서 보다 발전해 왔다.

2) 아동·청소년 관련 법률

(1) 아동복지법

아동복지법은 아동이 건강하게 출생하여 행복하고 안전하게 자라나도록 그 복지를 보장함을 목적으로 한다. 한국에서는 1961년 아동복리법으로 처음 제정되었고, 1981년에 아동복지법으로 그 명칭이 개정되었다. 이 법에서는 아동을 18세 미만으로 정하고 있다. 이 법에서는 '보호를 필요로 하는 아동'을 보호자가 없거나 보호자로부터 이탈된 아동, 또는 보호자가 아동을 학대하는 경우 등 그 보호자가 아동을 양육하기에 부적당하거나 양육할 능력이 없는 경우의 아동을 지칭한다. 그리고 '보호자'는 친권자, 후견인, 아동을 보호·양육·교육하거나 그 의무가 있는 자 또는 업무·고용 등의 관계로 사실상 아동을 보호·감독하는 자를 규정하고 있다. 또한 '아동학대'에 대해서는 보호자를 포함한 성인에 의하여 아동의 건강·복지를 해치거나 정상적 발달을 저해할 수 있는 신체적·정신적·성적 폭력 또는 가혹행위 및 아동의 보호자에 의하여 이루어지는 유기와 방임으로 명시하고 있다(주석진 외, 2014).

(2) 청소년기본법

청소년기본법은 청소년의 권리와 가정·사회·국가 및 지방자치단체의 청소년에 대한 책임을 정하고 청소년육성정책에 관한 기본적인 사항을 규정함을 목적으로 1991년에 제정되었다. 여기서 '청소년육성'이라 함은 청소년활동을 지원하고 청소년의 복지를 증진하며, 근로 청소년을 보호하여 청소년에 대한 교육을 보완함으로써 청소년의 균형 있는 성장을 돕는 것을 말한다. 이 법에서는 청소년을 9세 이상 24세 이하인 자로 정하고 있다. 또한 청소년기본법에서는 청소년시설 등 관련 단체에 대한 규정과 청소년지도사에 대한 규정을 명시하고 있어 학교사회복지 운영에 있어 지역 협력기관인 청소년 수련관, 청소년문화의집과 청소년 대상 전문가와의 연계를 위하여 관련 내용들을 숙지할 필요가 있다.

(3) 청소년보호법

청소년보호법은 청소년에게 유해한 매체물과 약물 등이 청소년에게 유통되는 것과 청소년이 유해한 업소에 출입하는 것 등을 규제하고, 청소년을 청소년폭력·학대 등 청소년유해행위를 포함한 각종 유해한 환경으로부터 보호·구제함으로써 청소년이 건전한 인격체로 성장할 수 있도록 함을 목적으로 1997년에 제정되었다. 여기서 청소년유해물이란 음란성·포악성·잔인성·사행성 등을 조장하는 것으로 청소년의 사용을 제한하지 아니하면 청소년의 심신을 심각하게 훼손할 우려가 있는 물건, 출입장, 고용업소 등을 말한다. 이 법은 청소년유해환경의 규제에 관한 형사처분에 있어서 다른 법률에 우선하여 적용되는 것을 명시하고 있으며, 보호대상은 만 19세 미만의 청소년으로 규정한다.

(4) 청소년복지지원법

청소년복지지원법은 청소년기본법 제49조의 규정에 따라 청소년복지 증진에 관한 사항을 정할 목적으로 2004년에 제정되었으며, 상위법인 청소년기본법의 내용을 준용하되 청소년복지에 대하여 강조하고 있다. 특히 이 법에서는 '특별지원청소년'을 규정하여 청소년의 조화로운 성장과 정상적인 생활에 필요한 기초적인 여건이 미비하여 사회적·경제적 지원이 필요한 청소년을 명시하고 있다. 또한 청소년으로서의 혜택을 받을 수 있게 하는 청소년 우대와 청소년증에 대해 명시하고 있다. 그리고 청소년의 건강증진 및 체력향상을 위한 질병 예방과 건강 교육을 위하여 국가와 지방자치단체가 대책을 수립하여 시행해야 하며 보호자는 양육하는 청소년의 건강 증진을 위하여 노력해야 함을 명시하고 있다.

(5) 학교폭력예방 및 대책에 관한 법률

「학교폭력예방 및 대책에 관한 법률」은 피해 학생의 보호, 가해 학생의 선도·교육 및 피해 학생과 가해 학생 간의 분쟁조정을 통하여 학생의 인권을 보호하고 학생을 건전한 사회 구성원으로 육성함을 목적으로 하는 법이다. 이 법에서의 주요 개념을 살펴보면 '학교폭력'은 학교 내외에서 학생을 대상으로 발생한 상해, 폭행, 감금, 협박, 약취·유인, 명예훼손·모욕, 공갈, 강요·강제적인 심부름 및 성폭력, 따돌림, 사이버 따돌림, 정보통신망을 이용한 음란·폭력 정보 등에 의하여 신체·정신 또는 재산상의 피해를 수반하는 행위로 규정되어 있다.

(6) 아동·청소년의 성보호에 관한 법률

「아동·청소년의 성보호에 관한 법률」은 2000년에 제정되었으며 아동·청소년 대상 성범죄의 처벌과 절차에 관한 특례를 규정하고 있다. 즉, 피해 아동·청소년을 위한 구제 및 지원절차를 마련하고 아동·청소년 대상 성범죄자를 체계적으로 관리함으로써 아동·청소년을 성범죄로부터 보호하고 아동·청소년이 건강한 사회 구성원으로 성장할 수 있도록 원조함을 목적으로 한다.

(7) 다문화가족지원법

다문화가족지원법은 다문화가족 구성원이 안정적인 가족생활을 영위할 수 있도록 함으로써 이들의 삶의 질 향상과 사회통합에 이바지함을 목적으로

2008년에 제정되었다. 이 법에서 다문화가족이란 재한외국인처우기본법의 결혼이민자와 국적법의 규정에 따라 대한민국 국적을 취득한 자로 이루어진 가족을 의미한다. 앞서 청소년기본법에서는 이주배경청소년지원으로 다문화가족의 청소년을 위한 사회적응과 학습지원을 하도록 명시하고 있지만 이 법에서는 더욱 구체적인 세부사항을 다루고 있다.

(8) 소년법

소년법은 1985년에 반사회성이 있는 소년의 환경조성과 품행 교정을 위한 보호처분 등의 필요한 조치를 하고, 형사처분에 관한 특별조치를 함으로써 소년이 건전하게 성장하도록 돕는 것을 목적으로 제정되었다. 여기서 '소년'이란 19세 미만인 자를 말하며, '보호자'란 법률상 감호교육을 할 의무가 있는 자 또는 현재 감호하는 자를 말한다.

(9) 아동의 빈곤예방 및 지원 등에 관한 법률

「아동의 빈곤예방 및 지원 등에 관한 법률」은 빈곤 아동이 복지·교육·문화 등의 분야에서 소외와 차별을 받지 아니하고 한 사회의 구성원으로 건강하게 자랄 수 있도록 제도적 기반을 마련하는 것을 목적으로 한다.

4. 학생인권과 학생인권조례

1) 학생인권

국가인권정책기본계획은 인권과 관련된 법, 제도, 관행을 개선하며, 정부나 내부 각처에서 개별적으로 수행하던 관련된 업무를 인권의 보호와 증진의 가치중심적으로 설정하는 인권정책 종합계획으로 중요한 국가정책의 공식적인 범정부 계획이다.

아동권리의 4대 유형은 생존권, 보호권, 발달권, 참여권이다. 아동의 생명을 유지하고 최상의 건강과 의료 혜택을 받을 권리로서, 쾌적한 생활을 누릴 권리, 안전의 권리, 충분한 영양을 섭취하고 기본적인 보건서비스를 받을 권리 등 인간의 기본적 삶을 누리는 데 필요한 권리가 생존권이다(Lee, Park, Hwang, Kim, Lee, & Kang, 2008, 노현주, 2015 재인용).

보호권은 아동의 삶의 현장에서 학대와 방임, 차별, 폭력, 고문, 징집, 부당한 형사처벌, 과도한 노동, 약물과 성폭력 등 그들에게 부당한 것으로부터 보호받을 권리이다(Lee et al., 2008; 노현주, 2015 재인용).

발달권은 아동의 잠재력을 끌어내고 성장시키는 권리로서 평등하고 균형잡힌 교육을 받을 권리, 여가를 즐길 권리, 문화생활을 하고 정보를 얻을 권리, 사유하며 종교의 자유를 누릴 권리이다(Lee et al., 2008, 노현주, 2015 재인용).

참여권은 아동이 자국의 지역사회 활동에 참여할 수 있는 권리로 자신의 의사표현을 하고, 삶에 영향을 주는 문제들에 대해 발언권을 가지며, 단체에 가입 및 평화적인 집회에 참여할 수 있는 권리이다(Lee et al., 2008, 노현주, 2015 재인용).

한국교육개발원에서는 인간이 인간이기 때문에 존중받아야 할 권리를 인권이라고 정의하였으며, 이는 인간이기 때문에 주어지는 권리로 어느 누구에게나 보편적 주체성이 인정되는 보편적인 권리이다. 그동안 학생들은 학교라는 공간에서 '특별권력관례론'에 기초하여 많은 제재가 가해졌다(노현주, 2015).

'특별권력관례론'은 일부 주체가 하위계층에 대하여 지배하는 권력관계를 의미하며, '특별권력관계'는 교육행정청과 학교의 특별한 권한에 대해서 언급하여 학생이 받는 제약에 관하여 설명하고 있다. 이는 19세기 후반 독일의 공법이론에 근거한 것이다(오동석, 2010).

2) 학생인권조례

학생인권조례의 사전적 의미는 학생의 인권이 학교교육과정의 보장과 교육현장에서 실현될 수 있도록 각 지방자치단체에서 제정한 조례를 말한다(노현주, 2015). 학생인권조례에 대한 명시적인 법률적 근거가 없는 상태에서 학생인권조례를 제정할 수 있는가에 대해 논란이 있었으나, 1992년 6월 23일 대법원이 청주시행정정보공개 조례를 적법한 것으로 판결한 데서 그 근거를 찾을 수 있다. 이미 제정된 경기도학생인권조례는 대한민국 헌법 제31조, 「유엔 아동의 권리에 관한 협약(Convention on the Rights of the Child)」, 교육기본법 제12조와 제13조, 초·중등교육법 제18조의4에 근거해 학생의 인권이 학교교육과정에서 실현될 수 있도록 함으로써 인간으로서의 존엄과 가치, 자유와 권리를 보장하는 것을 목적으로 한다고 제정 근거와 목적을 밝히고 있다(경기도 학생인권조례 제1조).

헌법 제117조 제1항은 지방자치단체는 '법령의 범위 안에서' 자치에 관한 규정을 제정할 수 있다고 규정하고 있으며, 이에 근거한 지방자치법 제28조도 지방자치단체는 '법령의 범위 안에서' 그 사무에 관하여 조례를 제정할 수 있도록 함으로써 법률 우위 원칙의 적용을 분명히 하고 있다. 또한 동법 제28조 단서는 조례에 대하여도 법률유보의 원칙이 적용됨을 명시적으로 규정하고 있다.

학생인권조례는 그 입법형식이 조례인 점에서 교육관계법 등 상위법령에 위반되지 않아야 함은 물론이고 현행법제상 지방자치법 제28조 단서에 의하여 권리를 제한하며, 의무 부과에 관한 사항이거나 벌칙을 정하는 경우에는 법률의 위임이 있어야 한다. 학생인권조례를 찬성하는 입장에서는 학생인권조례가 학생인권의 신장 및 보호를 내용으로 하는 점에서는 법령 위반 내지 법률유보상의 특별한 문제는 없는 듯 보이지만, 교육현장에서는 단지 학생만의 문제가 아니라 교원, 학부모도 교육의 주체가 된다는 점에서 볼 때, 학생인권조례는 학생의 측면 외에 다른 교육의 주체 측면에서도 규범적 한계에 대한 문제가 검토되어야 한다(조성규, 2013).

학생인권조례가 제정되는 과정에서 조례 도입의 필요성과 교육적인 측면에서 찬성과 반대에 대한 논의가 이루어졌다. 첫째, 학생은 미성년자로서 자신의 권리를 제대로 인지하지 못하고 수행하지 못한다고 보고 있다. 판단능력이 성인보다 부족하기 때문에 성인이 관여하는 것이 정당하고 이로 인해 학생의 권리가 제한된다는 것이다. 반대 입장에서는 학생도 독립적인 인격체로서 헌법의 보호를 받아야 하는 권리의 주체라는 점을 강조한다(오동석, 2010).

둘째, 논의는 현실적으로 학생인권이 지나치게 강조되면서 교사의 지도에서 벗어난 학생들이 증가하고, 수업운영에 방해를 받는 교권침해가 발생한다고 보았다. 학생인권조례는 상위법인 초·중등교육법에서 예외적인 조항에 대해서 금지하고 있어 상위법을 기반으로 가질 수 있는 교사의 지도권을 침해하고 있다(노현주, 2015).

반대 입장에서는 교권이란 학생들의 교육받을 권리를 보장하기 위한 교사 지위로서 학생의 권리 보장이 교권에 영향을 미치는 것은 아니라고 보고 있다(이춘구, 2012). 이러한 논의에도 실현할 권리와 자기 결정권, 사생활의 자유와 보호, 종교의 자유, 표현의 자유, 학생 자치권, 복지지원을 받을 권리, 적법 절차 보장과 권리 구제를 받을 권리 등이 포함되어 있다.

전라북도 학생인권조례의 주요 내용은 야간자율학습·보충수업 강요 금지, 모든 폭력으로부터 자유로울 권리, 학교교육과정에서 체벌 금지, 복장·두발의 개성 존중, 소지품 검사·압수는 긴급한 경우에 한해 최소화, 개인정보 보호, 양심과 종교의 자유, 표현의 자유 보장, 학생자치활동 보장, 소수학생 권리 보호, 인권상담 및 인권침해 구제, 인권교육 의무화, 인권교육센터 운영의 조항을 포함하고 있다(전라북도 학생인권조례).

5. 학교사회복지사 자격 및 제도

사회복지서비스에는 여러 가지 분야가 있는데, 그중에 아동과 청소년을 위한 사회복지서비스는 생활시설, 이용시설, 바우처 사업 등으로 구분된다. 청소년을 위한 이용 시설은 가출청소년 쉼터, 청소년수련관 등이 있다(노기성, 2011).

학교사회복지(school social work)는 학교와 재학관계를 맺고 있는 학생 청소년을 대상으로 그들의 생활의 장인 학교 내에서 본질적인 교육적 권리가 성취될 수 있도록 돕는 사회복지의 한 분야이다(김지연, 2007).

학교사회복지는 19세기 말에서 20세기 초 영국과 미국에서 교육운동의 한 부분으로서 시작되어 학교출석의무를 위한 서비스로부터 학생들의 교육과

복지를 위한 다양한 영역으로 확신되어 가고 있다. 현재 미국, 영국, 스웨덴 등 20여 개 국가에서 학교사회복지제도를 도입하고 있다(성민석 외, 2004).

학교사회복지사의 초기, 방문교사로 일컬어지던 시절에 학교사회복지사의 역할은 개인중심적이었으며, 치료 지향적이었다. 당시 전통적 관점에서는 단지 문제학생에게 초점을 맞추어 학생의 욕구에 따른 서비스를 제공하는 정적인 역할이었다(Compton& Galaway, 1984, 전재일 · 이성희 · 이성국 외, 2016 재인용).

학교사회복지사는 학생을 위한 개별 · 집단 상담 및 치료적 개입을 하고, 학습 · 지료를 위한 정보를 제공하며, 학생과 가족에게 필요한 자원의 발굴 · 연계와 학생 · 가족 · 교사 간 이해 증진과 갈등 해소를 위한 중재활동을 하며, 학생과 가족의 인권을 보장하기 위한 옹호활동을 하고, 학생과 가족과 학교에 필요한 지역사회자원의 발굴 및 개발을 촉진하고, 교사를 비롯하여 다양한 전문가, 관련 기관과 협력, 공조하는 전문가이다.

학교사회복지사는 학생과 학교 사이뿐만 아니라 가족과 학교 그리고 지역사회와 학교의 중간에 위치하고 있으므로 학생, 부모 및 지역사회와 사회적 능력을 개발하도록 돕는 입장에 있는 동시에 학교가 이들의 욕구와 열망에 부응하도록 도와주는 입장에 있다(Germain, 1982 : 6, 전재일 · 이성희 · 이성국 외, 2016 재인용). 그리고 Barker(1995)에 의하면 학교사회복지사는 무단결석, 사회적 철회, 과잉행동, 반행, 그리고 특별한 신체적 · 정서적 · 경제적 문제의 영향과 같은 문제를 다루는 학생, 가족 및 교사를 돕는다. 또한 학교사회복지사는 부모나 지역사회에 대해 학교의 교육방법이나 철학을 설명하기도 한다(전재일 · 이성희 · 이성국 외, 2016).

사회복지사의 역할은 문제를 바라보는 관점에 따라 변화한다. 1950년대 체계이론은 정신질환자 치료에 획기적인 관점의 변화를 가져왔고 과거 정신분열증 환자로 지목되어 치료를 받던 자녀가 뒤로 물러나고 전 가족이 하나의 체계로 직접적 치료대상이 되었다(Foly, 1974, 전재일 · 이성희 · 이성국 외, 2016 재인용). 이처럼 학교사회복지에서도 문제아로 지목받은 학생만을 다루는 것이 아니라 학교체계 내의 모든 요소들이 사회복지사의 고려대상이 된다. 따라서 사회복지사에게는 하나의 하위체계나 한 가지 특성에만 관심을 두지 않고 체계

내 각 요소들의 상호작용과 관계 안에서 문제를 구명하고 해결을 시도하는 역동적 역할이 필요하게 되었다.

1) 자격제도(한국학교사회복지사협회. 국가자격제도 안내, kassw.or.kr)

2020년 12월 12일 사회복지사업법 개정으로 학교사회복지사 자격증이 학교사회복지사 자격관리위원회에서 발급받던 민간자격증에서 보건복지부 장관의 위임을 받아 한국사회복지협회가 담당하는 국가자격증으로 변경되어 발급되고 있다.

2) 자격증 취득과정

1년 이상, 1,000시간 수련을 이수하여야 하며, 지필평가 및 과제 제출을 통한 수련평과를 통과하여야 한다.

6. 학교사회복지 제도화에 대한 이해

1) 학교사회복지 제도화의 개념과 필요성

학교사회복지의 제도화란 법적으로 제도의 존재에 대해 그 정당성을 인정받고 학교라는 체계 내에 학교사회복지라는 전문 제도를 도입하는 것을 말한다. 그러므로 제도화의 내용에는 학교사회복지의 개념과 목표, 그리고 초등학생에서부터 대학생에 이르는 모든 학생들을 그 대상으로 할 것과 각급 학교 학생들의 발달단계에 따른 욕구를 감안한 서비스 내용이 포함되어야 하며, 업무를 수행할 전문적인 인력과 방법에 대한 규정이 포함되어야 한다. 이러한 내용은 마땅히 교육 개혁 속의 중요 과제로 다루어져야 하며 예산의 뒷받침이 있는 프로그램으로 실행되어야 한다(성민선, 1999).

미국을 비롯하여 학교사회복지가 이루어지고 있는 다른 나라들에서는 학교사회복지가 법제화되어 의무적으로 규정되어 있다. 법에 따라 학교사회복지사들이 의무적으로 고용됨으로써 책임성 있게 학교사회복지를 수행하고 있는 것이다. 미국의 경우 학교사회복지는 장애아교육법, 그리고 이름이 바뀐 장애인교육법에 의해 법적인 의무사항이며, 법의 목적은 장애를 가진 모든 아동들이 그들의 독특한 욕구를 충족시키고 고용과 독립적인 생활을 준비할 수 있도록 고안된 특수교육과 관련 서비스를 강조하는 무상의 적절한 공교육을 보장하기 위함이다. 그에 따라 사회복지사들은 특수교육이 필요한 아동들을 대상으로 다른 전문직들과 팀워크를 이루어 사회복지서비스를 제공하고 있으며, 서비스내용이 특수아동뿐 아니라 일반 아동들까지 포함하고 있다. 이처럼 학교사회복지가 법으로 규정되어 있는 것과 그렇지 않은 경우의 차이는 말할 수 없이 크다. 우리나라의 경우 아직까지 어디에도 학교사회복지에 대한 규정이 없다. 따라서 학교사회복지 제도의 입법화를 위한 준비가 이루어져야 한다(이희정, 2003).

한국 학교사회복지의 제도화를 위해서 고려되어야 할 내용은 다음과 같다(조흥식, 2000). 첫째, 학교사회복지의 실천모델은 현재 진행 중인 교육개혁과 관련하여 개발되어야 한다. 따라서 교육개혁 시대에 우리에게 요청되는 학교사회복지는 치료에 중점을 두는 것보다는 예방에 중점을 두면서 치료를 병행하는 모델이다. 미국, 독일 등 복지선진국의 경우 역시 치료에 중점을 두던 정책에서 예방에 중점을 두는 정책으로 전환되고 있는 추세이다.

둘째, 현재 학교 자체가 개방되어야 하는 상황인 만큼 새롭게 도입되어야 하는 학교사회복지는 일차적인 대상이 학교부적응 청소년이지만 동시에 폐쇄적인 학교체계의 개방을 촉진시키는 방안으로 고안되어야 한다. 왜냐하면 우리나라의 학교와 교육은 실패하고 있고 그 결과의 하나로 부적응 학생이 양산되고 있기 때문이다.

셋째, 학교와 전문인력 간의 연결고리를 강하게 하며, 서비스의 지속성과 연속성이 보장되도록 해야 한다. 특히 생활상담과 진로지도뿐만 아니라 지역사회 복지서비스 자원의 활용으로 다양한 청소년 문제 해결능력의 극대화가 가능해야 한다.

넷째, 기존의 학교상담인력과 마찰을 최소화할 수 있어야 하며, 진로상담교사와 학교사회복지사 간의 협력활동(co-work)이 가능해야 한다.

다섯째, 학교사회복지 제도 초기 도입의 애로점을 최소화할 수 있어야 한다.

2) 학교사회복지 제도화를 위한 정책 동향

학교사회복지는 지난 10여 년간 다양한 형태로 실시되면서 학생과 학부모 및 교사들에 의해 그 필요성이 제기되고 있지만, 아직 법적인 근거를 갖추고 있지 못한 상태이다. 먼저 2008년에는 「경상남도 교육지원 및 교육복지 활성화에 관한 조례」가 제정되어 교육복지 차원에서 사회복지사 등의 전문인력이 배치되어 활동할 수 있는 근거가 마련되었다. 그리고 2009년도는 한국 최초로 「성남시 학교사회복지활성화 및 지원에 관한 조례」가 제정되면서 제도화를 위한 초석이 세워지게 되었다. 성남시의 모든 학교에 학교사회복지사를 배치하는 것을 목표로 22개 학교에서 실시되어 성공적인 출발을 하였지만, 상담 및 교육 관련 단체의 영향으로 2012년에는 「성남시 학교청소년복지 상담 활성화 및 지원에 관한 조례」로 바뀌면서 학교사회복지사와 상담인력이 배치되는 것으로 수정되었다. 하지만 이로 인해 다른 지방자치단체에도 영향을 주어 2011년에 「용인시 학교사회복지활성화 및 지원에 관한 조례」가 제정되는 등의 성과를 거두기도 하였지만 「군포시 학교사회복지 조례」와 「경기도 학교사회복지활성화 조례」는 부결되는 안타까운 상황을 맞이하기도 하였다. 하지만 과천시, 군포시, 수원시는 조례안이 없는 가운데에도 지속적으로 관내 학교에 사회복지사가 배치되어 활동하고 있으며 매년 시행 학교 수가 확대되고 있다. 그리고 최근 화성시에서는 창의교육지성도시라는 교육지원사업을 실시하여 2012년 기준 24개 학교에 사회복지사를 배치하였지만, 지속적인 배치와 관련하여 난항을 겪고 있다(주석진 외, 2014).

CHAPTER

09 학교사회복지와 지역사회

학생들은 학교에서만 지내는 것이 아니라 지역사회에 살고 있으며, 지역사회의 환경에서 보고 듣는 것이 학생의 학교생활에 영향을 주고 있다. 학교 주변의 환경은 학생들에게 유익하게 정돈되어 있는가? 학생들이 집에서 학교까지 통학하는 과정에 교통편은 편리한가? 학교 진입로에 차량 통행이 학생들의 등·학교 시 안전을 보장할 수 있는가? 담배자동판매기, 전자오락실, 각종 광고물, 청소년에게 유해한 비디오 등 문화적 환경은 어떻게 개선되어야 하는가? 이러한 과제들은 학교교사들의 노력이나 학교행정가의 의지만으로 해결될 수 없고 지역사회의 협력이 필요하다. 한편 학업을 마친 후 학생들도 지역사회로 돌아간다. 이들에게 마땅한 일자리를 마련하는 것도 학교 자체만의 노력으로는 매우 어렵다. 이러한 측면에서 학교사회복지사는 지역사회의 자원을 동원하고 학교와 연결하는 다양한 활동을 전개할 수 있다(전재일 외, 2016). 본 장에서는 학교사회복지와 지역사회의 연결과 실천모형을 알아보고자 한다.

1. 지역사회의 개념과 특징

1) 지역사회의 정의

지역사회는 공동생활을 통하여 비슷한 사고, 관습 등을 가진 사람들의 집합체이다. 인간은 완전히 혼자만의 힘으로 생존할 수 없는 사회적 특성으로 인하여 집단활동을 함으로써 특정 지역을 중심으로 사회를 형성하고 유지하고 있다. 집단활동은 생존을 위한 사회화 과정을 거치며 다양한 활동으로 이루어진다. 다양한 특성을 가진 개인은 교육, 문화, 의료, 경제, 정치, 예술, 오락 등의 활동을 특정 지역에 거주하고 있는 개인과 상호 교류하며 유지하고 발전시키고 있다. 이와 같은 집단활동을 위한 토대가 동일한 생활공간으로서의 지역사회라고 할 수 있다.

류종훈(2000)에 의하면 지역사회는 일정한 지역적 공간 내의 다양한 개인들로 구성된 지역주민의 공동생활공간이며, 집단으로서의 지역사회를 유지하고 발전시키기 위한 기본적 활동 공간이다. 지역사회는 특정의 지리적 경계 내에 같이 모여 집단을 이루고 사고와 문화를 공유하며 소속된 공동체에 대한 일체감을 지니는 삶의 터전으로 이해되기도 한다.

이러한 의미에서 지역사회의 구성원은 개인과 집단의 삶의 질을 향상하기 위하여 인접한 지역을 중심으로 다자간 교류를 전개하여 일상생활에 필요한 재화와 서비스를 교환하는 상호 교류를 강화하고 있다. 따라서 지역주민은 지역사회를 쾌적하고 살기 좋은 공간으로 만들기 위한 다양한 노력을 기울이게 된다. 즉, 공동체로서의 지역사회와 공동체 구성원으로서 개인은 동반자적 관계를 형성하고 있는 것이다(김만호, 2009).

2) 지역사회의 기능

지역사회는 지역주민의 건강하고 문화적인 삶을 보장하기 위하여 다양한 기능을 수행하고 있다. 교육, 의료, 정치, 경제, 노동, 문화, 예술, 오락 등은 지역사회에서 이루어지는 다양한 활동으로 지역주민의 삶의 질을 강화하는 중요한 기능이다. 이와 같이 Gilbert와 Specht(1974 : 4-5)는 지역사회가 다양한 기능을 수행하고 있다고 하였는데, 가장 대표적으로 설명한 다섯 가지의 기능으로 생산・분배・소비 기능, 사회화 기능, 사회통제 기능, 사회통합 기능, 그리고 상부상조 기능을 예로 들 수 있다(김만호, 2009).

〈표 9-1〉 지역사회의 기능과 제도

지역사회의 기능	사회제도
생산 · 분배 · 소비 기능	경제제도
사회화의 기능	가족제도
사회통제의 기능	정치제도
사회통합의 기능	종교제도
상부상조의 기능	사회복지제도

출처 : 김만호(2009).

3) 지역사회의 특징

Huntington(1988)이 강조한 것처럼 지역사회는 사회적 상황에 따라 여러 가지 특징을 지니고 있다. 이러한 특징은 지리적 경계, 사회적 상호작용, 공동의 의식이라는 구성 요소의 속성에 따라 다양하게 나타난다.

지리적 경계는 산이나 강처럼 자연적으로 경계를 이루고 있는 공간을 의미하는 것으로 지역주민의 생존을 보장하는 생활공간이며 물리적 환경이다. 지리적 특징에 따라 다른 지역사회와 구분되는 삶의 방식이 결정되는 것처럼 지리적 경계는 공동체를 가능하게 하는 기본 조건이다(강대기, 2001 재인용). 지리적 영역은 나름대로의 지역적 특성을 형성하면서 타 지역사회와 구분되는 정체성과 소속감을 형성하지만 상대적으로 배타적 특성을 지니기도 한다.

사회적 상호작용은 공동체를 만들어 가는 과정으로서 서로의 생활에 필요한 교류와 사회적 관계 등의 공생적 관계를 통하여 생존 문제를 해결해 왔으며 그들만의 교환 방식을 가지고 있다. 제한된 물리적 공간에서 이루어지는 상호적 교류 활동은 나름대로의 동질적 공통 의식과 가치를 형성하였으며, 이것이 다른 지역사회와 구분되는 독특한 문화를 형성하였다(김만호, 2009).

공동의 의식은 일상생활의 모든 생산활동을 같이함으로써 획득되는 주민의 상호 경험의 공통성으로서 공동생활이 중복될수록 공동경험의 폭이 넓어지고 깊이가 커져서 응집성이 강하게 되어 타 집단과 구별될 수 있는 습관이나 전통을 따라 안정 상태를 유지하게 된다. 그러나 대도시에는 끊임없는 이

주로 공동경험과 이익관계의 기회를 별로 가질 수 없어 안정성이 약화되어 문제시되고 있다.

2. 학교사회복지에서의 지역사회자원 연계의 필요성

학교사회복지에서 자원의 연계가 강조되는 것은 특별한 문제가 없는 전체 학생부터, 빈곤학생, 특수학생, 학교부적응 학생이 포함된 집단으로 갈수록 학생에 대한 사정 및 개입보다는 점차 외부기관에의 의뢰나 가정·학교·지역사회의 연계, 다학제 간의 협력적인 개입이 효과적이기 때문이다(김기환, 1999). 또한 자원의 연계는 프로그램의 난점을 확실히 줄일 수 있고 서비스를 보다 확대하고 시안을 공론화시킬 수 있으며(Gibelman, 1993, Washington, 2000 : 266 재인용), 지역사회는 학생 문제의 발생지일 뿐만 아니라 필연적인 귀착지인 만큼 학교사회복지에서 지역사회자원의 연계는 많은 이점이 있다. 이러한 측면에서 학교와 지역사회와의 협력을 기반으로 한 학교연계통합서비스 전달체계는 학생과 가족의 복합적인 문제에 대한 통합된 서비스를 제공할 수 있고 다양한 교육 프로그램을 기획하여 실시할 수 있다(Washington, 2000 : 274-276 재인용)는 장점이 부각되고 있는 것도 같은 맥락이라 하겠다. 이와 같은 자원 연계의 유용성은 대상학생이나 문제의 유형별로 달라질 수 있다. 예를 들어, 초등학생의 경우는 잠재적 비행성이나 행동, 부모의 양육태도에 대한 조기 개입과 관련하여 해당 기관과의 연계를 통한 개입이 유용할 것이다(김진희, 1995 재인용). 중·고등학교 학생 대부분과 부모, 교사 모두가 지역사회 내에서 학생들의 삶의 질을 높여주는 문화와 여가시설의 부족을 가장 심각한 문제로 인식하고 있는 만큼(한인영·김민정, 1997 재인용) 학생생활지도와 관련하여 청소년 이용시설과 연계한다면 학생들의 복지증진에 기여하여, 학교생활의 만족 정도를 높일 수 있을 것이다. 또한 학생들에게 위해가 되는 불량위험지역을 개선하는 지역사회운동을 전개할 때도 지역 내 기관들과 협력하면 많은 이점이 있다(김기환, 1999 재인용). 학교사회복지사는 학생과 그 가족들에게 필요한 자원인 인적·물적·제도적 자원의 극대화를 통해 지역사회의 공적·사적인 여러 가지 자원을 체계화하고 동원할 수 있도록 조직하고 계획하기 위하여 전문적인 기술을 사용한다(이광재, 2003 재인용). 사회복지실천에서 사회복지사의 영역확대를 위해 필요한 자원을 확보하는 방안으로 지역사회 내 다양한 기관과 연계를 활성화해야 한다. 따라서 학교사회복지에서의 지역사회자원 연계는 지역사회의 자원을 발굴 활용하여 심리·사회·경제·문화적 지원이 필요한 학생들에게 개별 유형에 맞는 학교사회복지서비스를 제공하는 것이라 하겠다(김성옥, 2008).

3. 학교사회복지에서 지역사회자원의 유형

1980년대 후반 이후 사회복지에 대한 다양한 공급 주체로서 국가뿐만 아니라 시장, 비공식 부문, 자원 부문 등이 담당하는 역할에 관심을 가지게 되었는데, 이러한 관점에서 학교사회복지실천 분야에서도 자원의 다양한 공급 주체에 대한 접근이 모색되어야 한다. 이에 학교사회복지실천영역에서 공급 주체의 다양화를 위해 현재 실천현장에서 활용하는 지역사회자원을 세분화하면 다음과 같다.

1) 국가(공공)자원

국가는 세금과 급여 및 서비스의 제공을 통하여 개인의 복지에 직접적인 영향을 미치고 있다. 사회복지에 대한 국가의 역할은 소득 이전자, 서비스 제공자, 재원보조자, 규제자로 구분하여 설명할 수 있다(Shin, 2000 재인용).

첫째, 소득 이전자이다. 사회보장체계의 핵심은 조세체계를 통하여 어느 한 집단으로부터 다른 집단으로 소득을 이전시켜 주는 것이다. 소득의 이전은 일반적으로 저소득층을 위한 소득재분배의 성격을 지니고 있으며, 이를 통하여 국가는 사회 구성원 간의 통합과 연대를 도모한다.

둘째, 서비스 제공자이다. 국가는 교육, 보건, 대인사회서비스 등의 사회서비스를 제공한다.

오늘날 대부분의 나라들에서 정부는 가장 규모가 큰 고용자이며, 국가는 이들을 통하여 복지서비스를 제공한다. 이와 같은 서비스 제공자 역할을 수행함으로써 국가는 노동력의 재생산에 기여한다.

셋째, 재원보조자이다. 국가는 재정체계를 통하여 사회복지에 간접적인 영향을 미친다. 조세는 단순히 정부재정의 원천이 아니라 정부가 활용될 수 있는 사회정책 수단이며, 특정 활동을 조장 또는 억제하기 위한 수단으로 활용될 수 있다(Pond, 1980 재인용).

넷째, 규제자이다. 국가는 비공공 부문의 운영과 관련된 조건과 기준 등을 설정하고 운영을 감독한다. 특히 시장 메커니즘을 통하여 서비스를 제공하는 경우 시장실패의 문제를 안고 있으므로, 정부에 의한 규제가 필요하다.

2) 민간 비영리자원

비영리조직은 일반적으로 자원 부문, NGO, 혹은 제3섹터 등으로 불리는데, 그 유형이 매우 다양하여 개념을 명확하게 정의하는 것은 쉽지 않다. 자원 부문은 공식적으로 구성된 자발적·비구조적으로 활동하는 조직으로서, 국가, 시장, 비공식 부문에 속하지 않는 모든 조직을 말한다. 오늘날 자원 부문의 활동에 대한 관심은 높아가고 있으며 자원 부문에서 재원의 조달은 개인 및 회사의 기부금, 자선단체로부터의 보조, 정부지원, 자체수입 등을 통하여 이루어지고 있다(Deakin, 1998 재인용). 비영리 부문의 복지서비스 제공은 자율적인 자원 부문을 바탕으로 이루어지기 때문에 시민들의 자발적 참여와 지지를 유도할 수 있고 상황과 욕구의 변화에 신속하고 융통성 있게 적응해 갈 수 있으며 보다 다양한 서비스를 전문화된 인력에 의해 제공한다. 또한 민간조직들은 민간기금으로 운영되므로 독창적이고 혁신적인 프로그램을 개발할 수 있으며 특정한 대상자들에 대해 옹호자의 역할을 담당하고 애정과 이해심을 가지고 심도 있는 서비스를 제공할 수 있다. 1950년대 6·25 직후 외원단체가 철수하기 시작하자 정부가 이 분야에 재정부담을 책임지게 되었고, 1980년대에 들어서 각종 사회복지 관련법이 시행되고 인구의 고령화, 핵가족화, 가족 해체, 여성취업인구 증가 등의 사회변화로 인해 복지수요가 다양하게 증가되면서 민간비영리조직이 늘어나기 시작하였다.

3) 언론 방송자원

언론 방송은 상업성을 배제할 수 없는 기업체이면서도 공익에 봉사하는 특이한 성격 때문에 일반 기업과 달리 독특한 복지 역할을 수행하고 있다. 언론 방송의 주된 목적이 독자들에 대한 뉴스 서비스와 현대 생활에서 필요한 정보를 제공하고 사회 여론 형성을 주도하는 것이지만, 한국 언론 방송의 특수한 사정을 감안하면 언론이 사회의 목탁 또는 공기(公器)로서 사회에 미치는 영향은 지대하다.

최근 메이저급 신문 등은 사회복지 대상자들을 게재하여 직접적인 복지서비스를 제공하고, 인터넷상 특정 학생, 가정을 돕기 위한 카페를 운영하며, 주요 방송사에서는 모금 전용 프로그램을 운영하고 있다. 따라서 학교사회복지 실천에서 일회성이 아닌 장기적이고 체계적으로 언론 방송자원과의 연계 방법을 모색해야 한다.

4) 종교자원

인간의 정신문화 양식의 하나로 인간의 여러 가지 문제 중에서도 가장 기본적인 것에 관하여 경험을 초월한 존재나 원리와 연결지어 의미를 부여하고 또 그 힘을 빌려 통상의 방법으로는 해결이 불가능한 인간의 불안·죽음의 문제, 심각한 고민 등을 해결하려는 것이 종교이다. 종교의 기원은 오래 전이며, 그동안 많은 질적 변천을 거쳐왔으나 오늘날에도 인간의 내적 생활에 크게 영향을 끼치고 있다. 종교단체는 사회복지실천 태동의 기반이 됨과 동시에 중요한 자원 중의 하나이다. 학교사회복지 실천에서 학교와 학생 가족의 다양한 욕구 해결을 위한 영역 확대방안으로 지역사회 내의 다양한 종교자원과의 연계가 필요하다.

5) 기업자원

사회복지의 제공에서 기업은 중요한 역할을 담당하고 있다. 기업은 급여 및 서비스의 제공을 통하여 개인의 복지에 영향을 준다. 최근 발표된 OECD의 연구 보고서에서 사회복지의 제공과 관련하여 공공부문, 즉 국가 이외의 공급 주체가 제공하는 민간급여의 중요성을 강조하고 있다(Adema Einergand, 1998 재인용).

초기 자본주의 사회에서 기업은 이윤을 극대화하는 것이 기업의 책임이라고 생각하였다. 이것은 기업의 일차적 책임이라고 규정할 수 있다. 그러나 Drucker는 기업의 경제적 성과 못지않게 사회적 책임도 기업의 중요한 역할임을 강조한다. 이는 기업의 2차적 책임이다. 기업의 사회적 책임은 1960년대에 급격한 사회 환경 및 사회가치의 변화가 나타나기 시작하면서부터 대두되었다.

향후 기업의 사회적 책임과 사회발전에 대한 부담은 날로 확대되어 갈 전망이며, 사회복지에 대한 관심과 구체적인 참여가 기업의 사회적 기능의 중요한 일부분이 될 것이다. 이런 견지에서 볼 때 기업은 비영리조직의 운영에 필요한 중요한 자금원으로서의 역할을 담당하게 될 것이다(어호선, 2001 재인용).

우리나라에서 기업들이 기업의 사회적 책임활동(사회공헌)에 본격적으로 참여하는 계기가 된 1997년 외환위기 동안 정부의 복지재정이 열악한 상황에서 기업 사회공헌은 민간 복지재원 확보에 상당한 기여를 했다. 활동내역도 단순한 금전적 기부에서 비영리조직과의 전략적 제휴를 통한 다양한 프로그램 개발로 확대하고 있다. 기존의 자선적 시혜에서 탈피하여 경영 전략적 접근으로 기업사회공헌활동이 전환되고 있는 것이다(정무성, 2004). 현재 학교사회복지실천 영역에서는 일부 기업재단 및 기업에서 중식지원 장학금 등을 지원하고 있다. 우리나라의 기업재단은 대부분 역사가 짧지만, 부족한 사회복지 총량을 극복할 수 있는 방안 중의 하나로서 학교사회복지실천 영역에서도 개발 가능성이 높은 자원이다.

6) 개인자원

개인자원은 사회복지영역에서와 마찬가지로 학교에서도 필요하며, 학교에서의 기부 대상자의 선정기준은 공정성과 긴급성, 효과성을 만족해야 하므로 선정과정에 신중을 기해야 하며, 학교의 특성을 살려 차별화된 기부자 모집 전략을 모색해야 한다.

7) 학교자체자원

학교사회복지실천에서 학교는 많은 인적·물적 자원을 확보하고 있다. 학부모와 교사 및 학교체계는 학교사회복지에서 서비스의 대상일 뿐만 아니라 학교사회복지에 있어서 중요한 자원체계이므로 이들과의 협력은 학교사회복지 전 과정에서 매우 중요한 의의를 지닌다고 할 수 있다.

8) 대학자원

대학은 인적·물적·지적 자원이 풍부하다. 대학이 가지고 있는 인적·물적·지적 자원을 적극 활용하여 학교사회복지실천에서 다양한 프로그램과 연계하여 실시 운영할 수 있을 것이다.

9) 의료자원

의료자원은 학교사회복지실천에서 질병이 있는 대상학생을 위한 중요한 자원이다. 의료비 부담으로 의료기관을 찾지 못하는 대상 학생들이 있을 수 있다. 지역사회의 다양한 의료자원과의 연계를 통하여 대상 학생들이 의료비 부담을 줄여줄 수 있는 방안으로 지역사회의 의료자원들을 발굴할 필요가 있다(김성옥, 2008).

4. 학교사회복지에서 자원 연계에 영향을 미치는 요인

연계와 관련한 역할 수행에는 지역사회자원 환경, 조직적 특성, 연계자 개인의 특성, 클라이언트의 특성과 같은 다양한 변인들이 영향을 줄 수 있다. 지역사회자원 환경 요인은 연계하기에 적합한 자원이 많아야 한다는 것이다. 즉, 자원이 풍부할수록 각 기관들의 연계 활동이 보다 활발히 이루어질 수 있는데, 김영종(1992)은 사회복지관을 대상으로 한 지역사회 자원 활용에 가장 많은 영향을 미치는 요인이 외부자원의 존재로 나타났다고 보고하여 외부자원 존재 여부의 중요성을 뒷받침하고 있다. 조직적 특성은 연계자가 속한 조직의 성격, 업무환경, 규모, 담당사례의 수 등이 포함된다. Hahn의 연구(1994)에서도 학교사회복지사가 속한 기관의 특성 및 자율성 정도와 담당하는 사례수가 의뢰와 같은 연계활동에 영향을 미치는 것으로 나타났다. 연계자 개인의 특성은 성, 연령, 직위 등을 포함하는 일반적 특성과 학력, 자격 여부, 경력, 교육 정도 등을 포함한 전문적 능력, 연계 업무에 대한 직무의 정체성과 중요성, 그리고 연계를 위한 개입방법 및 지역사회 자원에 대한 지식 정도를 포함하는데(강순영, 2000), 학교사회복지사의 개인적 특성은 의뢰와 관련한 활동에 특히 주요 변수로 작용할 수 있다. 클라이언트 특성은 자원 연계에 대한 클라이언트의 동기나 욕구를 들 수 있으며, 학교사회복지사가 학생들을 지역사회자원과 연결시킬 때, 클라이언트의 사회·경제적 수준 및 학년과 같은 개인적 특성은 특히 연계 활동에 영향을 미치는 변수라 하겠다(Hahn, 1994재인용). 따라서 지역사회 자원의 양적·질적 적합성과 자원의 다양성이 학교사회복지사가 외부 자원을 연계하는 데 기본적으로 영향을 미치기도 한다.

5. 학교사회복지에 있어 지역사회 및 거시적 차원이 갖는 중요성

사회복지전문직의 가치는 사회복지사가 단지 개인 학생과 가족뿐만 아니라 모든 아동에게 동등한 교육적 기회를 막는 억압된 체계에 개입하도록 한다. 사회복지사는 정책과 제도를 변화시키고 사람들이 자신들의 기본적 욕구를 충족시키고 잠재력을 발휘할 수 있도록 임파워링시키고, 자원과 서비스에 동등하게 접근하도록 보장하는 데 초점을 둔 정치적 활동 쪽으로 지향되어야 한다. 마찬가지로 학교사회복지사는 빈곤, 문맹, 직업훈련, 고용, 지역사회개발 등 주요한 정책 이슈에 관심을 가져야 하며 빈곤, 노숙자, 범죄율, 환경적 위험 등에 대한 국가 및 지방정책의 영향에 주목해야 한다.

사회복지실천에서 거시적 실천(macro practice)이란 전반적인 사회의 개선과 변화를 초래하는 데 초점을 두는 것이며 이것에는 정치적 행동, 지역사회행동, 지역사회조직, 공공교육, 캠페인, 사회서비스기관 중심의 행정 또는 공공복지부서 중심의 행정 등이 포함된다. 특히 공공교육정책과 입법은 중요한 거시적 실천(macro practice)의 부분이다. 정책분석과 입법 활동의 분야에서 전문직 조직들은 개별적 학교사회복지사가 전문직 규범, 공공교육, 아동의 복지에 영향을 미치는 사회상황을 이해하고 반응하도록 돕는 자원을 가진다. 학교-가정-지역사회 연계자로서 학교사회복지사의 역할은 이미 지역사회와 조직활동(community and organizational work)에서의 역할과 일치된다. 학교에 대한 부모의 참여와 지역사회 지지와 더불어 거시적 실천은 학생의 교육성취에 중요하게 영향을 미치는 것으로 학교사회복지사에게 새로운 중요성을 갖는다. 거시적 실천 방법을 충분히 이해하는 사회복지사는 학교와 지역사회에 영향을 미치는 중요한 사람(stakeholder)과의 관계를 확립하고 강화할 수 있다(Wilson, 2006 재인용).

6. 사회복지와 지역사회의 실천모형

〈표 9-2〉 **학교사회복지와 지역사회의 실천모형**

구 분	지역사회학교 모형	학교-지역사회-학생관계 모형
초 점	학교를 오해하고 불신하는 박탈되고 차별대우를 받는 지역사회	생활주기 안의 다양한 스트레스 상황에 학생의 특성과 상호작용하는 학교, 지역사회결핍, 특정 체계의 특성
목 적	• 지역사회의 이해를 개발시키고 지원 • 빈곤한 학생을 원조하는 학생 프로그램 개발 • 박탈된 조건의 축소	학교 – 지역사회 – 학생관계에 있어 변화를 초래해서 대상학생집단의 스트레스를 완화할 수 있게 함
표적체계	지역사회와 학교가 표적이 됨	–
어려움의 근원에 대한 견해	• 빈곤과 다른 사회적 조건 • 학교 관련 인사는 문화적 차별과 빈곤의 효과에 대한 완전한 이해가 부족함	학교, 지역사회, 학생 간 상호작용의 복잡성
학교사회복지사의 과업과 활동	• 지역사회의 활동에 자신을 포함시킴 • 지역사회가 문제제기하고 이슈화할 수 있도록 하는 것 • 지역사회가 학교를 이해하도록 원조하는 것과 그 반대의 경우를 원조함 • 지역사회가 학교 프로그램에 참여하도록 격려함	• 대상학생집단으로 하여금 학교가 지판적일 때 그들이 보는 문제를 진단하고 분명히 밝힐 수 있도록 돕는 것 • 학생불만을 위해 개별적 또는 집단적으로 옴부즈맨으로 돕는 것 • 관심에 대해 목소리를 내고 갈등을 해결하기 위해 교사, 학생, 행정가들의 비공식 집단을 형성하는 것 • 변화매개체계 또는 문제해결팀을 구축하는 것
학교사회복지사의 역할	중재, 옹호, 아웃리치(outreach)	옹호, 자문, 협상
개념적 · 이론적 근거	지역사회-학교개념, 의사소통이론	사회학습이론, 체계이론, 파생이론

출처 : 전재일 외(2016).

7. 학교사회복지사의 지역사회복지실천

학교사회복지사는 지역사회실천을 하기 위해 세 가지 이슈를 다루어야 한다(Wilson, 2006).

첫째, 학교사회복지사는 자신들의 역할에 정규적인 지역사회 아웃리치(outreach)가 포함될 수 있도록 옹호해야 한다. 지역사회효능과 교육적 성과 간의 관계에 대해 학교 행정가를 이해시키는 것은 학교사회복지사의 목표를 달성시키는 데 도움이 된다.

둘째, 학교사회복지사는 욕구를 구체시하고 목표를 세우고 지역사회 효능을 개선하기 위해 사회변화 과정을 실천함에 있어 충분한 파트너가 되도록 청소년과 가족의 권리를 존중하여야 한다. 또한 학교사회복지사는 아동과 가족을 위한 성공적인 프로그램들이 계속 유지될 수 있도록 정책 옹호에 부모가 참여할 수 있도록 격려해야 한다. 가족－학교－지역사회 참여를 제공하도록 돕고, 부모에게는 가정교사(tutor)와 가족지지 워커로서 일하거나 학교위원회와 교과과정위원회에서 일하도록 돕고, 부모와 청소년이 지역사회 비영리기관위원회에서 일하도록 도와야 한다.

셋째, 학교사회복지사는 행정가로 하여금 학교 및 교육구가 지역사회 계획과 발달에 파트너십 역할을 수용하고, 지역사회주민과 힘을 공유할 필요가 있다는 것을 이해하도록 도와야 한다. 설사 지역사회와의 모임이 학교에 의해 제공된다고 해도 학교체계가 그들 자신의 입장을 강요하거나, 상하 위계적 지배구조를 유지하거나, 통제하거나 해서는 안 된다. 학교사회복지사는 전통적·미시적 실천역할을 초월해서 조직적 그리고 사회변화 차원에서 학교와 이들 체계 간의 협력적 노력을 이끌어야 한다.

지역사회복지는 사회복지의 한 영역이며 방법론으로서 사회복지에서 차지하는 비중이 적지 않다. 지역사회복지는 지역주민의 참여를 통하여 사회통합을 추구함으로써 삶의 질을 높이고 행복한 지역사회를 만들기 위한 과정과 목표를 가지고 있다(김만호, 2009). 지역사회복지의 대상이 지역주민이라면 학교사회복지의 대상은 학생이다. 학생은 그 지역의 주민이다. 따라서 학교사회복지는 지역사회복지와 연결하여 서로 상호하는 것으로 학생을 위한 가장 좋은 교육환경을 만들 수 있어야 한다.

PART 03

프로그램 실제

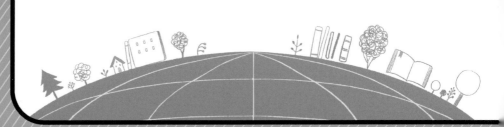

CHAPTER

10 사례관리

사례관리는 복합적인 욕구를 가진 클라이언트를 대상으로 그들이 필요로 하는 적합하고 적절한 서비스를 받을 수 있도록 공식적 · 비공식적 지원과 활동의 네트워크를 조직, 조성, 유지하는 것을 의미한다(NASW, 1999). 최근 우리나라의 교육현장에서는 이러한 사례관리가 복잡하고 다양한 학생의 문제를 해결하기 위한 주요한 방법론으로 활용되고 있다. 이에 본 장에서는 학교현장에서의 사례관리에 대한 필요성을 살펴보고 학생 대상 사례관리 실천에서 유용하게 활용될 수 있는 강점 관점 사례관리에 대해 기본적으로 살펴보고 이를 학교현장에서 어떻게 적용할 수 있는지를 소개하고자 한다.

1. 학교현장 사례관리의 필요성과 배경

우리나라 아동 · 청소년은 하루 일과 중 대부분의 시간(평균 7~8시간)을 학교에서 학생 신분으로 보내고 있다. 이러한 학교생활에서 학생들이 경험하는 문제는 학업문제와 교우관계, 가정문제뿐만 아니라 학교폭력, 인터넷중독, 성폭력, 우울과 자살 등 점점 다양화되고 복잡해지고 있다. 그러므로 이러한 문제의 해결을 위해서 학교 안에서의 상담 및 복지 전문 인력을 통한 사례관리 개입의 필요성이 중요하게 부각되고 있다.

학교현장에서의 사례관리는 학교사회복지사의 중요한 직무 중 하나로 미국에서는 1960년대부터 중요하게 제시되었으며, 2000년대 이후에는 사례관리를 위한 적절한 자원 연계와 서비스 조정의 역할이 강조되고 있다(Alderson & Krishef, 1973; Constable, Flynn, & Mcdonald, 2002; Costin, 1968). 우리나라에서는 1990년대 학교사회복지가 실시된 시기부터 학생 개인을 둘러싼 복잡한 문제를 해결하는 과정에서 학교사회복지사의 사례관리자로서 해야 할 역할이 강조되기 시작하였다. 최근에는 사례관리가 학교사회복지사 자격 직무교육의 필수적인 내용으로 포함될 만큼 그 중요성이 강조되고 있고 또한 학교사회복지사의 중요한 직무 중 하나로 자연스럽게 인식되고 있다(노혜련 · 김상곤, 2004; 안정선 · 진혜경 · 윤철수, 2006).

하지만 학교현장에서의 사례관리는 학교사회복지사 1인이 감당해야 하기 때문에 사례관리대상자의 수가 한정될 수밖에 없고, 체계적인 사례관리 방법에 대한 교육이나 훈련이 부족하여 사례관리에 대한 이해가 많이 부족한 상황에서 진행되었던 것이 사실이다. 하지만 최근 들어 사회복지현장에서도 사례관리에 대한 중요성이 부각되면서 자연스럽게 학교현장에서의 사례관리도 중요하게 여겨지게 되었다. 실제 2005년도 위스타트(We Start) 학교사회복지사업에서는 학교사회복지사가 서비스 집중 이용 대상을 중심으로 사례관리를 수행하도록 하였고, 정기적인 마을 사례회의 등의 지원체계를 갖추는 모델을 만들었다(이봉주 외, 2006). 그리고 교육복지 우선지원 사업에서는 사례관리 대신 집중지원관리라는 명칭을 사용하였지만 지역사회교육전문가들 중 학교사회복지업무를 수행해 본 경험이 있는 일부는 사례관리를 중요한 직무로서 여기고 사업수행을 하였다. 최근 교육복지 평가에서 사례를 평가실적의 중요한 영역으로 반영하고 있어 사례관리를 전담하는 사례관리자를 추가로 배치하기도 하는 등 사례관리의 중요성이 점차 부각되고 있다(한국교육개발원, 2006).

이처럼 학교를 기반으로 한 사회복지실천에서 사례관리실천이 강조되는 배경에는 학생들이 경험하는 문제와 욕구가 다양화되고 복잡해지고 있다는 점과, 또한 학교가 단순히 교육서비스만을 제공하는 기관의 기능뿐만 아니라 아동 · 청소년에게 필요한 교육 · 보건 · 복지 · 문화 등 다양한 서비스를 제공하는 기관으로 거듭나고 있다는 점을 들 수 있다. 이러한 이유로 현재, 지방자치단체 학교사회복지사업, 위스타트 학교사회복지사업, 교육복지우선지원사업, Wee Project 등 다양한 학교사회복지사업에서는 사회복지사로서 전문적인 정체성을 가지고 학생들의 복잡하고 다양한 문제와 욕구에 효과적으로 대응하는 사례관리가 강조되고 있다.

2. 학교현장에서의 사례관리 접근방법

학교현장에서 만나는 학생은 성인과 달리 아동・청소년 시기의 발달단계상에서 스스로 해결하기 어려운 경험을 할 수 있는데 학생 시기에 갖게 되는 어려움이나 문제는 그 시기를 벗어나거나 주변 환경의 도움으로 충분히 극복할 수 있는 것들이 많다. 그렇기 때문에 학교사회복지사의 대상학생에 대한 강점 관점 사례관리는 6가지의 원칙에 중심을 둔다(Rapp, 1998).

첫째, 문제중심의 인식보다는 개인의 강점에 초점을 두며 모든 개인, 집단, 가족은 강점을 가지고 있다는 것을 전제로 한다. 이때의 강점은 그 개인이 가지고 있는 잠재적인 것이지만 삶의 경험을 통해 배워온 것들, 주변의 환경, 개인이 가지고 있는 자질과 특성(예를 들어, 유머 감각, 통찰력, 종교, 글을 쓰는 능력, 그림을 그리거나 여타 다른 예술적 능력, 열정, 공감 등), 도움을 줄 수 있는 사람들이나 기관들이 포함되어 있는 지역사회 등이다(Saleebey, 2006). 둘째, 지역사회는 자원의 오아시스이다. 지역사회 내 자원은 비공식적인 것과 공식적인 것으로 나눌 수 있으며, 강점 관점은 비공식적인 자원도 유용한 자원으로 확대될 수 있다고 본다(Black, 2003). 셋째, 개입은 사례관리자와 클라이언트의 관계에 기초한다. 넷째, 사례관리자와 클라이언트의 관계는 일차적이며 본질적인 부분이다. 다섯째, 사례관리자가 이용자에게 적극적으로 방문하고 서비스를 제공하는 공격적인 아웃리치가 선호되는 개입 방식이다. 여섯째, 사람들은 배우고 성장하며 변화할 수 있다고 믿는다. 즉, 클라이언트가 자기 인생의 전문가라는 것이다. 클라이언트는 도움을 주는 사람을 가르치고, 도움을 주는 사람은 그들의 클라이언트로부터 배움으로써 클라이언트의 목적과 열망(aspirations)을 달성하기 위해 클라이언트와 협력해서 일할 수 있다(김경미 · 윤재영, 2010).

다음으로 학교사회복지사가 강점 관점 사례관리를 적용하기 위해 필요한 기본적인 자세를 살펴보면 다음과 같다(우리아이희망네트워크 희망사업단, 2010).

1) 어떠한 상황에서도 대상학생에게는 강점이 있다는 자세로 접근하기

학교사회복지사가 만나는 학생은 단순히 잘하는 것이나 장점의 의미를 넘어서 삶을 소중히 여기게 하는 다양하고도 긍정적인 에너지(재능, 능력, 성품, 정보나 지식, 경험, 기술, 인간관계, 자원, 가치 등)를 가지고 있다. 이는 학부모에게도 적용된다. 그렇기 때문에 강점은 순탄한 삶을 살 때나 힘든 경험을 할 때도 존재한다. 실천현장에서 간혹 강점을 하나도 찾을 수 없을 것 같은 학생이나 부모를 만날 때도 있다. 이럴 때 어떠한 상황에서도 강점을 가지고 있다는 믿음을 가지고 있다면 강점을 찾을 가능성이 높다. 강점을 찾는 이유는 단순히 이용자를 칭찬하기 위함이 아니라 강점이 이용자가 변화하는 데 매우 중요하게 활용될 수 있기 때문이다. 사람들은 자신이 좀 더 나아지고 싶다면, 현재 부족한 부분을 찾아보고 그것을 고치려고 노력한다. 대부분은 이러한 방법에 익숙하고 오랫동안 그렇게 살아왔기 때문에 자신의 강점에 대해서는 생각해 볼 기회가 많지 않다. 이러한 상황에서 학교사회복지사가 문제 해결을 위해 무엇인가 새로운 것을 만들어 내려고 한다면 그것은 시간과 에너지가 많이 필요한 작업이고 성공의 가능성도 낮다. 반면 이미 가지고 있는 것을 확장시키고 활용하는 것은 많은 에너지를 쏟지 않고서도 성공할 가능성이 높다. 그렇기 때문에 학교사회복지사가 대상학생을 만날 때 강점을 발견해 내고 강점이 있다는 신념을 가지는 것은 변화를 이끌어 내는 데 유용할 수 있다.

2) 대상학생은 자신의 삶에서 전문가임을 생각하기

일반적으로 학교사회복지사는 대상학생을 만나 문제와 환경체계에 대해 자세하게 사정하여 그에 따른 해결책을 계획하고 필요한 서비스를 연계하는 방식으로 일한다. 이때 대상학생을 문제가 있고 부족한 대상으로 보게 되면 학교사회복지사는 자신이 그 문제를 더 잘 알고 있다고 간주하고 해결책을 제시하게 된다. 하지만 많은 경우 학교사회복지사가 계획하고 제안한 대로 진행되지 않는 경험을 하게 된다. 계획대로 진행되지 않는 이유에 대해 많은 경우 대상학생의 저항 때문이라고 생각하기 쉽지만 실제로는 학교사회복지사가 일방적으로 제안한 방법을 대상학생이 수용하지 않기 때문이다. 왜냐하면 대상학생은 이미 학교사회복지사를 만나기 이전부터 어려운 상황에서도 삶을 살아왔고 어려움이 있을 때 해결했던 경험이 있기 때문이다. 그러므로 대상학생은 자신에게 어떤 것이 도움이 되고 어떤 것이 효과적인지 이미 알고 있다. 따라서 학교사회복지사는 대상학생을 삶에서 실패한 사람 또는 타인의 도움을 받아야 하는 존재로 인식하기보다는 문제 해결의 열쇠를 가지고 있는 존재로서 자신의 문제 해결의 열쇠를 스스로 발견할 수 있도록 하고, 그것을 활용하여 자신의 삶을 살아갈 수 있도록 도와야 한다.

대상자가 자기 삶의 전문가라고 생각하고 일하는 학교사회복지사는 대상학생을 존중하는 태도를 가질 수밖에 없다. 이러한 태도는 학생 스스로에게 성공의 경험을 가져다주며, 이러한 경험은 학생이 자신의 강점을 보다 잘 생각하도록 돕는다. 이는 대상학생이 좀 더 빠르게 자신이 원하는 모습으로 변화할 수 있도록 한다.

3) 대상학생에게 중요한 것에서 시작하기

학교사회복지사가 자신과 다른 배경의 환경과 상황에서 살아온 학생을 완벽하게 이해한다는 것은 쉬운 일이 아니다. 학교사회복지사가 보기에 중요하다고 생각하는 것에 대해 대상학생은 다르게 이야기할 때가 있다. 이러한 차이는 자연스러운 것으로, 이때 학교사회복지사는 대상학생의 변화에 도움이 되려면 대상학생에게 중요한 것에서 시작해야 한다. 그 이유는 학교사회복지사가 아무리 중요하게 생각하는 것이라도 대상학생이 받아들이지 않는다면 아무 소용이 없기 때문이다. 그러므로 대상학생이 중요하다고 생각하는 것을 먼저 듣고 그것에서부터 시작하는 것이 도움이 된다. 비록 학생이 중요하게 생각하는 것이 학교사회복지사가 생각하기에 이상하고 비정상적으로 보일지라도 이를 존중하고 들어준다는 것에 대해 학생은 자신이 거부당하지 않고 존중받는 느낌을 가질 수 있으며, 이 때문에 대상학생은 학교사회복지사의 이야기에 더 귀를 기울이게 되고 변화를 위한 노력을 하게 된다.

4) 상황은 항상 변화한다는 유연한 자세 갖기

대상학생과 면담을 하다 보면 지난번까지 말한 것과는 다른 것을 이야기할 때가 있다. 이때 학교사회복지사는 이전에 이야기한 것을 아직 진행하지 않았는데 다른 화제로 넘어가도 되는지, 혹은 대상학생이 변덕스러운 것은 아닌지 고민하게 된다. 또한 대상학생이 진정으로 중요하게 생각하는 것을 함께 논의하지 못한 것은 아닌가 하고 불안한 마음을 갖게 된다.

대상학생이 처한 어렵고 힘든 상황은 다양한 변수들에 쉽게 영향을 받는다. 그래서 학교사회복지사는 대상학생이 이야기를 자주 바꾸고, 의지가 부족하고, 약속을 이행하지 않는다고 여길 수 있다. 하지만 대상학생이 처한 상황이 항상 변화한다는 것을 전제한다면 학교사회복지사는 대상학생이 지난번 만날 때와 지금이 다를 수 있다는 것을 자연스럽게 받아들이게 된다. 따라서 대상학생이 지난번과 다른 이야기를 하더라도 그것을 이상하거나 잘못된 것으로 여기지 않고, 지금 시점에서 이야기를 진행할 수 있다.

3. 학교 사례관리의 구성 요소

사례관리에 대해 미국사회복지사협회(NASW, 1999)에서는 복잡한 여러 가지 문제와 장애를 가지고 있는 클라이언트를 대상으로 그들이 필요로 하는 적합하고 적절한 서비스를 받을 수 있도록 하는 것으로 정의하고 있다. 그러므로 사례관리는 클라이언트의 환경과 긴밀한 상호작용을 중시하는 '상황 속의 인간'이라는 체계적 관점에서 접근을 하게 되는데, 크게 서비스의 대상이 되는 클라이언트, 사례관리 서비스를 제공하는 사례관리자, 현존하는 서비스 체계로 이루어진다. 이러한 분류는 클라이언트를 중심으로 상호 영향을 미치는 서비스 체계들에 대해 총체적인 틀을 가지고 클라이언트의 욕구와 클라이언트가 가지는 자원을 바라보아야 함을 의미한다. 이러한 구성요소를 학교현장 사례관리에 적용하여 살펴보면 다음과 같다.

1) 클라이언트

학교현장 사례관리에서 대상학생은 문제 해결의 욕구가 있고 심리・정서・물질 등의 사회적 자원을 필요로 하지만 이를 스스로 확보할 수 없는 학생을 의미한다.

2) 사례관리자

학교현장 사례관리에서 학교사회복지사는 정기적으로 학생의 욕구를 파악하고, 각종 서비스를 조정하고 연결하는 역할을 한다.

3) 서비스 체계

서비스 체계는 사례관리 서비스를 제공하는 학교와 학생을 둘러싸고 있는 환경 및 자원을 의미하며 친구, 학부모, 학교, 지역사회 등이 포함된다.

4) 사례관리 과정

사례관리를 시간상으로 전개해 가는 것으로 이 과정은 보통 접수, 사정, 개입계획, 서비스의 제공, 조정과 점검, 재사정, 평가와 종결, 사후관리 등으로 진행된다.

5) 사례관리 운영체계

학교현장 사례관리는 학생에게 필요한 통합적 서비스를 전달하는 작동체계이기 때문에 효율적인 운영체계의 구축이 필요하다. 이를 위해 학교사회복지사에서부터 시작해서 사례관리 팀(복지담당부서)을 포함하는 학교의 시스템을 구성하고 클라이언트의 삶과 밀접한 관련이 있는 지역사회를 아우르는 학교외 사례관리체계의 구축이 필요하다.

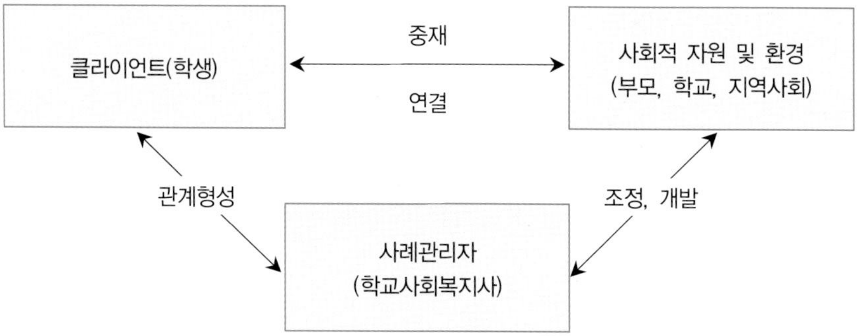

| 그림 10-1 | 학교 사례관리의 구성 요소

출처 : 권진숙 외(2012).

4. 학교현장의 사례관리 운영체계

학교현장에서 사례관리를 운영하는 체계를 구축하기는 쉽지 않다. 하지만 사례관리의 운영체계를 구축하는 것은 서비스를 효과적이고 효율적으로 전달할 수 있기 때문에 매우 중요하다. 따라서 학교사회복지사는 사례관리 운영체계를 구축하고 이를 활용하기 위해서 사례관리자로서 역량을 강화시켜 나가야 할 것이다. 이에 본 절에서는 학교현장의 사례관리 서비스의 수준에 따른 모형과 사례관리 운영체계, 사례관리 팀의 구성 및 사례회의의 운영과 슈퍼비전에 대해 살펴보고자 한다.

1) 학교현장 사례관리 서비스의 수준에 따른 모형

사례관리의 서비스 수준에 따라서 운영체계의 모형은 달라질 수 있다. <표 10-1>에서는 이를 단순형, 기본형, 종합형, 전문관리형으로 구분하였다(황성철, 1995). 일반적으로 사회복지실천현장에서 단순형은 지역사회자원과 서비스를 단순히 연계하는 수준의 사례관리모형으로서 준전문가의 수준에서 실천되며, 기본형은 지역사회자원과 서비스 연계, 기초상담을 제공하는 수준의 모형으로서 단순형과 마찬가지로 준전문가의 수준에서 실천된다. 종합형은 지역사회자원과 서비스를 연계하고 심층상담 및 치료적 기능을 수행하며, 전문관리형은 직접적·간접적 서비스 제공과 관리자로서의 역할을 수행한다.

<표 10-1>에 따르면 학교현장 사례관리의 서비스 모형은 전문관리형의 운영체계가 가깝다고 볼 수 있다. 하지만 학교사회복지사는 사회복지기관과 달리 슈퍼바이저가 없는 가운데 1인이 근무하며, 특정 부서(생활지도부, 교육복지부, 진로상담부)에 소속되어 교육을 전공한 부장과 관련 사례를 상의하거나 다른 교사와의 회의를 통해 결정해야 하는 것이 현실이다. 그렇기 때문에 학교사회복지사는 사례관리가 필요한 학생들의 문제와 욕구 수준에 따라 서비스 수준이나 모형을 달리 선택할 수 있다. 학생복지 지원내용 중에 학습지원이나 수련회비, 중식 지원 등 단순한 도움이 필요한 사례는 대부분 학기 초에 저소득 가

정 학생을 중심으로 대상자를 파악하여 단순지원 연결하기 때문에 사례관리의 대상이라고 하기 어렵다. 하지만 이러한 단순·기본 사례에서 심리적인 어려움을 겪거나 비행이나 폭력과 관련된 사안이 발생한다면 다각적인 도움을 줄 수 있는 종합형, 전문관리형의 서비스 모형을 선택하여 사례관리를 진행할 수 있다.

〈표 10-1〉 **서비스의 수준에 따른 모형**

	단순형	기본형	종합형	전문관리형
사례관리의 근본 목적	지역사회의 자원과 서비스 연계	지역사회의 자원과 서비스 연계와 기초 상담, 조언	지역사회의 자원과 서비스 연계, 심층 상담 또는 치료	직접적·간접적 서비스 제공과 관리자로서 서비스 관리
사례관리의 기능	욕구인식 및 사정, 사례계획과 서비스 연계, 서비스 점검	적극적 사례발굴, 사정, 사례계획 및 개입, 서비스 연계, 상담, 서비스 점검	Rothman의 15개 기능을 수행	기본적인 사례관리 기능과 자원배분, 통솔, 의사결정 기능 포함
사례관리자의 역할	자원과 서비스 중개자	중개자, 상담자, 교육자, 지지자, 서비스 점검자	자원 및 서비스중개자, 상담 또는 치료자, 교육자, 클라이언트 옹호자	연계자, 상담자, 치료자, 교육자, 관리자
사례관리자의 교육 및 전문성 정도	준전문가, 비전문가(전문대 졸업자, 또는 훈련된 자원봉사자)	준전문가, 전문가(전문대 졸업자, 또는 초년생 사회복지사)	전문가(경력이 풍부한 선임사회복지사)	특수 분야별 전문가
조직 내 사례관리자의 위치와 슈퍼비전	기존의 조직과 업무 수행부서에서 수행, 전문가에 의한 엄격한 슈퍼비전	기존의 조직 내에서 수행, 경험이 많은 사회복지사의 슈퍼비전이 필요	독립된 사례관리 부서, 최소한의 슈퍼비전	독립된 팀 형성, 슈퍼비전이 필요 없음
사례관리자의 담당 사례 수	비교적 많은 사례	적절한 사례 (30사례 내외)	비교적 적은 사례 (10~20사례)	최소한의 사례 (10사례 미만)

개별/ 팀 접근	팀 접근이 가능. 그러나 주로 개별적 접근	개별적 접근	개별적 접근	팀 형성에 의한 접근
사례관리자의 업무에 관한 자율성 및 권위의 정도	자율적인 결정권이 없음. 전문가와의 협의 요망	어느 정도 자율성이 보장됨	자율적인 의사결정이 보장됨	전문분야별 자율성 보장. 그러나 공동결정 요망

출처 : 황성철(1995).

2) 학교현장 사례관리의 운영체계

학교현장에서 사례관리의 운영체계를 갖추기 위해서는 학교의 특성과 여건을 고려하여야 한다. ❙그림 10-2❙를 보면 학교에서 이루어지는 사례관리의 운영체계를 크게 교내 운영체계와 교외 운영체계로 생각해 볼 수 있는데, 먼저 학교 내 사례관리 운영체계부터 살펴보기로 한다.

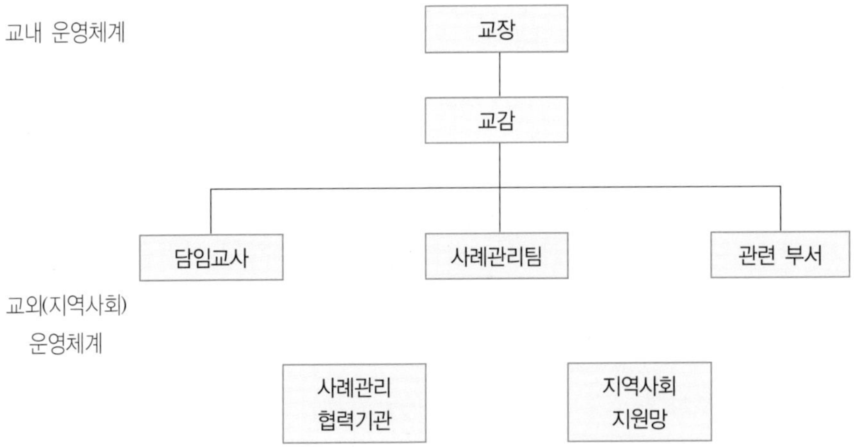

❙그림 10-2❙ **학교현장 사례관리의 운영체계**

출처 : 성민선 외(2009).

(1) 학교 내 사례관리 운영체계

학교 내에서 이루어지는 교내 운영체계는 사례관리자를 담당하는 학교사회복지사와 사례관리 팀을 중심으로 담임교사나 교과 담당교사 및 관련 부서

등과의 협력적인 관계를 통해 구축될 수 있다.

이때 사례관리 팀은 학교 내의 다양한 전문가를 활용하여 구성하는 것이 좋다. 즉, 부장교사, 학교사회복지사, 전문상담교사, 특수교사, 보건교사 등 교내 학생복지와 관련된 인력으로 구성함으로써 다학제 간 팀 접근을 통해 전문성을 높일 수 있다. 그러나 이러한 접근은 학교 구성원들이 학교사회복지나 교육복지에 대한 인식수준이 높고 사례관리에 대한 이해를 하고 있다는 전제하에 가능하다. 만약 이러한 조건이 이루어지지 않는다면 학교사회복지사는 혼자서 사례관리를 담당하게 되며 이때 개입할 수 있는 사례 수가 많지 않고 개입 수준에도 한계가 있을 수밖에 없다. 따라서 학교사회복지사는 학교 내 사례관리 운영체계 구축을 위해 전략적으로 교육행정가 및 학교 내 전문가들에게 사례관리에 대한 인식을 제고시키고 팀 접근을 하기 위해 노력해야 한다. 그리고 상황에 따라서는 부장회의, 학년별 회의, 부서별 회의 등을 활용하여 사례를 해결할 수 있는 체계를 만들어야 한다.

(2) 학교 외 사례관리 운영체계

학교 외 사례관리 운영체계는 학생 사례관리를 위한 지역 내 협력기관과의 연계망을 구성하는 것이다. 사례관리 협력기관 혹은 연계기관은 학교사회복지사가 개입하고 있는 사례관리 대상학생에 대하여 지역 차원에서 공동으로 사례관리를 실시하거나 사례에 대한 개입방법이나 실제 개입을 공동으로 할 수 있는 기관을 말한다. 이는 지역 내의 학교, 사회복지관, 청소년수련관, 상담지원센터, 정신보건센터 등 청소년 관련 사례관리를 상시로 하고 있는 지역기관을 비롯하여 해당 사례에 따라 공공기관인 주민자치센터, 경찰서도 포함될 수 있다. 하지만 지역사회 연계망을 사례관리를 위한 조직으로 만드는 것은 일상적인 회의와는 다른 것임을 고려해야 한다. 실제로 학교 내에서 대부분의 학생에 대한 서비스는 교내 사례관리 운영체계를 통해 1차적으로 이루어지며, 교외 사례관리 운영체계는 보다 다양한 심도 있는 서비스를 요하는 학생들을 지원하기 위해 구축되어 운영된다.

학교 외 사례관리 운영체계에서는 학교 내 사례관리 팀 또는 사례관리 담당자(학교사회복지사)와 지역사회전문기관 등이 연합으로 사례관리를 하며, 학교와 지역사회가 협력하여 사례관리를 실천하기 때문에 전문성이나 자원의 활용 측면에서 큰 장점이 있다. 그러나 학교 내의 학생 문제를 학교 밖의 지역기관과 공유하는 것에 있어서 공식적으로 학교와 지역기관 간 공식적인 협약을 통해 협력관계를 맺음으로써 학교와 지역사회가 공동으로 책임을 지고 학생을 돌본다는 지역 내 연대의식을 조성하는 것이 무엇보다 필요하다.

이 외에도 학교사례관리 운영체계로 지역 내 인근 학교에 근무하는 학교사회복지사들 간의 지역 학교 사례관리 팀을 구성하여 사례관리를 실천할 수도 있다. 이 유형은 유사한 관점과 전문성을 가진 학교사회복지사들이 공동으로 사례를 공유하고 서비스 내용을 확인할 수 있다는 점과 사례개입에 대한 동료 간 슈퍼비전을 제공받을 수 있다는 점에서 장점이 있다. 이러한 방식은 실제로 많이 활용되고 있으며 경험이 많은 선임 학교사회복지사의 경험을 공유하거나 학교 간의 자원을 상호 이용할 수 있는 좋은 기회가 된다.

사례관리를 하는 학교사회복지사는 사례관리가 효과적으로 진행될 수 있도록 교내 운영체계와 교외 운영체계를 조직화하고, 지역사회 자원을 목록화하여 필요한 자원들을 지역 내에서 충분히 활용할 수 있도록 해야 한다. 위스타트에서는 대상 지역 내의 사례관리 운영체계를 통해 학교 외 운영체계가 이루어지고 있으며, 교육복지우선지원사업에서는 상급기관인 교육지원청에서 프로젝트 조정자가 지역 내의 연계자원을 조정하는 역할을 하거나 지역 내에 교육복지지원센터를 설치하여 학교 사례관리를 지원하고 있다.

3) 학교사회복지 사례관리 팀의 구성

학교현장에서 구성되는 사례관리 팀의 형태는 학교와 지역사회의 특성에 따라 매우 다양하다. 김상곤(2010)은 사례관리 팀의 유형을 다음과 같이 제시하였다.

첫째, 학교 내 전문가 연합형이다. 이 유형은 부장교사, 사례관리자, 전문상담교사, 특수교사, 보건교사 등 교내 학생복지와 관련된 인력으로 팀을 구성하고 사례관리를 실천하는 경우로서 교육복지실천에서 지향하는 유형이다. 이 유형은 다학제 간 팀 접근을 통해서 개입의 전문성을 높일 수 있다는 장점을 가지고 있다. 그러나 학내 구성원들이 교육복지에 대한 인식의 수준이 높아야 할 뿐만 아니라 사례관리에 대한 전문성을 가지고 있어야 한다는 단점이 있다. 사례관리자는 인내심을 가지고 교육복지에 대한 학교 내 전문가들의 인식을 제고시키고, 사례관리에 대한 전문성을 향상하기 위해 노력해야 한다.

둘째, 지역기관 연계형이다. 이 유형은 학교 내 사례관리 팀 또는 관련 지역사회전문기관 등이 연합하여 사례관리를 하는 경우이다. 지역사회전문기관에는 다양한 기관이 포함될 수 있다. 이 유형은 학교와 지역사회가 협력하여 사례관리를 실천함으로써 전문성이나 자원의 활용 측면에서 큰 장점이 있다. 그러나 사례관리자 개인이 지역기관과 연계하는 사례관리 모형을 만드는 데 어려움이 있으므로 학교장 또는 학교의 상위 관리자의 리더십을 활용하여 기관 간의 협력체계를 구축한 후 실무적인 사례관리 네트워크를 조정하는 것이 필요하다.

셋째, 사례관리자 연합형이다. 이는 같은 지역 내 근무하는 사례관리자들이 팀을 구성하여 사례관리를 실천하는 경우이다. 이 유형은 유사한 관점과 전문성을 가진 전문가들이 공동으로 사례관리를 실천함으로써 사례개입에 대한 동료 간 슈퍼비전을 제공할 수 있다는 장점이 있다. 그러나 사례관리자들 간의 접촉 기회와 접촉 거리, 사례관리자의 존재 등 현실적인 문제로 인해서 실제로 운영하는 데 어려움이 있을 수 있다.

넷째, 사례관리자 단독형이다. 이는 사례관리자 혼자서 사례관리를 담당하는 경우로서 현재 대부분의 학교현장에서 이루어지고 있는 사례관리 유형이다. 사례관리를 위한 현실적인 여건이 조성되어 있지 않아 개입의 전문성에도 한계가 있을 수 있다. 사례관리자는 사례관리자의 전문성, 즉 임상적 전문성과 자원 조정의 전문성을 개발하고 지역사회 전문기관과 연계하여 사례관리를 진행하도록 하는 것이 바람직할 것이다.

4) 사례회의의 운영과 슈퍼비전

학교사회복지사는 사례회의를 통해서 사례개입에 대한 전문성과 활용자원에 대한 정보 공유, 사례에 대한 개입 여부 및 종결의 행정적인 판단 등을 사례관리 팀과 함께 논의하고 결정함으로써 보다 적절한 판단을 할 수 있게 된다. 일반적으로 1주일을 단위로 이루어지는 것이 바람직하지만, 현실적인 여건을 고려하여 사례회의의 주기를 조정하여 실행할 수 있다. 예를 들어, 교내 통합 사례회의는 한 학기를 시작하는 시점과 마무리하는 시점으로 학기당 2회 정도 학교장을 비롯한 중요 부장들이 참석하여 사례를 점검하고 보고하는 시간을 갖고, 주 1회 정도는 교육복지전담부서가 주관하는 교사회의 후 혹은 방과 후를 정해서 협의를 하는 구조를 갖는 것이 바람직하다. 또한 교외 사례회의는 지역기관과 통합 사례회의 실시하는 것을 포함하여 월 1회 정도 실시하는 것이 적절하다.

5. 학교 사례관리의 과정

사례관리의 과정에 대한 입장은 학자마다 다소 상이하다. Moxley(1989)는 사례관리의 과정을 사정 → 계획 → 개입 → 점검 → 평가의 5단계로 구분하였으며, Ballew와 Mink(1996)는 개입 → 사정 → 계획 → 자원에 접근 → 조정 → 종결의 6단계로 구분하였다. 그리고 Woodside와 McClam(2006)은 사정 → 기획 → 실행의 3단계로 구분하였으며, 권진숙과 박지영(2008)은 사례관리의 과정을 초기과정 → 사정과정 → 개입계획 → 조정과 점검 → 평가와 분리의 5단계로 구분하였다. 그러나 우리나라의 학교 현실에는 그 과정이 좀 더 간단하고 신속하게 대응할 수 있도록 조정될 수 있다. 김상곤(2010)은 학교 사례관리의 과정을 우리나라의 학교현장에 맞게 구조화하였고 이를 바탕으로 한 학교사례관리의 업무추진 과정과 흐름도를 다음의 ❙그림 10-3❙과 같이 제시하고 있다.

사례발굴 (학기 초, 3월, 9월)	담임, 지역추천, 의뢰서, 기초조사서	학생 기초 자료 관찰 직접 질문하기 교사의뢰
↓ 사례접수 (학기 초, 3월, 9월)	서비스 대상자 파악(지원 내용 관리) 사례관리 대상자 파악(학생면담 욕구 파악)	
↓ 사례 탐색/ 심층 탐색 (사정)	학생(혹은 학부모)면담 담임면담	교내 사례회의(사례팀) 사례회의록
↓ 개입	학교 차원 / 지역사회 차원	지역 사례회의 활용
↓ 실행 및 점검	사례관리자, 담임교사, 전문가	과정기록 점검
↓ 종결 (지원 종결 시)	종결평가	사례회의 팀 평가 및 재조정
↓ 사후관리	학기 중 1~2회 점검	사례기록

| 그림 10-3 | 학교 사례관리 업무추진 과정 및 흐름도

출처 : 김상곤(2010).

1) 사례발굴

사례관리가 필요한 학생을 발견하는 방법은 학생 및 학부모 요청, 교사 의뢰, 가정방문이나 관찰을 통한 발굴 등이 있다. 학생 및 학부모 요청의 경우는 학생 및 학부모가 직접 도움을 요청하는 경우인데, 학교사회복지사는 이들이 스스로 도움을 요청할 수 있도록 다양한 방법을 홍보하여야 한다. 즉, 학생이나 학부모들이 상담함이나 홈페이지를 통해서 요청할 수 있는 창구를 개설하고, 학부모에게는 가정통신문을 통해서 홍보할 수 있어야 한다. 의뢰는 담임교사나 교과담당 또는 부서의 교사들에 의해서 이루어지는데, 개별 학생에 대한 의뢰, 혹은 집단에 대한 의뢰 등 다양한 형태일 수 있다. 이 외에 대상학생에 대해 학교사회복지사가 직접 담임교사와 사전 상의를 통해 학생을 면담하고 가정방문을 통해 발굴하는 경우가 있으며, 학교사회복지실을 이용하는 학생이나 집단에 대해서 평소 관찰을 통해서 학생을 발굴하는 경우도 있다.

2) 사례접수

사례접수는 학생의 일반적인 정보 외에 학생이 경험하고 있는 문제와 욕구 등에 대한 정보를 포함하여 가족과 학생을 둘러싼 환경에 대한 정보를 파악하는 단계이다. 이 단계에서는 다양한 정보원을 통해서 정확하고 풍부한 정보를 수집하는 것이 중요한데, 이를 위해서는 대상학생과의 친밀한 관계를 수립하는 것은 물론 담임교사와 가족과도 협력적인 관계를 갖는 것이 필요하다. 학생 관련 정보(인구학적 특성, 건강, 성적, 학교생활, 방과 후 생활을 비롯하여 학생이 진술하는 문제와 필요로 하는 욕구 등)는 교무기획부, 행정실, 생활지도부 및 담임교사 등을 통해 정보를 수집하고 친구관계, 경제적 상황, 주거, 공식적·비공식적 사회자원 등의 관련 정보는 가까운 친구와 부모를 통해 수집한다.

3) 사례탐색/ 심층탐색(사정)

사례탐색이란 사례접수에서 확보된 정보를 분석하여 클라이언트의 문제, 욕구, 강점 및 자원을 분석하는 과정이다. 사정의 결과는 개입계획을 수립하는 근거이며 개입의 효과를 비교할 수 있는 사전 측정의 성격을 지니고 있기 때문에 더욱 중요하다. 사례관리 실천과정 중에서 가장 고도의 전문성이 필요한 과정 중 하나이므로 체계적인 사정을 위한 사정체계의 개발이 필요하다(이봉주·김상곤, 2008).

대상학생의 문제와 욕구를 사정하는 데에는 핵심적인 사정 영역에는 발달상태(신장, 체중, 언어 등), 건강상태(장애 유무, 질병 유무 등), 문제행동(인터넷 사용, 학교폭력, 배설이나 섭식), 학교생활(학업수행 정도, 학교생활 적응), 대인관계(친구와의 관계, 교사와의 관계), 가족사항(가족구조, 가족관계, 경제적 수준, 양육 상황, 가족문제), 기존 이용서비스(사적·민간·공공 서비스), 강점과 자원(개인적, 가족적, 사회적 장점과 자원), 기호사항 등이 있다. 대상학생을 사정하는 데 있어서 학생 자신 또는 그들의 가족이 변화되기를 희망하는 문제와 욕구를 파악하고 개입목표에 반영하는 것이 매우 중요하다. 학교사회복지사는 다양한 탐색 방법을 활용하되 서비스 개입의 수준모형(예 단순형, 기본형, 종합형)을 결정한다.

4) 개입/ 실행

개입(intervention) 또는 실행(implementation) 과정은 학생과 그들 가족의 문제를 해결하기 위해 설계된 서비스 계획을 실행에 옮기는 것을 말한다. 학교사회복지사는 학생과 그들의 가족과 함께 수립한 목표를 달성하기 위해 지역사회 내에 존재하는 공공과 민간의 원조망을 활용하여 서비스를 조정하게 된다. 또한 학교사회복지사는 개입계획에 따라 서비스를 조정하고 실행하는데, 상담이나 직접 서비스 제공 등과 같은 직접적 개입과 대인서비스기관에 클라이언트를 연결하는 간접적 개입 그리고 클라이언트의 권리를 대변해 주는 옹호적인 개입을 통합적으로 실천한다. 만약 학교사회복지사가 문제와 욕구가 심각한 고위험 학생을 대상으로 사례관리를 실천할 경우, 학교사회복지사는 직접적인 개입방법을 활용하기보다는 전문기관과 연계하여 전문적인 서비스를 받을 수 있도록 조정하도록 하고 지속적으로 공조적인 역할을 수행하는 것이 바람직하다. 그 이유는 학교에는 다양하고 복잡한 문제를 가진 사례가 많기 때문에 한 사례만을 집중적으로 관리하기에는 역부족이며 비효율적이기 때문이다.

또한 학교사회복지사는 학생의 주변 환경에 개입을 하게 되는데, 학교사회복지사 자신이 학생에게 직접 개입하거나 학교가 학생과 가족을 위한 서비스를 개발하도록 하여 개입할 수도 있다. 나아가서는 지역사회 수준에서 클라이언트에게 필요한 서비스를 강화하거나 새로운 서비스를 만들거나 필요한 자원을 개발하는 활동을 할 수도 있다.

또한 학교사회복지사는 서비스를 조정할 때, 혼자서 모든 서비스를 조정하려고 하기보다 학교 내 다른 전문가나 지역사회 내 사회복지기관의 사회복지사와 협력하는 것이 바람직하며, 학생과 그들의 가족이 서비스 조정과정에 함께 참여하도록 하는 것이 바람직하다. 그리고 사례관리를 통해서 이루어지는 모든 조정활동에 대한 과정은 체계적으로 기록되어야 한다. 이를 위해 학교사회복지사는 서비스 제공 기록양식을 개발하여 서비스 유형, 서비스 내용, 제공기간 등을 지속적으로 기록해 나갈 수 있다.

5) 종 결

종결(termination)은 사례관리실천을 통해서 형성된 전문적 관계가 종료되고 개입이 중단되는 단계이다. 가장 적절한 종결은 학생의 문제와 욕구가 해결되거나 더 이상 도움이 필요 없는 상황이지만 가끔은 사례관리 서비스에 대한 거부, 학교사회복지사의 이직 또는 퇴직, 학생의 전학, 상급학교로 진학 등으로 종결이 이루어지는 경우도 있다. 학교사회복지사는 종결 사유가 발생하면 객관적인 근거와 공식적인 판단의 과정을 통해서 종결 여부를 결정하게 된다. 만약 종결이 결정되면 대상학생은 사례관리자와의 분리에 대한 불안과 자기 스스로 삶을 유지해야 한다는 두려움을 경험할 수 있다.

따라서 학교사회복지사는 종결로 생기는 이러한 정서적인 문제를 학생이 잘 극복하도록 심리적으로 지지하고 분리를 준비할 수 있도록 도와야 한다. 그뿐만 아니라 사례관리 실천을 통해서 나타난 성과를 스스로 유지하고 관리해 나갈 수 있도록 도와야 하며, 종결 후 필요한 경우에는 다시 사례관리 서비스를 받을 수 있도록 안내해 주어야 한다. 이 외에도 학교사회복지사는 종결 시 사후관리 계획을 수립해야 한다.

6) 사후관리

사후관리(follow-up)는 사례관리의 마지막 단계로서 사례관리 종료 후 일정한 기간 클라이언트의 상황을 모니터함으로써 심리적인 안정감을 제공하고, 사례관리를 통해 긍정적인 효과를 유지하도록 도우며, 문제가 재발하면 다시 사례관리 체계에 접촉할 수 있도록 돕는 활동을 말한다. 학교사회복지사는 전화나 면접 또는 이메일 등을 통해서 그동안의 사례관리 개입에 대한 효과가 잘 지속되고 있는지, 새로운 문제나 욕구가 나타나지는 않았는지, 지역사회 자원을 스스로 잘 활용하고 있는지 등에 대한 점검을 한다. 이러한 사후관리는 학교현장에서 학급개입이나 쉼터 또는 교내에서 자연스러운 접촉을 통해서 이루어질 수 있는데 학교사회복지사는 사후관리 내용을 서비스 개입 기록양식에 남겨두어야 한다.

CHAPTER

11 상 담

1. 청소년 상담의 개념

청소년을 의미하는 영어 단어 'adolescence'는 라틴어 'adolescere'에서 유래되었으며 성장하고 성숙한다는 의미를 지니고 있다. 청소년기는 아동기와 성인기 사이의 과도기로서 2차 성징과 키의 급성장 같은 신체적 변화가 나타나게 된다. 특히 청소년은 아동이 성인과 유사한 신장이나 체격으로 발달하는 시기로서, 추상적 사고가 가능한 인지발달의 성숙과 의존적인 소아의 상태에서 독립적인 성인으로 변화하는 정신·사회적 변화를 특징으로 한다.

청소년기는 아동기와 성인기 사이에 존재하는 과도기로서가 아닌, 고유한 인생발달 과정의 한 단계로 파악해야 한다. 청소년들의 자율성과 책임성, 권한위임적 성격의 참여와 시민성 등을 인정하고, 그 당위성을 강조하는 입장을 취한다.

상담을 의미하는 'counselling'이라는 용어는 라틴어 'counsulere'에서 유래된 것으로 초기에는 주로 치료, 처치 등의 의미로 사용되었다. 오늘날 일반적으로 사용하는 의미로서 '상담'이라는 용어가 사용된 것은 1939년 Williamson의 저서 『How to Counsel Students』부터이다. 상담은 전문 상담자에 의해서 제공되는 전문적 활동이며, 상담자와 내담자의 관계에 기초를 둔 과정으로 의사결정과 문제해결에 관여한다. 상담은 내담자로 하여금 새로운 행동을 학습하거나 새로운 태도를 형성하도록 하는 것이며 개인 존중에 기초한 상담자와 내담자의 상호 협력 활동이다. 상담은 심리학적인 기술과 도구를 사용하는 것에 그치는 것이 아니라, 개인 혹은 집단의 가치, 사회환경, 현실문제 등을 폭넓게 다루는 실천적인 학문이라고 할 수 있다.

청소년 상담은 성장기에 있는 청소년이 사회에 잘 적응하고 자신의 잠재 가능성을 최대한 실현할 수 있도록 도와주기 위한 전문적인 활동이며 넓은 의미에서 청소년 상담은 교육활동의 일환이다. 청소년 상담은 청소년이 겪고 있는 정서적 불안, 부적절한 행동, 정신병 등을 치료하는 것을 추구함과 동시에 발달과업을 위한 프로그램을 개발하고 실행하며, 이를 통해 청소년들이 보다 적응적이고 창조적이 되도록 도와야 한다. 청소년들이 경험하고 있는 성적 발달 과정에서의 혼란이나 정체감 형성 과정에서의 적절한 정보를 적합한 방향으로 제공해야 하는 것이다.

2. 청소년 상담의 특성

청소년 상담은 상담의 대상인 청소년의 독특성과 청소년 상담이 이루어지는 상황의 특수성으로 인해 기존의 상담이론과 기법을 그대로 적용하기 어려우며, 청소년 상담 나름대로의 독특한 접근이 필요하다는 의견이 제시되어 왔다.

청소년기는 신체적·생리적으로 급격한 성장으로 이차적 성징이 나타나며 충동적이거나 정서적으로 불안정하여 적응하는 데 어려움이 있다. 특히 청소년 시기는 심리적으로 불안정하고 특히 자아정체감에 혼란을 갖기도 한다. 청소년들은 학업성적, 진로선택, 성격, 친구, 용모와 건강, 이성관계 문제 등으로 고민하고 있다. 하지만 상담에 잘 오지 않으며 막상 어렵게 이들이 상담에 찾아오더라도 상담을 잘 듣지 않고 잘 따르지 않는 특성을 가지고 있다.

청소년은 급격한 변화의 시기를 거치면서 상담이 필요한 여러 문제를 경험하면서도 권위에 대한 불신과 반항으로 인해 부모, 교사, 상담자 등의 성인에게 자신의 문제를 드러내기보다는 친구나 선배와 상의하는 경우가 많다. 그러나 이 시기의 청소년들은 아직 부모나 교사의 보호와 통제를 받아야 하기 때문에 문제가 발생했을 때 부모, 교사 등 성인의 개입이 불가피해지며 그 개입방법 중 하나로 청소년 상담을 받게 된다.

따라서 청소년 상담은 성인 상담과 달리 비자발적인 경우가 많다. 이들은 변화의 필요를 느끼지 못하거나 변화를 거부하지만 부모나 교사에 의해 강제적으로 상담실에 보내진 청소년으로서 진정한 의미의 내담자로 보기 어렵다. 자신의 의사가 아니라 다른 사람에 의해서 상담실에 오는 청소년이 처음부터 상담자와 상담과정에 대해 협조적이기를 기대하기는 어려우며 실제로 그렇게 상담실에 오게 된 청소년들 중 대다수는 상담에 대해서 비협조적이고 거부적인 모습을 보인다(김혜숙 외, 1996).

① 심리치료적인 측면보다는 청소년의 건전한 발달과 성장을 돕는 예방 및 교육적 측면, 위기에 처한 청소년들에 대한 직접개입 및 지원, 자립이 포함된다.
② 청소년 내담자는 상담자에 대한 불신으로 반항적일 수 있고, 라포형성이 어려울 수 있어 많은 시간과 노력이 필요하다.
③ 청소년은 주변 인물인 부모, 교사로부터의 영향을 받으므로 부모, 교사, 청소년지도자를 대상으로 한 상담, 교육, 자문이 필요하다.
④ 청소년은 또래의 영향을 받으므로, 청소년 상담의 방법은 일대일 개인면접뿐만 아니라 소규모 또는 대규모 형태의 집단교육 및 훈련, 컴퓨터나 전화 등을 이용한 매체상담 등 다양한 방법을 활용한다.

3. 청소년 상담의 역할

일반적으로 청소년 상담은 개인중심적 접근과 환경중심적 접근으로 나누어 개념화할 수 있다. 먼저 개인중심적 접근이란 발달과제 성취위기에 직면한 청소년들에게 상담 서비스를 제공함으로써, 이들의 적응을 도와주고 나아가 심리적 문제의 발생을 사전에 예방하기 위한 노력을 의미한다. 한편 환경 중심적 접근에서는 인간의 발달이 일차적으로 환경 내의 사회적 기관이나 체계의 영향을 받는다고 보고, 이러한 기관이나 체계가 청소년 발달에 긍정적으로 기능할 수 있도록 변화시킴으로써 청소년들의 심리적 문제를 예방하고 성장을 촉진시키는 활동을 의미한다.

이미 상담의 발달적-생태적 모형(설기문, 1993, 이형득, 2008, Paul & Morill, 1979)에서는 상담의 대상을 개인뿐 아니라 개인을 둘러싼 집단이나 환경을 포함하는 활동까지 포함하고 있다. 발달적-생태적 상담모형에 따르면 상담은 개인으로 하여금 신체적·정신적·사회적·미적 존재로서 그가 가진 잠재력을 최대한 발휘할 수 있도록 기능하는 조직체의 환경발달에 조력하는 역할을 강조해 왔다(이형득, 1993; Huebner, 1979).

이와 같은 입장에서 보았을 때, 청소년 상담은 청소년의 성장발달 과정상 직면하게 되는 발달과제-생리적·인지적·심리적·사회적·영적에 수반하는 다양한 문제가 생길 때 청소년에게 자기관리 능력, 관계관리 능력, 문제관리 능력을 길러주는 기능을 하는 활동이며 동시에 상담의 대상으로서 개인뿐만 아니라 주위 환경까지 포함하며(이형득, 1993), 이를 위해서 가족 등 일차적 집단과 학교 등의 이차적 집단으로 하여 치료, 예방 및 성장의 목적을 달성할 수 있게 조력하는 것이다. 즉, 청소년 상담은 청소년 및 청소년의 주변 인력자원(또래, 부모, 교사, 자원봉사자, 관련 부처 공무원, 전문상담자)과 청소년의 지지체계(가정, 학교, 지역사회, 정부)를 대상으로 하여 청소년의 바람직한 발달 및 성장을 추구하는 활동이다.

발달과정 중에 있는 청소년은 주위 환경으로부터 직접적 혹은 간접적으로 영향을 받기 쉽기 때문에, 자신의 문제의 원인을 찾고 그것을 극복하려고 해도 주변 환경이 변하지 않는 한 문제가 재발될 가능성이 높다. 따라서 청소년 상담을 할 때에 일차적인 대상은 청소년들이지만 청소년의 주변 인력 자원 및 청소년의 지지체계 역시 청소년 상담의 대상이 된다(김혜숙·박승민·구혜영·남상인, 1995).

이러한 맥락에서 청소년 상담은 청소년들이 직면하는 발달과제를 조력하는 활동과 청소년들에게 영향을 주는 청소년 성장환경에 조력하는 역할로 구분해 볼 수 있다.

4. 청소년 상담의 목표

청소년 상담은 환경적 여건이나 시대적 변화에 따라서 청소년들에게 제기되는 여러 가지 독특한 문제들을 다루고 이를 성장과 성숙에 도움이 되도록 해야 한다. 청소년 상담은 청소년의 정신세계나 생활에 영향을 주는 것이라면 어떠한 내용의 문제라도 다루어야 한다.

청소년 상담은 청소년이 지니는 정신적 불건강의 치료 및 문제의 해결뿐만 아니라 정신적 불건강의 예방 및 건전한 발달과 성장을 목적으로 한다. 청소년 상담은 현재 당면하고 있는 정신적인 장애나 문제들을 치료하고 해결하는 것뿐만 아니라 청소년들이 발달과업을 충실히 달성할 수 있도록 필요한 프로그램을 개발하고 실행하여 이러한 장애와 문제가 발생하지 않도록 예방하고 나아가서는 개인적인 성장과 발달을 가져오도록 하는 것이다. 일반적으로 청소년 상담은 청소년의 행동변화 촉진과 적응기술의 증진, 의사결정 기술의 함양, 인간관계의 개선, 내담자의 잠재력 계발, 자아정체감 확립, 긍정적 자아개념 형성, 건전한 가치관 정립 등을 목표로 한다.

① 청소년 내담자의 문제행동에 대한 변화를 촉진한다.
② 또래관계 부모 및 환경에 대한 적응기술을 증진한다.
③ 합리적인 의사결정과 문제해결을 돕는 데 중점을 둔다.
④ 긍정적 자아개념 형성 및 건전한 가치관의 정립을 돕는다.
⑤ 인간관계를 개선하도록 한다.
⑥ 내담자의 잠재력을 계발하도록 한다.
⑦ 진로의식 발달과 진로 및 진학에 관한 의사결정 능력을 증진한다.
⑧ 이상심리를 치료한다.

⑨ 내담자로 하여금 새로운 행동을 학습하게 하거나 새로운 태도와 신념을 형성하도록 한다.

5. 상담과정

1) 준비 과정

상담의 효율적인 결과를 창출하기 위해서 상담이 잘 이루어질 수 있도록 준비가 철저하게 이루어져야 한다.

2) 상담 초기단계

내담자가 상담실을 방문하면 가장 먼저 이루어지는 것이 접수 면접이다. 내담자에 대한 정보수집, 개념화, 상담자 배정을 위한 본 상담 이전에 실시하는 초기면접 과정으로서, 사람에게 첫인상이 중요한 것처럼 상담에서 접수면접은 매우 중요하다.

상담자가 내담자가 가지고 이는 문제를 이해하고 평가한 후에 상담목표를 세워 구체적으로 개입을 시작할 때까지를 '초기단계'라고 한다. 초기단계에서 과업들이 제대로 이루어지지 못하면 상담 목표 없이 표류하거나 조기 종결될 수도 있으며, 종결되어도 문제는 제대로 해결되지 못한 채 남게 된다.

(1) 촉진적 상담관계의 형성

관심 기울이기(적극적 경청) : 상담자는 내담자 쪽으로 몸을 기울이며 적극적으로 경청함으로써, 단순히 상담자의 역할만을 수행하는 것이 아니라 한 인간으로서 내담자 본인에게 인간적인 관심을 가지고 이해하고 존중하려는 것임을 보여주어야 한다.

(2) 내담자의 이해와 평가

- 상담자는 내담자가 제공하는 언어적 표현이나 비언어적 표현으로부터 내담자가 가지고 있는 현재의 문제점을 파악하여야 한다.
- 내담자가 현재 가지고 있는 문제점에 대하여 왜 도움이 필요한지를 파악하여야 한다.
- 상담자와 내담자가 상담목표를 수립하기 위해서 내담자가 스스로 무엇이 해결되기를 바라며, 어떤 변화를 바라는지를 명확히 확인할 수 있도록 하는 것이 필요하다.
- 상담자는 내담자가 호소하는 행동을 관찰함으로써 내담자가 가지고 있는 문제를 더 잘 이해할 수 있다. 내담자는 상담과정에서 반복적으로 학습된 행동패턴을 드러내게 되며, 이 과정에서 다른 사람에게 화난 감정을 상담자에게 투사하는 전이감정을 나타내는데, 이때는 내담자가 현실에 보다 잘 적응할 수 있도록 행동을 수정해야 한다.
- 상담자는 내담자의 문제를 이해하여 상담목표 및 계획을 명확하게 기록하여야 하는데, 기록 시에는 내담자의 동의를 구해야 한다.

(3) 상담의 구조화

- 상담의 구조화는 심리적 조력관계의 본질, 제한점, 목표 등을 규정하고, 상담자와 내담자의 역할과 책임 그리고 가능한 약속 등의 윤곽을 명백하게 하는 것을 말한다.
- 상담의 특성, 조건, 절차 등에 대해 내담자와 상담자 간에 합의된 이해이다.
- 상담에서 진행될 예상 회기를 알려준다.
- 상담에 대한 내담자의 불안을 경감시킬 수 있다.
- 상담의 전 과정에서 필요에 따라 반복할 수 있다.
- 상담이 직접적 문제해결력이라고 생각하는 내담자에게 효과적이다.
- 상담여건의 구조화, 상담관계의 구조화, 비밀보장의 구조화로 구분할 수 있다.

(4) 목표설정 5단계

1단계 : 상담목표를 설정해야 하는 필요성에 대하여 내담자에게 설명한다.

2단계 : 목표를 설정한다.

3단계 : 내담자가 설정된 목표에 합의하는지 여부를 확인한다.

4단계 : 설정한 목표를 달성했을 경우의 장·단점을 비교하고, 목표달성에 장애가 될 수 있는 요인을 파악한다.

5단계 : 설정한 목표를 수정해야 할 경우에는 수정하여 새로운 목표를 설정한다.

(5) 목표탐색 및 명료화

- 상담자와 내담자 모두 목표에 동의하여야 한다.
- 목표가 구체적이어야 한다.
- 목표가 성취 지향적이어야 한다.
- 목표가 측정 가능한 목표이어야 한다.
- 행동적이고 관찰 가능한 목표이어야 한다.
- 목표는 이해되고 분명하게 재진술될 수 있어야 한다.

3) 본 상담의 과정

내담자가 상담자를 신뢰하여 심리적으로 안정된 상태에서 심층적으로 내담자의 문제를 탐색하고 통찰하면서 목표에 도달하기 위해서 노력하는 상담의 핵심 단계이다. 내담자 자신이 처해 있는 상황에 대한 긍정적인 관점을 가능하게 하는 재구성 과정을 통해 내담자의 인식은 변화된다.

본 상담 과정에서 상담자의 역할로는 내담자가 자기문제에 대한 탐색을 하도록 하며, 구체적인 행동으로 옮기도록 격려한다. 상담진행 상태와 내담자의 변화를 평가하고, 내담자의 자신감과 변화된 행동을 지속적으로 지지한다. 또한 조언과 해결책을 제시하는 것을 삼가고 관찰한 내용을 피드백해 준다.

상담의 개입방법은 정서적 개입, 행동적 개입, 인지적 개입으로 나눌 수 있다.

먼저 정서적 개입방법으로 우울과 분노, 열등감, 수치심 등 대인관계나 사회적 역할을 수행하는 데 장애를 느끼는 경우, 정서는 주된 문제가 되며, 정서문제에 개입하기 위해서는 감정을 표현하게 하고, 감정을 정화시켜 자신에 대해 이해할 수 있도록 도움으로써 변화를 이끌 수 있다.

행동적 개입방법으로, 품행장애, 폭력적 행동의 문제 등을 바꾸는 것을 목표로 개입하는 것으로서, 개입방법으로는 행동연습, 과제수행 등 행동기술을 습득하여 행동을 바꿀 수 있도록 한다.

인지적 개입방법으로는 변화가 자신의 환경에 대한 지각 및 사고 과정이 변화됨으로써 일어날 수 있다는 것을 전제로 하고 내담자의 인지과정에 개입하는 것이 가장 효과적이다.

인지의 변화를 위한 인지상담의 목표는 내담자에게 문제를 일으키는 잘못된 사고나 신념을 밝혀 주관적인 지각을 변화시킴으로써 개인의 변화를 도모하는 것이다. 그리고 인지의 변화를 위해 상담자는 왜곡된 사고에 논박하거나 교육과 같은 인지적 방법과 인지과제의 부여와 같은 지시적인 방법 등을 적극적으로 사용한다.

4) 상담의 종결

상담을 끝내고 헤어지는 과정에서 이루어지는 마무리 작업이다. 그간의 상담성과를 정리하고, 종결 이후의 삶을 준비하며 이별의 과정을 다룬다.

종결의 실질적인 결정적인 요인으로는 첫째, 내담자가 본인이 좋아졌다고 계속 이야기하고, 해묵은 갈등상황에서 보다 적응적으로 대처한다고 이야기할 경우이다. 둘째, 내담자가 비효과적인 대인관계 대처방식과 부적응적인 대인관계 패턴에 의존하지 않고 보다 직접적이고, 편견 없이, 현실에 근거한 방식으로 지속적으로 상담자에게 반응할 경우이다. 셋째, 내담자 주변의 중요한 주변 사람들이 상담자에게 “내담자가 많이 달라졌다”라거나 “내담자가 예전에는 이렇게 행동한 적이 없었다”, “내담자의 긍정적인 변화가 느껴진다”라고 피드백을 줄 경우이다.

CHAPTER

12 진로지도

1. 진로의 정의와 개념

진로상담 및 진로지도와 관련하여 용어들이 혼용되고 있다. 따라서 관련된 용어들의 유사성과 차별성을 이해할 필요가 있다(김봉환, 2000).

첫째, 가장 상위개념인 '진로'라는 말은 한 개인이 생애 동안 일과 관련해서 경험하고 거쳐가는 모든 체험들을 의미한다. 그런데 진로라는 용어는 매우 복합적이고 종합적인 의미를 지니고 있다. 즉, 커리어(career)란 일을 통해 무엇인가를 축적해 놓은 직업적 경력을 의미하면서 과거적인 의미가 있다.

둘째, 전문화된 서비스로서 상담활동을 포함하는 '진로지도'는 학생들에게 직업 및 교육적인 계획과 의사결정을 하도록 돕는 여러 가지 활동으로, 졸업 후 학생들의 진로선택에 필요한 지식과 이해 또는 적성진단, 훈련 등을 내용으로 하는 지도이다(한국진로교육학회, 1999). 직업지도가 직업적 문제의 지도에만 초점을 두는 것임에 반하여 직업, 취미, 결혼, 여가 활동, 광범위한 인간의 생애에 관련된 문제를 지도하는 것을 가리킨다.

셋째, 청소년 진로지도의 목표 중의 하나로 자주 거론되는 것이 개인의 '진로발달'을 촉진시키는 것이다. 여기에서 진로발달은 각 개인이 자기가 설정한 진로목표에 접근해 가고 그 목표를 달성해 가는 과정을 지칭한다.

넷째, 진로지도를 위한 수단의 하나인 '진로상담'은 개인의 진로발달을 촉진시키거나 진로계획, 진로・직업의 선택과 결정, 실천, 직업적응, 진로변경 등의 과정을 돕기 위한 활동을 의미한다. 진로상담은 진로지도에서 얻을 수 있는 정보를 토대로 하여 일대일의 관계에서 상담에 응하여 진로 배치에 이르도록 도와주는 활동이다. 여기에는 진로인식, 탐색, 준비과정에 필요한 진로계획에 따르는 모든 활동도 포함된다. 진로상담에는 직업선택의 문제와 진학에 관한 문제를 다루는 데 학생의 소질, 적성, 흥미, 태도, 희망 등에 관해서 조사한 자료와 직업정보를 참고로 해서 진로에 대한 결정, 직업선택, 진학할 학교 선택, 취업알선, 취직 후의 적응을 원만하게 하며, 또 그 진로에 대한 만족감을 가질 수 있도록 상담한다.

다섯째, 최근에 강조되고 있는 것이 '진로교육'인데, 이는 개인의 진로선택, 적응, 발달에 초점을 둔 교육으로 각 개인이 자기 자신과 일의 세계를 인식 및 탐색하여 자기 자신에게 적합한 일을 선택하고 선택한 일을 잘 수행할 수 있도록 취학 전부터 시작하여 평생 동안 학교, 가정, 사회에서 가르치고, 지도하고, 도와주는 활동을 총칭한다(서울대학교 교육연구소, 1998).

2. 진로지도의 내용

1) 진로지도(Career Guidance)

복잡하고 다양한 진로결정은 다양한 요소 가운데 스스로가 주체가 되어 자신에게 적합한 길을 선택함으로써 자신이 그 선택에 대한 책임을 져야 한다. 따라서 진로결정의 중요성은 더욱 강조되고 있으며 더불어 진로지도의 필요성도 대두하게 되었다(김충기, 1989, 한지원, 2002, 재인용).

진로지도란 적성, 흥미, 능력에 알맞은 직업의 세계를 탐색하고 자각하며 진로의 인식, 탐색, 경험, 준비를 통하여 일생 동안 만족스럽고 행복한 삶을 누리고 자아실현을 할 수 있는 적성에 부합된 유목적적인 구체적 진로의 성공감을 맛볼 수 있는 실증적인 교육이다(한지원, 2002).

진로지도는 개인이 진로를 계획하고 그 진로에 대한 준비를 하며, 적절한 시기에 발전할 수 있도록 계속적이고 체계적으로 도와주는 교육적 과정이다(이성진, 1988, 최완열, 2004 재인용).

진로지도란 학생들의 자아를 발견하고 자기의 소질과 능력을 이해하여 앞으로 자기 자신에게 전개될 미지의 세계에 대해 좀 더 폭넓은 식견을 가지고 진로를 선택, 계획하며, 졸업 후 안정된 생활을 할 수 있도록 지속적이고 조직적으로 지도, 조언하는 과정을 말한다(최완열, 2004).

진로지도는 더욱 포괄적인 의미로 사람들이 활동하는 생애 동안 그들의 진로발달을 자극하고 촉진하기 위해서 전문상담자나 교사 등과 같은 전문인이 여러 다양한 장면에서 수행하는 활동으로서 진로계획, 의사결정, 적응 문제 등에 조력하는 것을 의미한다(윤정숙, 2008).

진로지도는 학생들이 상급학교에 진학하거나 자신에게 적합한 직업교육을 받기 위한 적절한 교육기관을 선택할 수 있도록 지도해 주고, 사회적으로 원만하게 적응할 수 있도록 도움을 주는 활동이다(이용근, 2006).

진로지도는 진학지도와 직업지도를 포함한 개인의 전 생애에 걸쳐 직업적 발달을 촉진시키고, 진로를 준비시키며, 그에 따라서 직업을 선택하여 선택된 직업에서 적응하여 계속 발전할 수 있도록 돕는 과정이다. 또한 진로지도와 진로상담의 개념을 명확히 하기 위한 관련 개념의 정의에서 진로지도를 위한 수단의 하나를 진로상담으로 보았다.

2) 진로발달(Career Development)

진로발달은 개인이 자기가 설정한 진로목표에 접근해 가고 그 목표를 달성해 가는 과정을 지칭하는 것으로 사용되고 있다(윤정숙, 2008).

진로발달의 개념이 일회적인 직업 선택의 개념을 넘어선 개념으로 확장되면서 진로발달을 촉진하기 위한 진로상담의 영역 또한 그 범위가 확대되었다(노동부·한국고용정보원, 2006, 김수향, 2009 재인용).

3) 진로상담(Career Counseling)

청소년 시기에는 가족문제, 교육관계, 외모에 대한 관심, 진로문제 등 많은 고민들이 있고 그 종류도 다양하다. 그중 진로문제가 차지하는 비율이 아주 높으며, 특히 일반계 고등학교에 있어서의 진로문제는 학업성적과 매우 밀접한 관계가 있고 대학 입시제도의 변화에 따른 지도의 필요성을 고려해 볼 때 일반계 고등학생들의 진로상담은 그 비중이 아주 크다(윤정숙, 2008).

진로상담은 진로교육의 이론과 실제를 현실에 적응하게 하는 실천적 활동으로 학생들의 정의적 성숙과 진로발달의 과정을 도와주는 체계적이고 전문적인 교육활동이다(한혜정, 2008).

진로상담은 학생들의 바람직한 진로발달을 위해 교과 활동을 통한 진로교육과 함께 중요한 생애의 목표달성을 위한 활동이며, 그들이 당면하는 진학과 직업선택에 관련시켜 다양한 진로정보의 제공, 자기이해, 자기탐색, 직업탐색, 진학탐색의 과정, 진로계획, 그리고 진로의사결정을 돕는 데 역점을 둔다(장석민, 1988, 박성수, 1996 재인용).

진로상담이란 개인의 진로발달을 촉진시키거나 진로계획, 직업의 선택과 결정, 실천, 직업적응, 진로변경 등의 과정을 돕기 위한 활동을 의미한다. 이와 유사하게 사용되는 직업상담은 선택 가능한 직업결정, 각 직업의 조건들, 취업에 필요한 조건, 취업절차 등 보다 구체적인 수준에서 취업을 돕는 활동을 지칭한다(김봉환 외, 2003, 김경희, 2007 재인용).

김충기(1995)는 진로상담이란 내담자(학생)로 하여금 장래 또는 미래의 불확실한 진로를 개척하기 위하여 치밀한 방법과 계획을 세워 생애 문제에 어떻게 대처해 나갈 것인가에 관한 여러 가지 문제, 즉 교육, 직업, 가정, 신체, 사회 진로발달 과정을 통하여 자기이해와 자신의 잠재력을 발견할 수 있도록 전문가인 상담자와의 원만한 인간관계 속에서 내담자가 합리적인 진로탐색과 진로 결정을 할 수 있는 계기를 마련해 주는 적극적인 상담의 종합적인 과정이라고 하였다(김충기, 1995, 박성수, 1996 재인용).

진로상담은 Crites에 의하면 의미 있고 생산적인 일을 통하여 개인이 현실과 접하고 이를 유지해 나가는 데 있어서 개인에게 가장 적합한 심리적 방법의 하나를 구성해 줄 뿐 아니라 중요한 사회적 변화를 가능하게 하는 경제적인 수단을 제공한다(김충기, 1989, 한혜정, 2008 재인용).

Brown(1985, 임지원, 2012 재인용)은 진로상담이란 자기 이해와 자신의 잠재력을 발견할 수 있도록 전문가인 상담자와의 원만한 인간관계 속에서 내담자가 진로결정을 할 수 있는 계기를 마련해 주는 상담의 종합적인 과정이라 하였다.

4) 진로교육(Career Development)

우리나라의 진로교육 발전 추세는 1980년 초반부터 필요성과 중요성을 인식하면서 각광받기 시작하였다. 진로교육의 필요는 이미 미국을 비롯하여 전 세계적인 추세였다. 1970년대 초기부터 미국에서 발전, 개발 보급된 새로운 지도교육 이념이 우리나라에서도 서서히 전파되면서 본격화되었다(김충기·김현옥, 1993, 김경희, 2007 재인용).

자아의 이해와 직업 세계의 이해를 토대로 하여 자기의 진로를 합리적으로 탐색, 선택, 결정하여 성공적으로 자아를 실현할 수 있도록 도와주는 종합적 교육이 진로교육의 이념이라고도 할 수 있는데, 학교교육이 보다 유능하게 생산적인 사회인, 직업인을 키우고 자기의 삶에 만족과 보람을 느끼며 다른 사람을 위해 봉사하는 사람을 키우기 위해 진로교육이 필요하다는 견해는 이제 대부분의 사람들이 공감하게 되었다(김경희, 2008).

진로교육은 인간생활에서 중요한 미래의 방향을 선택하는 의사결정의 과정으로 개인이 어떠한 진로를 선택하느냐에 따라 그의 일생이 크게 좌우되기 때문에 더욱 소중하며 누구에게나 필요한 것이다(김경희, 2007).

진로교육은 개인의 진로선택, 적응, 발달에 초점을 둔 교육으로 각 개인이 자기 자신과 일의 세계를 인식 및 탐색하여 자기 자신에게 적합한 일을 선택하고 선택한 일을 잘 수행할 수 있도록 취학 전부터 시작하여 평생 동안 학교, 가정, 사회에서 가르치고, 지도하고 도와주는 활동을 총칭한다(윤정숙, 2008).

진로교육이란 학교체제 내에서 일과 직업세계가 중심이 되는 의도적·체계적인 교육을 통하여 아동들이 자신의 진로를 인식, 탐색하여 합리적으로 선택, 결정할 수 있는 능력을 길러주는 활동을 말하며, 학생 개인으로 하여금 자신의 진로를 계획하고, 준비하고, 선택하며, 선택한 진로 분야에서 계속적인 발전을 할 수 있도록 도와주고 상급학교의 진학과 학과 및 계열 선택, 직업준비 등 일련의 과정에서 가장 합리적이고 발전 가능성이 가장 큰 방면으로 지도하여 기존의 진학지도와 생활지도를 포함하고, 장래의 직업선택을 돕는 직업지도까지를 포함하는 상위개념의 교육이다(이규승, 1997).

5) 진로의식(Career Awareness)

한 인간이 태어나서 한 사회의 구성원으로 어디에서 어떤 일을 하면서 자신의 일생을 보람 있고 행복하게 보낼 것인가를 인식하고 선택하며 결정하는 일은 매우 중요한 문제이며, 개인이 일생을 통하여 대처해 나가야 할 긴요한 문제이다. 의식이란 깨어 있을 때의 마음의 작용이나 상태로 자기 마음 가운데서 느껴지는 심리적인 내용을 뜻하는 것으로 통용되고 있다. 의식의 개념은 생리적 또는 신체적 과정 등에 대립되는 심리적·정신적 과정의 인식이며, 무의식을 의식에 포함할 경우에 흔히 잠재의식이라고도 한다. 일반적으로 의식의 분석은 의식의 행위(과정)와 의식의 내용(대상)으로 구분하며, 그 기준은 인지적, 정서적, 의지적인 것으로 분류된다(김경희, 2007).

진로의식이란 개인의 진로발달 과정에서 개인의 일의 진가와 진로 선택의 준거를 이해할 수 있으며, 여러 가지 직업에 대한 소양을 갖추는 것, 이 단계에서 직업관의 개발, 진로의 종류에 대한 이해, 직업과 여가생활의 관계 이해, 각 진로추진에 필요한 기초기능, 학력, 기술 등에 대한 소양, 자신의 잠재적 능력과 앞으로의 사회인으로서의 역할을 개발하며 이해하고 사고하게 되는 과정을 말한다(서울대학교 사범대학교 교육연구소, 1981, 김경희, 2007 재인용).

6) 진로성숙

진로발달이론에서 중요하게 다루는 개념 중 하나가 진로성숙이다. 진로성숙은 자기탐색(적성, 흥미, 능력, 가치관 등) 및 직업세계(유형, 다양성 등)에 대한 이해와 함께 자신의 진로를 스스로 선택하고 계획하며, 자신이 해야 할 일을 인식하고 행동하는 것으로, 동일 연령이나 발달단계에 있는 집단들과 비교하여 나타나는 준비 수준을 의미한다(강건우, 2013).

진로성숙은 1955년 Super가 직업성숙을 소개한 이후 미국에서 광범위하게 그 개념이 연구되었고, 그 결과 진로성숙이라는 개념이 보다 포괄적인 상위 개념으로 정착되었다. 그러나 아직까지도 진로성숙에 관한 개념적 정의는 학자마다 약간씩 다르게 사용하고 있는데 그 내용을 살펴보면, Super는 한 개인이 속해있는 연령단계에서 이루어야 할 직업적 발달과업에 대한 준비도로 주장하는 반면에, Crites는 진로성숙을 동일한 연령층의 학생들과의 비교에서 나타나는 상대적인 직업준비의 정도로 개념화하고 있다. Gribbons와 Lohnes는 진로성숙을 진로선택이나 진로계획에서의 준비도로 생각하고, Hoyt는 자아와 직업세계를 잘 이해한 바탕에서 이 양자를 잘 통합할 수 있는 준비도로 보고 있다(한국교육개발원, 1991, 한지원, 2002 재인용).

7) 진로선택

진로선택은 직업선택과 진학선택의 두 가지를 포함한다. 직업선택은 장차 종사하고자 하는 직업과 직종 분야를 선택하는 것을 의미한다. 진학선택은 선택한 직업을 효율적으로 수행하기 위하여 어느 정도의 교육을 어느 수준까지 받을 것인가를 선택하는 것을 의미한다(임선영, 2010).

8) 직업지도

직업지도란 개인이 일종의 직업을 선택하고 그에 임하는 준비를 하며 또한 취업을 하여 향상・발전하는 것을 돕는 과정이다. 그것은 각 개인이 장래계획을 세워 만족할 수 있는 직업에 적응해 나가기 위한 결정이나 선택을 도와주는 사업이다. Super와 Ginzberg도 올바른 직업 선택은 어느 한 시기의 노력만으로 되는 것이 아니라고 하였으며, 개인의 전 발달과정을 통해 직업의식이 바르게 형성되고 준비되었을 때만이 가능한 것이라고 주장하고 있다(손은희, 1985).

3. 초등학교 진로지도

급격한 사회변화는 일에 대한 가치관과 태도의 정착을 어렵게 하여 직업세계에의 적응을 혼란시키고 직업선택을 어렵게 하고 있다. 우리나라는 1980년대 초부터 초등학교의 새 교육과정에 진로교육의 목표가 처음 설정되었다.

초등학교에서의 진로교육은 아동들에게 조숙한 선택을 강요하는 것이 아니라 오히려 가능한 선택을 인식하고 예측할 수 있는 방법과 자신을 위한 계획, 그리고 개인의 특성과 관련을 짓는 데 초점을 두고 있으므로 초등학교부터 장래의 직업생활에 필요한 기초적인 지식과 방안이 마련되어야 한다는 것이 최근의 추세이다(위현욱, 2010).

초등학교에서의 진로교육은 초등학생들이 직접적으로 경험을 통하여 올바른 인식과 긍정적인 태도를 형성하는 데 큰 도움이 될 것으로 보인다. 이와 같이 어릴 때부터 학생들에게 자기의 이해와 태도를 형성할 수 있도록 하는 초등학교 진로교육에 대해 알아보면 다음과 같다(김민정, 2014).

1) 교과통합 진로교육

교과통합 진로교육의 의미는 교과 시간에 진로교육을 통합하여 운영하는 것이다. 이에 따른 근거는 창의적 체험활동의 운영의 효율성을 높이기 위해 관련 교과 및 창의적 체험활동의 하위 영역 간에 통합하여 편성·운영할 수 있다. 방법으로는 교과 교육과정 분석을 통해 진로교육 요소를 추출하는 것이다.

(1) 교과통합 진로교육 개념

교과통합 진로교육은 학교 교육과정상에서 독립적으로 운영되고 있는 기존 교과(국어, 수학, 사회, 기술・가정, 과학, 미술 등)와 진로교육을 통합하여 운영하는 것을 의미한다. 이때 주된 통합의 방식은 교과의 내용 속에 포함되어 있는 진로교육적 요소를 보다 선명하게 부각하여 교과의 목표와 진로교육의 목표가 함께 달성될 수 있도록 하는 것이다.

교과목표와 진로교육 목표의 관련성을 분석하고, 교과내용의 진로교육적 요소를 분석한 이지연 등(2009)의 연구 「교육과정과 연계된 진로교육 운영모델 구축Ⅱ」에서는 진로개발역량을 5개 영역으로 정립하였다. 진로교육의 목표는 학생들이 진로개발역량을 기를 수 있도록 하는 데 있다고 말할 수 있다.

진로개발역량이란 개인이 진로를 개척할 수 있는 역량으로서 개인이 일생동안 수행하는 다양한 역할과 경험을 자기 주도적이며 합리적으로 선택, 준비, 비교 및 평가하며 관리할 수 있는 지식, 기술(skill) 및 태도를 의미한다. 진로개발역량은 초・중・고등학교 등 학생의 진로발달단계에 따라 중점을 두어야 할 세부 요소가 다를 수 있다.

이러한 결과는 학교 진로교육이 일반 교과를 통해서 교과통합 진로교육의 형태로 실시되는 한편, 창의적 체험활동과 진로교육 교과 학습의 형태로 실시될 때 전체 학교교육과정이 진로교육의 목표 체계를 기준으로 통합적이고 체계적으로 제공될 수 있음을 시사한다.

(2) 교과통합 진로교육 방법

교과통합 진로교육의 교수・학습 방법은 다양하다. 일반적으로 학생들의 활동을 안내하기까지는 교사중심의 교수・학습 방법을 활용하고, 그 이외에는 주로 학생 중심의 교수・학습 방법을 적용하여 학생들의 교과통합 수업에 대한 관심과 적극적인 참여를 유도할 필요가 있다. 교사중심 교수・학습 방법에는 강의법, ICT 활용수업 등이 있으며, 학생 중심 교수・학습 방법에는 모듈학습, 토론학습, 문제중심학습, 조사학습, 프로젝트학습, 협동학습, 실습,

역할놀이 등이 있다. 학생 중심 교수·학습 방법이 교과통합 진로교육의 목표와 내용에 적합하게 선정되고 교과통합 수업 시에 제대로 운영되면 학생들이 긍정적인 자신의 존재감을 확인하고 성취경험과 자아정체감을 형성하는 데 기여할 수 있으며, 진로개발역량을 효과적으로 습득하는 데 기여할 수 있다.

그 밖에 교과통합 진로교육 수업에서 학생들의 자연스러운 몰입과 상호작용을 유도하고 경쟁심과 흥미를 극대화할 수 있는 교수·학습 방법으로 게임기반 학습모형, 체크리스트 학습모형, 시넥틱스(synectics) 학습모형, 브레인스토밍(brainstorming) 학습모형, 주제탐구 학습모형 등을 들 수 있다.

4. 중학교 진로지도

중학생 시기는 초등학교에서 이루어진 진로 인식 활동의 기반 위에서 학습의 폭과 깊이를 확대하여 고등학교에서의 진로 준비 활동과 연계시켜야 하는 과정에 위치한다. 진로 및 직업에 대한 다양한 체험의 기회를 가짐으로써 자신의 미래를 적극적으로 설계하고 실천해 갈 수 있도록 하여야 한다(조한무 외, 2013).

인생에서 중학교 시기는 독립성과 개별성을 나타내며 초기의 흥미와 관심 외에도 그들이 무엇을 잘할 수 있는지를 구체적으로 고려하게 되는 시기이기도 하다. 그러므로 이 시기의 학생들은 직업을 생각할 때 그 직업에서 요구되는 능력과 자신의 능력을 고려하게 된다. 따라서 학생들의 적성을 다양한 직업세계와 연관시키면서 학생들이 지식을 확장시킬 수 있는 활동을 많이 하도록 하는 것이 필요하다.

중학교 시기는 변화의 시기이다. Erikson(1980)의 심리사회적 발달이론에 따르면, 중학교 시기는 정체감 대 역할 혼미(identity vs. role confusion), 즉 급격한 신체적 변화와 심리적 정체감을 재규정하는 내외적으로 다양한 변화를 겪는 시기로 볼 수 있다(임규혁, 2003).

중학생들은 자아소질기회 등을 탐색하며, 자신이 누구인지 그리고 자신이 무엇을 할 수 있는지에 대해 끊임없이 시험해 보고자 한다(신명희 외, 2006). 이들은 대체로 직업의식의 발달과정에 있으며 아직 성숙한 상태에 도달해 있지는 않다. 따라서 이 시기에서는 직업적 진로에 대한 체계적인 탐색의 기회가 주어져야 하며 특정 직업에 대한 선택을 강요해서는 안 된다. 또한 중요한 직업군들에 대한 여러 가지 실질적인 경험을 통해 자신의 적성이 무엇인지 그리고 직업의 세계를 탐색해 볼 수 있는 기회를 마련해 주어야 할 것이다. 이러한 탐색활동을 통해서 학생들은 직업에 대한 흥미와 진로선택의 여러 가지 다양한 길에 대하여 생각해 볼 수 있게 되며 직업들이 갖는 여러 가지 의미를 이해하게 될 것이다(한국진로교육학회, 2011).

중학생 시기의 학자별 진로발달 단계이론에 대하여 살펴보면 대표적인 학자들로 Ginzberg, Super, Tiedman과 O'Hara 등이 있다. Ginzberg(1972)는 진로발달을 사춘기 전에 시작하여 10세 후반 또는 20세 초반까지 대략 10여 년간에 걸쳐 일어나는 발달과정으로 보았으며, 환상기(fantasy period, 6~11세), 잠정기(tentative period, 11~17세), 현실기(realistic period, 17세 이후)를 거쳐 진행된다고 보았으며, 진로 선택과정에서의 초기 선택의 중요성을 강조하였다(김병숙, 1999).

Ginzberg가 주장한 발달단계에서 청소년기에 해당하는 시기는 잠정기로, 그는 이 시기를 일의 중요성에 대한 인식이 뚜렷해지며 진로에 대한 준비태세가 결정되는 시기로 보았다. 잠정기는 다시 흥미단계(11~12세)와 능력단계(13~14세), 가치단계(15~16세) 전환단계(17세 전후) 등 네 세부단계로 구분할 수 있다. 이 중에서 중학교 시기에 해당하는 세부단계는 가치단계로서, 이 시기는 사회가 직업에 부여하는 가치의 이질성과 직업에 따라 주어지는 지위, 돈, 여가, 휴가 또는 안전과 같은 보상이 차이를 인식하기 시작한다. 또한 직업의 선택이 가치체계의 채택을 의미한다는 것을 깨닫게 된다. 따라서 이 시기의 학생들은 직업에 관계된 많은 정보들을 알아보려고 하며 그 직업이 자신의 가치관 및 생애목표에 부합하는지를 평가해 보고자 한다.

Ginzberg가 진로발달을 성인기(20세 초반)까지에 걸쳐 일어나는 발달과정으로 인식한 데 비해, Super(1990)는 진로발달을 인간의 전 생애에 걸쳐서 이루어지고 변화되는 것으로 보았으며, 개인과 환경의 상호작용에 의한 적응과정으로서의 발달을 주장하였다. 그가 주장한 진로발달의 전 생애적 관점에 따르면 진로발달단계는 크게 성장기(4~13세), 탐색기(14~24세), 확립기(25~44세), 유지기(45~64세), 쇠퇴기(65세 이후)로 구분된다. 이 중에서 청소년 시기는 탐색기에 해당한다. 탐색기는 다시 잠정기(tentative substage, 15~17세), 전환기(transition substage, 18~21세), 시행기(trial substage, 22~24세)의 세 개의 하위단계로 구분할 수 있으며, 중학교 시기에 해당하는 세부단계는 잠정기이다. 이 시기의 학생들은 자신의 욕구나 흥미, 능력, 가치 그리고 다양한 직업기회를 고려하며, 다양한 경험을 통해 진로를 잠정적으로 선택하는 특징을 보인다.

Ginzberg나 Super가 직업역할발달에 따른 진로발달단계를 주장한 것에 반해 Tiedman과 O'Hara(1963)는 자아정체감에 따른 직업에 대한 대응과정으로서의 진로발달단계를 제시하였다(강재태 · 배종훈 · 강대구, 2003). 즉, 이들은 분화와 통합의 과정을 거치면서 개인이 자아정체감을 형성해 가고 이러한 자아정체감 형성은 다시 직업정체감 형성에 중요한 기초로 작용한다는 것이다.

Tiedman과 O'Hara가 제시한 진로의사결정단계는 크게 예상기(anticipation period)와 실천기(implementation period)로 구분된다. 그리고 예상기는 다시 탐색기, 구체화기, 선택기, 명료화기로 구분되고 실천기는 순응기, 개혁기, 통합기로 구분된다(강재태 · 배종훈 · 강대구, 2003).

1) 중학교 진로지도의 목표

중학교 진로지도의 목표는 "사회에서 필요한 직업에 관한 지식과 기능, 근로를 존중하는 정신과 행동 또는 개성에 맞는 장래의 진로를 결정하는 능력을 기른다(임용수, 1993)". 이 교육목표에서처럼 중학생은 학생 자신이 처음으로 자기 진로를 결정해야 하는 시기로서 진로지도에 있어 가장 중요한 시기라고 할 수 있다.

2009년 개정교육과정은 교육과정이 추구하는 인간상 및 학교 급별 교육목표를 제시하면서 진로교육을 무엇보다도 중요한 요소로 강조하였다. 특히 진로를 개척하는 사람이라는 인간상을 추구하며, 이를 위해 초등학교에서는 다양한 일의 세계에 대한 기초적인 이해를, 중학교에서는 다양한 분야의 경험과 지식을 익혀 적극적인 진로탐색을, 일반 고등학교에서는 진로를 개척하며 평생학습의 기본 역량과 태도를, 특성화 고등학교에서는 자신의 특성에 부합하는 진로경로 설정을 교육목표로 삼고 있다(교육부 외, 2011).

이를 바탕으로 초등학교 단계는 자기의 특성 등을 이해하고, 중학교는 다양한 직업을 탐색하며, 고등학교는 이를 기반으로 본격적인 진로를 결정할 수 있도록 목표를 설정할 수 있다(교육부 외, 2011).

2) 진로와 직업

2009 개정 교육과정에 따르면 기존의 특별활동과 창의적 재량활동을 통합하여 창의적 체험활동을 신설하고, 내용체계의 하나로 진로활동이 명시되었다.

이전 교육과정에서는 중학교 재량활동의 선택과정으로 '한문 · 정보 · 환경 · 생활 외국어'가 구성되어 있던 것에 비해, 2009 개정 교육과정에서는 중학교 선택 교과 교육과정으로 '정보 · 환경과 녹색성장 · 보건 · 진로와 직업'으로 새로이 '진로와 직업'이라는 선택교과가 신설되었다(교육부, 2009). 즉, '진로와 직업'이 교육과정 문서상의 선택교과로 도입되면서, 진로교육의 단계적인 소개와 진로 관련 각종 활동을 할 수 있는 기반을 마련할 수 있게 된 것이다(서유정 외, 2011). 중학교 '진로와 직업'의 교육과정에서는 과목의 성격을 다음과 같이 밝히고 있다.

중학교 '진로와 직업'은 자신과 직업 및 교육 세계의 폭넓은 탐색을 토대로 중학교 졸업 이후의 진로를 적극적이며 자기 주도적으로 개척할 수 있는 역량을 함양하기 위한 과목이다. 특히 자신의 성장 가능성을 이해하고, 직업세계가 변화하는 과정을 탐색함과 동시에, 다양한 체험의 기회를 가짐으로써, 자신의 미래를 적극적으로 설계하고 직업에 대한 긍정적인 태도를 가지도록 하는 과목이다(교육부, 2011). 또한 2016년부터 자유학기제가 실시되고 있다.

진로교육 프로그램은 다음과 같은 과정으로 진행된다. 단위학교 진로교육 프로그램은 단위학교의 여건 및 요구분석을 통하여 진로교육의 비전과 목표를 설정한다. 그 후 진로교육 프로그램 인적·물적 자원을 분석하고 진로교육 지원체제를 확인한다. 마지막으로 진로교육 프로그램을 위한 연간계획서를 작성하고, 연간계획에 따른 진로교육 프로그램을 운영하는 과정을 거친다. 연간계획서를 작성할 때는 학교 급, 학교의 차별성 등의 특성을 고려한 계획 수립이 이루어진다.

5. 고등학교 진로지도

자신이 꿈꾸는 현재와 미래를 위해 살아가는 데 있어서 진로는 매우 중요하다. 특히 고등학교 시기가 진로탐색과 준비의 시기이자 진로선택의 결정적인 시기이므로 적절한 진로지도가 필요하다(박명심·김성회, 2009; Ginzberg, 1972).

고등학교 시기는 학생 개인의 욕구, 흥미, 능력, 가치관 등을 고려하여 잠정적인 진로를 선택하게 되고, 이러한 선택이 환상, 논의, 교과, 일 등을 통해서 시도된다. 그러나 이러한 선택은 현실적인 요인들이 고려되지 않았기 때문에 진로계획은 잠정적인 것이다.

진로계획이란 개인의 능력, 적성, 흥미, 성격, 가치관 등에 대한 객관적 자기 이해와 더불어 환경요인(가정환경, 직업세계의 구조나 고용기회 등을 포함하는 사회환경 등), 신체요인, 교육정책 요인 등과 같은 제반 여건을 고려한 가운데 한 개인의 인생 전반에 걸친 체계적인 계획을 수립해 나가는 과정을 의미한다(이현림, 2003).

우리 교육의 현실은 입시 위주의 교육에 치우쳐, 학교와 가정에서 진로지도의 필요성에 대한 이해의 부족으로 학생들은 자신의 가치관이나 능력, 흥미에 대한 이해를 바탕으로 하여 자신에게 적합한 진로탐색을 할 수 있는 기회가 충분하지 않은 실정이다(최숙경·이현림, 2006).

청소년기는 학교 교육이 집중되어 있으므로 학교에서 진로성숙도를 높여 개인이 자신에 대한 이해와 직업에 대한 이해를 바탕으로 올바른 진로의식을 갖도록 돕고 진로를 합리적으로 선택할 수 있는 능력을 길러주며 지원해 주는 것이 필요하다.

고등학교에서의 진로지도 방법은 중학교에서 실시하던 방법 이외에 진학을 위한 상급학교와의 유기적인 협동하에서의 연계 강화 혹은 취업에 대비하여 현장실습이 가능한 산학협동 방안을 실현함으로써 그 효과를 증대시킬 수 있다.

고등학교 시기가 되면 학생들은 자기 자신의 모습이나 장래의 진로문제에 있어서 흥미나 능력 이외에도 가치관이나 취업기회 등과 같은 현실적인 요인들까지 고려할 수 있게 됨으로써 실제적인 진로선택이 가능하다. 또한 진로를 선택하거나 장래의 생활방식을 선택하는 데 있어서도 주관적인 요인과 객관적인 요인을 함께 고려하여 체계화할 수 있는 시기이다.

CHAPTER

13 빈곤 아동·청소년 문제에 대한 개입

모든 아동은 건강하게 출생하여 행복하고 안전하게 자라기 위한 권리를 가지고 있으며, 아동은 안정된 가정생활, 경제적 안정, 보건 및 의료보호, 교육, 노동, 오락, 특수 보호 등의 기본적 욕구를 지니고 있다. 아동이 가지고 있는 이러한 욕구를 충족시키는 일차적인 기관이 가정이며 학교, 지역사회 등도 그 기능을 수행하고 있다. 이 중에서도 가장 장기간 그리고 절대적으로 중요한 아동의 욕구를 채워주는 기능을 하는 것이 가정이며 또한 그 중요한 욕구 중 청소년의 건전한 성장과 발달의 기본적인 욕구는 경제적 안정이라고 볼 수 있다.

더욱이 부모가 일터에 나가 있는 동안 돌보아 줄 양육자가 없는 저소득층 및 한부모가정 아동들은 어려서부터 부모로부터 방임되거나 사회적으로 방치된 상태에서 성장하게 될 위험을 안고 있어 자존감 저하나 인간관계에서의 어려움을 느끼고 비행으로 이어지기 쉽다.

여러 위험요인에 노출되어 있고 심리사회적으로 박탈감에 빠져 있는 빈곤 청소년을 지원하기 위해 민·관 차원에서 여러 가지 사회복지서비스를 실시하고 있으나 사회복지 예산 중 아동 및 청소년을 위한 복지예산은 다른 부분에 비해 적은 상태이다.

이에 정부는 아동들의 건강한 성장을 위해서는 사회복지 지원체계의 중요성을 인식하고 복지관에서의 빈곤 아동 및 청소년에 대한 서비스 지지망 구축, 청소년복지 5개년 계획의 수립과 시행, 1997년 수급자 및 저소득층 자녀를 위한 청소년 자활지원관 설립, 2004년 아동복지법을 개정하고 '지역아동센터'를 개설 등의 빈곤아동 및 청소년을 위한 서비스를 제공하고 있다. 하지만 기관과의 네트워크 부족, 프로그램의 질과 효과성, 성과, 종사자의 전문성, 인프라의 부족 등 여러 가지 과제가 산재해 있는 것도 사실이다.

1. 아동 · 청소년과 빈곤

빈곤을 대체적으로 절대적 빈곤과 상대적 빈곤 개념으로 분류한다. 절대적 빈곤은 최저한의 생활수준을 영위할 능력이 없는 상태 또는 생활상의 필요가 충분하게 충족되지 않은 상태로 생활자원이 절대적인 기준인 빈곤선 혹은 최저생계비에 도달하지 못할 때의 상태이다(김순규, 2006). 반면 상대적 빈곤은 대부분의 사회 구성원이 누리고 있는 생활수준에 비교해서 박탈의 상태, 또는 사회적 배제 상태에 처해있는 경우로 사회의 평균소득수준과 대비하여 상대적으로 저소득 수준인 상태이다(김성경 · 김혜영 · 최현미, 2005). 두 개념 모두 사회복지 차원에서 중요하게 활용된다.

1) 빈곤 아동 · 청소년 현황

보건사회연구원(2015)에서는 5년마다 실시되는 2013년 아동종합실태조사를 통해 빈곤아동의 3명 중 2명은 기초생활수급자나 차상위계층에 속하지 않아, 정부의 지원을 제대로 받지 못하는 빈곤아동이 65만 명가량 된다고 밝혔다.

아동(0~18세)의 아동가구 중 상대빈곤율(중위소득 50% 미만)은 10.62%를 차지하고 있는 것으로 나타났다. 이에 비해 기초생활수급가구이거나 차상위계층(절대빈곤) 지원을 받는 가구는 전체 아동가구의 4%인 것으로 나타났다.

상대빈곤율 10.62%는 102만 7천 833명인데, 이 중 36.6%인 37만 6천 485명만 기초생활 보장이나 차상위 지원을 받고, 63.4%인 65만 1천 348명은 지원을 받지 못하고 있는 것으로 나타났다.

또한 아동빈곤율은 양부모가구(부모와 아동이 같이 있는 가구)에 비해 한부모 가구나 조손가구에서 크게 높았다. 양부모가구의 아동빈곤율은 3.22%였지만 한부모 · 조손가구의 빈곤율은 63.54%로 19배나 되는 것으로 나타났다.

한부모가구의 빈곤율이 높게 나타나는 것은 소득원이 한 명이고, 양부모가구보다 소득이 낮을 가능성이 높기 때문이다. 조손가구는 노인의 노동시장 참여 가능성이 낮고 또한 임금이 높지 않아 소득이 낮을 가능성이 많다.

대도시의 아동빈곤율은 11.72%로 농어촌(10.25%)이나 중소도시(7.33%)보다 높았으며 주 양육자가 고용상태에 있는 경우 아동빈곤율은 13.09%로 비고용상태에 있는 경우의 6.3%보다 2배 이상 높은 것으로 나타났다.

연령별로는 아동이 어릴수록 빈곤율이 낮게 나타났다. 0~2세 아동이 있는 가구의 빈곤율은 6.61%, 3~5세는 7.29%, 6~8세는 8.65%, 9~11세는 9.70%, 12~17세는 11.48% 순이었다. 이는 연령이 낮을수록 아동수당이나 보육료 지원 같은 현금지원이 영향을 미쳤을 것으로 보인다.

2) 아동 · 청소년과 빈곤가족

아동은 일반적으로 의존, 성숙, 민감성, 요구, 적응이라는 심리적 · 정서적 특성을 가지고 있다. 빈곤 아동은 모든 아동에게서 발견되는 것은 아니지만 이러한 일반적 특성과 더불어 빈곤문화 및 빈곤 환경의 영향으로 일반 청소년과 구별되는 다음의 몇 가지 특성들을 가지고 있기도 하다.

첫째, 빈곤 청소년의 일반적인 지적 · 언어적 능력이 일반 청소년에 비해 낮은 경우가 많다. 빈곤 아동들은 어려운 말 사용, 상식, 활동에 관한 참가와 계획, 글씨에 대한 흥미 등 언어적 측면의 발달이 매우 낮게 나타나는데, 이것은 빈곤가정의 교육적 욕구의 미충족 및 언어사용의 모델링 결핍으로 간주되기도 한다.

둘째, 빈곤 청소년의 사회 · 심리적 특징으로는 '성취동기'가 보다 낮은 경향을 보이며, 비난과 승인에 대해서 다소 민감한 반응을 보이기도 한다(민경화, 2000). 과제수행 등에 대해 성취동기가 부족했고, 비난과 승인에 민감한 경향을 보인다.

셋째, 정서적 측면에는 빈곤층 청소년들이 충동적인 성향을 가지고 있다. 아동들은 또래와의 사회적 관계에서 바람직한 관계를 형성하기 위해 상호작용을 하고 먼저 다른 사람의 정서를 이해하려 한다.

마지막으로 빈곤층 청소년들은 심리적으로 위축되어 있는 경향이 있다. 빈곤층 아동들은 이러한 심리적인 위축으로 학교관계, 또래관계에서 자신감이 부족하며, 학업성취도에 있어서도 낮은 경향을 보인다.

특히 사교육의 역할과 비율이 증가하고 있는 현실에서는 학습상황에 필요한 논리적 측면에서 낮은 수준의 개념화, 추상화 등으로 연결되며, 사회적 측면에서는 부모의 보호와 사회적 지지가 부족하여 공격적·파괴적 성향을 더 많이 보인다.

또한 빈곤 청소년들은 다른 계층 아동보다 빈곤문화에 쉽게 접하게 되므로 학업성적 부진, 무단결석, 싸움, 비행, 가출, 반항 등의 문제를 가지고 있으며, 도덕적 규율이 낮고 비행자가 청소년이 되기 쉬운 경향을 보이기도 한다.

이러한 빈곤 청소년 가족의 부모들은 사회적 지지를 위한 능력이나 동기부여가 저조하여 아동들에게 충분한 지도·감독이나 역할모델을 제공하지 못하고 있는 경우가 많으며 이들 빈곤가족의 특성들은 다음과 같다.

(1) 불안정한 취업 및 소득

가구주의 경제적 능력은 곧 그 가족의 사회·경제적 수준과 전 가족의 사회적 지위를 가름하는 주요한 척도가 된다. 빈곤가족은 취업의 질과 양 모두에서 열악하며 불안정한 취업구조를 가지고 있는 경우가 많다. 또한 지출 면에서도 식품비 지출 비중이 감소된 반면 교육비, 주거비 등은 빠른 속도로 증가하고 있지만 일반 가구에 미치지 못하며, 보건의료 및 문화비 지출은 부족한 경향을 보이고 있다.

(2) 자녀양육 및 교육문제

빈곤가족의 문제로 경제적 어려움과 함께 자녀양육과 교육문제를 호소하고 있다. 자녀양육의 경우 현재 빈곤가족의 청소년들은 교육에 대한 보호 및 지지를 받지만 불충분하며, 생계유지를 위해 맞벌이를 하는 경우가 많으나 보육시설을 활용할 수 없는 미취학자녀의 경우 돌보는 이가 없어 열악하고 위험한 주거환경에 방치되기 쉽다. 따라서 빈민지역의 청소년들은 일반 가구의 청소년들에 비해 생활환경, 교육환경이 상대적으로 열악한 상태에 놓여있으며 아동기부터 교육기회에서 제한되어 있음을 알 수 있다. 이와 같은 미비한 양육 및 교육적 여건은 아동으로 하여금 사회적 상승이동의 기회를 더욱 제한시켜 빈곤의 악순환을 유발시키며 생활에의 불만, 잦은 자아정체감 등으로 청소년들은 가출을 하거나 비행을 저지르기 쉽다. 이와 함께 중산층 자녀에 비해 낙후된 교육환경과 고등학교 수준의 교육기회가 빈곤가족의 자녀에게는 제한되어 있어 중요한 빈곤의 세습요인으로 작용할 위험을 안고 있다.

(3) 가족관계

빈곤가족들은 불완전한 취업과 저소득 등 경제적 문제 외에도 이와 직 · 간접적으로 관련되어 가족 구성원 간의 관계에서도 적지 않은 문제가 발생되고 있다. 특히 빈곤 가구주의 경우 불안정한 취업 속에서 생계유지라는 부담은 경제적 무능력자로 낙인될 수 있다. 따라서 이들은 경제적 압박 속에서 현실적인 문제를 잊을 수 있는 도피처를 찾거나 가족에 대한 폭력으로 누르려고 하는 행위를 보일 수도 있다.

또한 알코올중독이나 아내와 자녀에 대한 폭력행사는 취업과 가사, 자녀양육 등 3중 역할의 수행에 따르는 어려움과 합쳐져서 남편과 이혼 또는 별거하거나 가출로 이어지기도 한다(이소희, 2001).

2. 빈곤청소년과 사회적 지지체계 및 지지망

인간은 사회적 존재로서 타인과의 지속적인 유대관계를 필요로 하며, 이들과 끊임없이 역동적 상호작용을 하게 된다. 이러한 사회적 유대가 사회적 지지망(social support network)이다. 한 개인은 초기 아동기부터 사회적 지지망을 구성하는 다양한 사람들로부터 영향을 받는다. 사회적 지지망의 적절한 질과 양은 개인의 중요한 심리·사회적 자원이 된다. 청소년과의 사회적 지지망은 가족과 이웃, 친구, 교사 등이 아동에게 의미 있는 지지체계이며, 사회적 지지체계 네트워크는 학교 등 생활체계(발견체계)와 프로그램 및 서비스를 제공하는 체계로 구성된다.

1) 가 족

청소년은 가정 내의 여러 가족 성원과의 상호작용을 통하여 얻게 되는 지식과 경험을 바탕으로 성장·발달해 나간다. 형제관계는 한 가정에 소속되어 있다는 점에서 부모관계와 비슷한 성격을 가지는 반면, 연령이 비슷하다는 점에서 친구관계와 비슷한 성격을 지닌다. 가족 내에서 느끼는 사랑과 수용, 안정의 느낌은 스트레스 생활상황에 직면하여 행동장애를 막을 수 있도록 도와주며, 아동의 자아 존중감과 대처전략을 증진시키도록 도와줄 것이다.

2) 이 웃

이웃은 친밀한 대면적인 접촉으로 특징지어진다. 대면적 접촉과 지역의 공통성이 사회학습의 기회 등을 제공하기도 한다.

3) 친 구

청소년기의 친구관계에 있어 동성친구는 그 어느 시기보다 가까워지고 친해지며, 이 시기의 친구와의 우정은 성격, 사회 기능, 사회행동 발달에 중요한 영향을 미친다. 유아의 사회적 세계에서 가장 직접적이고 중요한 사회지지망은 가족이지만, 초등학교에 들어가면서 아동은 점차 가족 이외의 성인들이나 또래 친구들과의 새로운 관계를 형성하면서 자신의 세계를 넓혀 나간다. 특히 청소년들은 친구관계를 통해서 또래와 상호작용하는 방법을 배우고 사회적 행동을 통제한다. 또한 자기 또래의 나이에 맞는 지능과 흥미를 발달시키고, 비슷한 문제와 감정을 공유하는 기회를 갖게 되는데, 이러한 모든 경험의 대부분은 학교에서 이루어진다. 청소년들은 학교에서 가정과는 다른 배경을 가진 친구들을 만나고 그들과 상호작용을 하면서 각기 다른 문화를 흡수하여 평균화를 이루며 성장해 간다.

4) 교 사

학교는 청소년의 지적·정서적·신체적 발달에 중요한 역할을 한다. 특히 교사는 아동에게 있어서 부모 다음으로 밀접하게 상호작용을 하는 성인으로 소년소녀가장에게는 더욱 중요한 사람이다. 이들은 교사와의 상호작용을 통해 사회 성원이 되는 데 필요한 지식, 기술, 가치, 태도 등을 형성하게 된다.

5) 지역사회 통합서비스 네트워크

지역사회 네트워크는 지역사회의 인적·물적 자원을 묶어주는 연결망의 역할을 한다. 지역사회 네트워크는 지역사회의 문제, 욕구, 현상 등 환경을 기초로 한다. 지역사회의 모든 조직, 개인은 생산, 교통, 소비, 복지, 교육, 환경 등 생활 전반에 걸쳐서 상호 간의 유기적인 관계를 지니고 있다. 조직과 조직, 조직과 개인, 개인과 개인들은 상호작용을 하면서 자신들의 목적달성을 수행해 나간다. 네트워크를 구축한다는 것은 이러한 유기적인 관계를 보다 효율적으로 욕구를 사정하고 적절한 서비스를 제공한다는 것을 의미한다.

지역사회 통합서비스 네트워크는 각 서비스 제공기관과 SOS 상담전화 및 주민의 직접 신청 등을 통해 서비스 욕구를 접수하며, 기초생활보장 수급자

결정 및 급여제공 여부, 의료급여 수급자 여부, 지역사회 급식 여부, 보육료 지원대상 여부, 아동양육비 지원 여부 등을 결정하고, 지역사회 자원에 대한 안내 및 서비스를 의뢰하는 기능을 수행하고 있으며, 직접 서비스를 제공할 수 없는 경우, 지역사회의 공공 또는 민간자원에 대해 정보를 제공하고 그 기관에 서비스를 의뢰하고, 사후관리가 가능하도록 통합된 지역사회네트워크를 구축한다.

3. 빈곤 아동을 위한 지원체계의 강화

① 학교사회복지의 제도화를 위해 관련법을 제정하고 학교에서 빈곤으로 인한 아동의 일차적 및 2차적 문제를 전문적으로 예방 개입함으로써 사회적 비용을 줄이고 인적자원의 개발에 기여할 수 있다.

② 국민기초생활보장제도의 현실화로서 아동수당 및 급식비 지원을 현실화 하며, 빈곤가정의 아동에 대한 지원을 아동의 욕구에 부응한 맞춤형 프로그램으로 전환해야 한다. 또한 지원, 한부모가정, 조손가정, 소년소녀가정 등 가정형태별 빈곤아동에 대한 지원방안을 수립, 체계화해야 한다.

③ 드림스타트, 위스타트, 지역아동센터에 대한 통합적·전문적 관리 및 운영이 필요하다.

④ 지역사회의 공적 민간자원에 대한 협력체계를 구축함으로써 빈곤아동에 대한 체계적 안전망을 통해 건전한 사회 구성원으로 성장할 수 있게 할 수 있다.

⑤ 가족기능 강화 통해 부모의 부적절한 양육행동, 지도 감독 및 가족문제로 인하여 부정적인 영향을 줄이고 가족의 탄력성과 유능성을 강화해야 한다. 이는 아동의 자존감을 향상시키고, 미래에 대한 희망이나 긍정적인 동기를 갖게 한다.

CHAPTER

14 학교부적응에 대한 개입

최근 학교생활 부적응 청소년 문제는 '학교붕괴' 현상과 더불어 심각한 문제로 부상하였다. 청소년의 사회환경 중에서 학교는 가정에서 사회로 생활범위가 확대되는 장이고, 사제관계와 친구관계가 맺어지는 사회적 관계의 장이다. 학교에서의 성취는 이후 사회적응까지 영향을 미치므로 학교가 청소년기에 갖는 의미는 아주 크다(Sears & Milbrun, 1990, 최해경, 2000 재인용). 즉, 청소년은 대부분의 시간을 학교에서 생활하기 때문에 학교생활에 얼마나 잘 적응하느냐 하는 문제가 건정한 성인으로 성장할 수 있으냐 없느냐를 판가름하는 주요한 요인으로 작용함으로써 학교는 청소년의 사회화에 중요한 역할과 기능을 담당하게 되었다(이미라, 2000).

그러나 오늘날의 학교교육은 입시 위주의 교육과정과 성적 위주의 경쟁제도로 인하여 오히려 불안과 갈등을 유발시키는 스트레스의 장소로 변화함으로써 다양한 학교생활 부적응 현상을 초래하고 있다(문선화 외, 2000).

이러한 학교생활 부적응 문제를 지닌 청소년이 가정, 친구, 학교 그리고 지역사회에 미치는 영향은 매우 크다고 할 수 있다. 지금의 학원폭력이나 학교주변의 각종 청소년 비행뿐만 아니라, 학급 내에서는 집단에서 소외되고 위축되어 있거나, 학급의 규칙을 올바로 준수하지 못하고, 수업시간에 잡담을 하며 부적절한 질문을 통해서 교사의 주의를 끄는가 하면, 다른 학생을 방해하는 등 주의가 산만하고 집중력이 부족하다. 또한 교사의 요구와 지시를 거부하고 따르지 않는 방어적인 태도 등 여러 가지 부적응 행동으로 말미암아 학습활동을 제대로 수행하지 못하는 경향이 있으며, 교사와 친구와의 올바른 인간관계도 잘 형성되지 못하고 있다. 그 결과 청소년의 학교생활 부적응 문제는 청소년의 사회적 발달을 저해하고 비행 및 범죄에 연루될 가능성이 높은 것으로 보고되면서 점차 사회적 차원에서 중요하게 다루어지고 있다. 따라서 청소년의 학교생활 적응 및 부적응의 현상을 사회적 지지체계 안에서 이해하고 학교생활 부적응 문제를 적절히 대처해야 할 필요성이 제기되고 있다.

청소년 문제에 대하여 학교체계의 접근은 그동안 학교상담제도를 도입하여 다루어져 왔다. 교육부는 중학교 12학급 이상, 고등학교 9학급 이상의 학교에 학생지도상담실을 설치하도록 의무화하고 있고, 소정 자격을 갖춘 교도교사가 상담활동을 맡도록 하고 있다. 그러나 이러한 학교상담이 학교 현실에서 발생하는 다양하고도 복잡한 문제들을 예방하고 해결하기에 적절한 서비스가 되지 못하고 있다는 평가가 지배적이었다(최해경, 2000). 표갑수(1994)의 연구에 의하면, 상담교사의 80% 이상이 학교에 다른 전문가 채용의 필요성을 지적하고 있다(표갑수, 1994).

이러한 필요성은 학생의 문제를 가정・학교・지역사회를 통합적으로 연계하여 접근하는 학교사회사업의 필요성으로 이어지게 된다. 1900년대 중반 이후 학교사회사업은 보건복지부와 민간단체를 중심으로 시범사업으로 운영되면서 학교부적응 문제를 비롯한 학교체계의 문제를 예방하고 해결하는 효과성이 검증되어 왔다. 2004년 5월부터는 교육부 주관 학교폭력 예방시범사업으로 전국 48개교에서 학교사회복지사가 채용되어 운영되고 있다.

지역사회와의 연계를 기반으로 하고 학교생활 적응력을 향상할 수 있는 학교사회사업의 프로그램은 무엇이고, 프로그램을 적용해 보았을 때 어느 정도, 어떤 점에서 효과적인가? 이에 대해 이 책에서는 학교 내 또는 지역사회 내에 있는 인적자원을 활용함으로써 청소년들이 그들의 문제에 성공적으로 대처하고, 자기발견을 하며 자아를 실현할 수 있도록 도울 수 있는 '멘토링 프로그램'을 통해 학교생활 적응력을 향상시킬 수 있는 방안으로 제시하고자 한다.

멘토링 프로그램이란 청소년(mentee : 멘티)과 자원봉사자(mentor : 멘토) 간의 친밀하고 상호적인 일대일 관계를 통해 사회복지 서비스가 필요한 청소년에게 정서적 · 사회적 지지를 제공하는 결연 프로그램이다(김상균 외, 1997). 기존의 사회복지 대상자와 후원자 간의 결연관계가 경제적 원조에 국한되었던 것과는 달리 멘토링 프로그램에서의 결연관계는 자원봉사자와 청소년 간의 정서적 유대, 상호만족을 통해 더욱 폭넓은 지지체계를 형성할 수 있다는 장점이 있기 때문에 청소년의 비행을 예방할 수 있을 뿐만 아니라 청소년복지의 측면에서 청소년의 삶의 질을 향상시킬 수 있는 서비스를 제공하는 방법이기도 하다(이진희, 1990).

1. 학교부적응의 이해

1) 원 인

학교부적응이란 다양한 부적응적 행동 특성이 학교라는 삶의 영역에서 나타나는 것으로, 개인의 욕구가 학교 내 환경의 관계에서 수용 또는 충족되지 못함으로 인하여 갈등과 부적절한 행동을 보이는 것이다. 즉, 학생이 학교 및 학급, 학교 관련 환경에서 적응해 나가는 데 있어서 학교의 교육적 가치와 규범, 질서에 위배된 행동을 하거나 대인관계에서 원만하지 못한 불균형한 상태에 놓여지는 것을 일컫는다(김기태 외, 1996). 심한 부적응은 가출, 등교거부, 흡연 및 음주, 폭력적 행동, 약물남용 등의 행동으로 나타나며 반항심리, 불안감, 초조, 의욕상실, 우울 등과 같이 겉으로 잘 드러나지 않는 정서적 문제를 낳는다.

따라서 학교부적응이란 다양한 부적응적 행동 특성이 학교 영역에서 나타나는 것으로 개인의 욕구가 학교 내 환경과의 관계에서 만족되지 못함으로써 갈등과 부적절한 행동을 보이는 것이다.

신체적 · 정신적 · 사회적인 면에서의 변화가 동시에 일어나는 청소년기에는 이러한 변화에 대처하는 능력이 부족할 뿐 아니라 사회적 자원에도 발달되지 못하여 상당수의 청소년들이 과중한 정신적 스트레스와 정서적 불안정으로 고통을 겪게 된다. 이에 학교부적응은 한 가지 원인에 의해 발생하는 경우가 극히 드물고 여러 원인이 복합적으로 작용하여 발생하는 경우가 많다.

김동하(1996)는 학교부적응의 원인을 개인 내적 요인, 환경적 요인, 개인 내적 요인과 환경적 요인 간의 부적절한 상호작용 측면으로 구분하였다. 개인 내적 요인으로는 신체적 결함, 정서장애, 지능의 저하 등이 있으며, 환경적 요인으로는 가정환경, 학교환경, 지역사회환경 등을 포함시켜 부적응은 하나의 문제에서 발생되는 것이 아니라 여러 가지 요인의 결과라고 하였다(김동하, 1996).

양만우(1968)는 부적응의 원인으로 가정적인 원인, 학교 원인, 사회 원인으로 분류하였고(양만우, 1968, 이경은, 1998 : 23 재인용), 김대환(1978)은 학생문제의 근본적인 요인으로 사회적 · 문화적 측면과 제도적 · 가정 환경적 측면을 중시하였다(김대환, 1978, 박종률, 2000 : 9 재인용). 한국형사회정책연구원(1996)은 학교부적응의 외적 요인에 초점을 맞추어 이를 가정환경적 요인, 학교환경적 요인, 지역사회 환경적 요인으로 설명하였다.

하지만 최근에 설득력 있는 원인은 개인과 환경에 함께 초점을 두는 다원적인 원인설이다. 홍금자(1997)는 학교폭력의 원인을 개인적 요인, 가정적 요인, 학교적 요인, 지역사회적 요인으로 구분하였고(홍금자, 1997), Hills(1982, 한완상, 1989 재인용)는 청소년비행의 주요 원인을 가정환경, 일반적 환경상황, 개인의 속성으로 구분하였다. 박장환(1996)은 개인적 요인으로 신체적 요인, 불건전한 과거의 경험, 정신적 요인이 있으며, 환경적 요인은 가정환경, 학교환경, 사회환경을 포함한다고 하였다. 특히 윤희준(1978)은 이러한 개인적 요인과 환경적 요인 간에 관계에 초점을 두어 청소년들이 문제를 갖게 되는 원인으로 청소년기의 심리적 특성, 급변하는 사회변화에 의한 자극과 압력, 교육의 부조화를 들고 있다(윤희준, 1978).

2) 새로운 접근방법의 필요성(학교사회복지)

학교부적응 원인은 개인적 원인, 가정적 원인, 학교적 원인, 지역사회적 원인과 같이 다양하다. 그럼에도 불구하고 기존의 연구에서는 대부분 일원론적 관점으로 소집단을 형성한 단기간의 집단 프로그램으로 해결하는 데 주력하였다.

학교부적응 학생을 대상으로 실시한 선행연구들의 대부분은 프로그램의 효과성은 나타나지만 그 지속성을 연구하는 데 한계를 제시하였고, 이에 대한 대응책으로 많은 수의 연구자들이 개인, 가정, 학교, 지역사회를 통합적으로 연계하는 학교사회사업을 제시하였다.

1995년 보건복지부가 학교사회사업이 필요함을 공시적으로 제기하였고, 교육부가 이를 받아들여 학교생활 부적응 청소년문제를 비롯한 학교 교육의 병리적 현상을 해결하기 위한 대응책으로서 학교사회사업을 시범적으로 시행하고 있다. 그리고 학교체계를 변화시켜 청소년 문제를 해결하기 위한 전문적인 개입이 요청되고 있는 시점에서 그 구체적인 방안으로 학교사회사업에 대한 관심과 연구, 개입과 실천이 활발히 전개되고 있다. 특히 학교의 청소년 문제 예방과 조기해결을 목적으로 하는 원조체계의 개발로 개별 학생에 대한 이러한 제한적인 서비스 제공뿐만 아니라 학생 · 가정 · 학교 · 지역사회의 유기적인 관계망을 사정하고 이를 다각도로 활용할 때 더욱 효과적일 수 있고, 이러한 자원 간의 연계는 필수적이라 하겠다(김지연, 2001).

학교사회복지는 아동이 아니라 학생이라는 특수한 사회적 신분을 가지고 있는 집단을 대상으로 이들의 생활터전인 학교에서 학교의 교육적 기능을 강화하여 학교의 교육목표와 학생복지를 동시에 추구하는 사회복지서비스다. 궁극적으로 학생의 교육권 확보와 학생복지실현에 이바지하고자 하는 사회복지의 한 분야로 기존의 교도교사나 진로상담교사와 공통적인 기능을 하면서도 동시에 상당히 다른 역할을 수행한다(김기태, 2002).

이러한 학생들에게 서비스를 제공하기 위한 학교사회사업가의 기능에 대해서 Allen-Meares(1994)는 크게 전문적인 임상사회복지사의 역할, 교육적 카운슬

링의 제공, 가정 · 학교 · 지역사회의 연계자, 지역사회자원의 활용, 정책입안의 다섯 가지로 구분하고 있다(전미진, 2003 재인용).

학교사회복지의 프로그램 내용은 <표 14-1>과 같다. 학교사회사업의 프로그램 중 학생의 정서결연 서비스와 지역사회 연계서비스로 최근 멘토링 프로그램에 대한 관심이 증가하고 있다. 특히 학교에서 어려움을 호소하고 있는 부적응 학생들을 대상으로 건전한 역할모델을 제공할 수 있는 멘토링 프로그램은 다양한 인적자원을 지지망으로 활용하는 데 유용할 수 있다. 그러나 학교사회사업 실천의 장에서 멘토링 프로그램을 실시하는 곳은 드물고, 그 체계 역시 전문적이지 않은 실정이다.

〈표 14-1〉 **학교사회복지 프로그램 내용**

학생 지원활동	상담서비스	개별상담, 집단상담(자발적 학생, 의뢰학생)
	자원연계서비스	정서결연, 장학금 · 품 연계, 정보제공, 자원봉사 연계
	여가 및 문화활동 서비스	캠프, 공연 활동, 교내 문화이벤트 프로그램, 초청 특강 등
가정 연계활동	학부모 상담 서비스	가정방문, 학부모 상담, 가족상담
	자원연계서비스	경제적 지원, 정보제공
	부모교육	학부모 교육(자녀와의 의사소통, 부모역할 훈련 등)
교사 연계활동	교육 지원 서비스	CA활동 지원, 창의적 재량활동, 학교 생사 지원, 학생회 활동 지원
	교사 대상 서비스	교사 연수, 상담 사례 협의
지역 사회 연계 활동	지역사회 자원 개발	지역사회 자원 조사 및 후원 개발
	학교-지역사회 연계서비스	지역사회 대상 서비스(지역주민이 함께하는 음악회 등), 장애체험 등 체험 교육
연구 개발활동	프로그램 개발	각종 프로그램 기획 · 개발
	사례 연구	상담 사례 연구

출처 : 장수한(2010).

3) 멘토링 프로그램

(1) 멘토링 프로그램의 개념

인간은 가정에서 부모-자녀, 학교에서 스승-제자, 직장에서 상사-부하 등 여러 가지 자연적 관계를 통해 조언이나 도움을 받기도 하고, 이는 한 인간의 삶에 중요한 역할을 한다. 이러한 관계를 멘토링(mentoring)이라고 하는데, 최근 체계적인 프로그램을 통해 공식적인 관계를 성립시켜 주려는 노력이 활성화되고 있다.

멘토링 프로그램이란, 성인과 청소년 간의 친밀하고 상호적인 관계를 통해 도움이 필요한 청소년들에게 정서적·사회적 지지를 제공하는 것이다. 멘토링 프로그램이라는 용어는 '멘토르(mentor)'라는 말에서 유래하였는데, 그리스 신화에서 오디세우스가 트로이전쟁에 나가기 전 가장 믿을 사람인 멘토르에게 아들의 양육을 부탁한 데서 유래하여 이후 멘토르 이름은 '현명하고 책임감 있는 보호자'라는 의미를 갖게 되었다(김상균 외, 1997). 즉, 멘토링 프로그램은 성인과 청소년 간의 친밀하고 상호적인 관계를 통해 도움이 필요한 결손가정, 빈곤가정, 실직가정 및 학교부적응 학생들에게 정서적·사회적 지지를 제공하는 것을 의미한다.

Lee(1995)는 멘토링 프로그램을 청소년의 성장을 위해 활동하는 성인과 청소년이 계속적인 일대일 관계를 맺는 것이라고 정의하였다. 또한 채형일(2000)은 멘토링 프로그램을 성인과 청소년 간의 친밀하고 상호적인 일대일 관계를 통해 도움이 필요한 결손가정, 빈곤가정, 학교부적응 학교들에게 정서적·사회적 지지와 격려를 제공하는 것이라고 했다.

이상에서 살펴본 바와 같이 멘토링 프로그램은 어려움을 겪고 있는 도움이 필요한 청소년과 이러한 청소년에게 도움을 제공해 줄 수 있는 경험이 풍부한 성인 간의 지속적인 일대일 관계라고 할 수 있다.

(2) 멘토링 프로그램의 구성요소

① 인적 구성

학교부적응 학생을 대상으로 하는 멘토링 프로그램의 인적 구성요소로는 멘티, 멘토, 멘토링 관리자, 슈퍼바이저, 학교사회복지사가 있다. 이들에 대한 조건 및 역할을 살펴보면 다음과 같다.

㉠ 멘티 : 멘토링 프로그램에서 멘티의 대상은 일반 청소년을 대상으로 할 수 있는데, 실제로 1980년대 말부터 등장한 미국의 사회복지 프로그램 중에는 기업-대학과의 파트너십을 기반으로 하는 자원봉사 지원 프로그램이 많으며, 일반 청소년들을 대상으로 한 무제 예방 및 교육 파트너십(개별 학습지도를 목표로 하는 교육구청-대학-기업의 연계를 통한 학습지원)의 형태로 된 멘토링 프로그램이 많이 등장했다(주성수, 1998).

그러나 현재 청소년 문제는 자신이 처해있는 환경과 계속적인 상호작용을 하는 과정에서 점차로 청소년의 위험요소를 확대시키는 상호적용 유형을 보이는 경우가 있으며, 이렇게 위험요소가 확대된 청소년을 고위험군에 속한 청소년이라고 할 수 있다. 이러한 고위험군 청소년들은 특별한 사회복지 서비스를 필요로 한다는 의미에서 '요보호 청소년'이라 할 수 있으며, 학교부적응 학생을 위한 멘토링 프로그램에서 프로그램 대상자인 학교부적응 학생 역시 고위험군에 속한 요보호 청소년이라고 할 수 있다(채형일, 2001).

따라서 멘토링 프로그램의 성격에 따라 요보호 청소년으로 규정된 멘티는 멘토링 프로그램의 목표 대상에 따라서 일반 청소년에서 고위험군 청소년까지 다양한 상황에 처한 청소년들이 포함되며, 정서적 지지와 사회적 지지를 필요로 하는 모든 청소년들이 멘티가 될 수 있다고 할 수 있다. 이에 멘티는 멘토를 도와 공동 관심사를 개발하는 일, 개별 프로그램을 계획하고 내용을 구성하며 실제로 수행하는 일에 적극 참여한다. 특히 적극적인 상담 및 개별활동에의 참가를 통해 멘티는 멘토에게 자원봉사에 대한 보람과 정서적 결연을 통한 만족감을 느끼도록 도울 수 있다(권지성, 1999).

㉡ **멘토** : 멘토는 청소년인 멘티에게 건전한 가치관과 긍정적인 자아상을 소유하고 있으며, 사회 내에서 자신의 역할과 기능을 수행하는 성인으로서의 역할모델(role model)을 제시해 줄 수 있는 사람이어야 한다. 멘토가 대학생 또는 대학원생일 경우, 청소년에게 학습자아와 관련된 역할모델을 제공할 수 있다는 장점이 있다.

이에 멘토 사회복지사 등 상담전문가가 제공할 수 있는 상담 서비스에 준하는 준전문가로서의 개별상담을 멘티에게 제공할 수 있어야 하고, 멘티의 개별적·가족적·사회적 특성 및 상황을 파악하고, 특정한 환경 속에서 특정한 상호적용 유형을 보이는 가운데 환경에 적응하고 있는 멘티에게 정서적·사회적·경제적 지원 및 원조를 해야 한다. 또한 개별 상담을 포함하는 개념으로서의 개별 활동, 즉 공통의 관심사를 활용한 멘티－멘토 공동 활동에서 계속적으로 멘티의 필요와 관심에 부합하는 내용을 준비하며 멘티의 상황에 맞게 공동 수행할 수 있어야 하고, 청소년을 위험요인과 위험사건, 비행 또래집단과의 접촉, 개인적 분노 등으로부터 지켜줄 수 있는 보호자가 되어야 한다(이진희, 1999; 채형일, 2001).

㉢ **멘토링 관리자** : 멘토링 관리자는 멘티와 멘토로 구성된 결연 관계를 형성시키며, 멘토를 도와 개별 상담의 계획 및 내용 구성의 과정에 참여하고 멘티와 멘토의 개별 상담 수행에 관한 지속적인 슈퍼비전을 제공한다. 또한 멘토링 관리자는 멘토 교육 프로그램을 기획하여 멘티와의 개별 상담을 진행하기 위해 멘토에게 필요한 교육을 수행하며, 이 교육 프로그램에 보다 전문성을 지닌 각 분야의 전문가로부터의 교육을 포함시켜야 한다.

멘토링 프로그램에서 매우 중요한 멘토링 관리자의 역할로서 집단 프로그램의 기획과 지도를 하는 것이고, 또한 자신이 관리하는 결연 사례 가운데 성공적인 결연 관계를 맺고 있는 사례들을 다른 멘토들에게 소개하여 멘토들이 각 사례의 성공요인을 연구하도록 지원해야 하며, 성공적이지 못한 결연 관계에 대해서는 멘티와 멘토를 격려하여 문제의 원인을 파악하며 관계 개선을 시도할 수 있도록 도와야 한다(채형일, 2001).

㉣ **슈퍼바이저** : 멘토링 프로그램에서는 멘토들의 활동에 대한 확신을 갖게 하기 위해 슈퍼비전을 실시하는데, 슈퍼바이저는 멘티－멘토의 만남을 통한 보고서나 정기적인 모임에서 각 사례에 대해 슈퍼비전을 제시해 주어야 한다. 슈퍼비전에서는 멘티와의 활동에 대한 보고와 토의, 멘토의 역할 수행에 대한 어려운 점 공유, 향후 활동에 대한 제언 등을 슈퍼바이저로부터 도움을 받을 수 있어야 한다.

㉤ **학교사회복지사** : 학교부적응 학생을 대상으로 한 멘토링 프로그램에서 학교사회복지사는 담임교사의 멘티 추천 및 멘티에 대한 정보를 멘토에게 제공해 주어야 하고, 학교와 멘토를 연결시켜 주어야 한다. 그리고 프로그램에 필요한 지역 내 인적·물적 자원을 파악하고 활용해야 하고 멘토링 프로그램에 대한 평가를 하는 역할을 담당해야 한다.

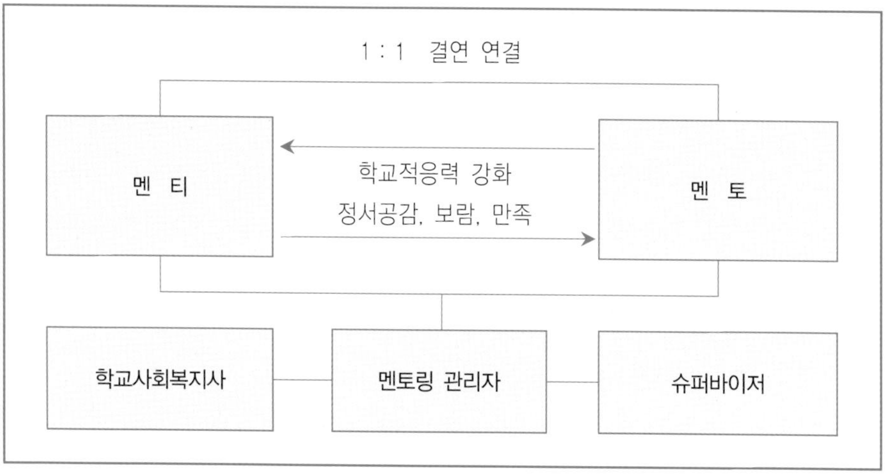

[그림 14-1] 멘토링 프로그램의 인적 구성요소

출처 : 장수한(2010).

② 내용적 구성요소

㉠ **개별 상담** : 멘티와 멘토는 주 1회 정도의 개별적인 만남을 수행하게 된다. 개별상담의 내용은 필요한 문제에 대한 상담, 정서적 유대 및 공감대 형성을 위한 공동 관심사 개발 및 공동 여가활동, 공동 문화활동, 진로 탐색 활동, 상호 가정 방문 등으로 구성된다. 멘토는 멘티와의 개별상담을 통해 멘토의 가족적인 어려움을 다룰 수 있으며, 멘티의 어려움과 문제에 대해 멘토의 부모님과 상담할 수 있다.

㉡ **집단 프로그램** : 멘티와 멘토는 평균적으로 월 1회씩의 집단 프로그램을 수행하게 된다. 멘토링 프로그램에서의 집단 프로그램은 집단 내에서 멘티-멘토와의 집단활동에 참여함으로써, 공동으로 멘토링 프로그램에 참여하고 있는 멘티-멘토들과의 접촉 및 집단 역동에서의 관여를 통해 멘티에 대한 집단적 지지를 보내며, 멘티를 돕는 멘토들을 격려하는 한편, 멘티와 멘토의 개별적인 결연 관계가 집단 내 하위집단을 구성하도록 돕는 방법을 통해서 멘티-멘토 관계의 친밀함을 배가하여 결연 관계의 강도를 강화할 수 있다. 또한 멘토들은 다른 멘티-멘토 관계를 관찰할 수 있는 기회를 가지므로 자신의 개별 프로그램 수행에 대해 재고(reflection)하며 평가할 수 있다(채형일, 2001).

㉢ **멘토 교육** : 멘토는 멘티에 대한 멘토링 전체 프로그램을 진행하기 위해 반드시 사전교육을 이수해야 한다. 사전교육을 모두 이수한 지원자만이 멘토로 임명될 수 있다. 사전 교육 내용은 '청소년의 이해', '멘토링 프로그램에 대한 이해' 등의 사항이 포함되며, 각 주제별 교육은 해당 분야의 전문가에 의해 구조화된 교재 및 교육 계획 가운데 수행되어야 한다. 이 과정에서 전달된 실천지식 및 기술이 실제 멘토링의 상황 속에서 어떻게 적용되는가를 관찰하며 감독하여 후속적인 지도를 실시해야 하며, 이들 주제별 교육의 강사는 향후 프로그램 감독자 및 멘토링 관리자에 대한 슈퍼바이저로서 멘토링 프로그램 과정에 참여하게 된다.

㉣ **멘토링 활동에 대한 슈퍼비전** : 멘토링 관리자는 또한 개별 상담을 계획하고 수행하는 멘토의 활동을 멘토로부터 보고받아 멘티와 멘토의 관계 및 멘토의 프로그램 수행에 관한 슈퍼비전을 제공해야 한다. 멘토링 관리자는 멘토가 멘토링 관리자와의 지속적인 연락 및 상의 가운데 개별 상담을 진행하도록 지시해야 하며, 개별 상담이 주 1회 이상 지속적으로 이루어질 수 있도록 멘토를 동기부여해야 한다. 멘토가 멘티와의 관계에서 어려움에 직면했을 때, 멘토에 대한 지지를 보내 결연관계가 지속되도록 원조해야 한다. 또한 멘토는 지속적인 슈퍼비전 제공을 통해, 멘토가 개별상담 진행상황에 따라 멘토교육을 통해 교육받은 상담 지시와 기술을 개별 상담에 적용하도록 사후 지도해야 하며, 월말평가, 중간평가, 최종평가 및 사례회의를 통해 각 멘토의 활동을 평가해야 한다.

(3) 멘토링 프로그램의 과정

멘티−멘토의 공식적 관계에 중점을 둔 멘토링 프로그램은 일정한 단계에 걸쳐 진행이 되는데, Hunt와 Michael(1983)은 멘토링 발달단계를 초기화 단계(initiation stage), 멘토링 단계(mentoring stage), 깨짐 단계(break-up stage), 재정립 단계(lasting friendship stage)로 구분하였다(박종애, 1996). 이러한 분류는 멘토링 프로그램에서 한쪽, 즉 멘티의 효용에 초점을 두고 있고, 일정한 단계를 유형화하기는 했지만 한 단계에서 다음 단계로의 변화를 설명하지 못했으며, 과거 경험을 근거로 하기 때문에 정보의 왜곡 가능성 등에서 한계를 가졌다(Kram, 1983). 이러한 한계를 극복하기 위해 Kram(1983)은 각기 다른 수준의 멘토링 단계에 속하는 18쌍의 관리자들을 대상으로 현재의 경험에 대한 쌍방의 경험을 묻는 심층질문을 실시하여 시작단계, 발전단계, 분리단계, 재정립단계의 네 단계의 멘토링 발전단계를 제시하였다. 이를 요약하면 <표 14−2>와 같다.

〈표 14-2〉 **멘토링 프로그램의 단계**

단 계	정 의	변화 시점
시작단계	두 사람 모두 서로에 대한 중요성을 가지기 시작하고 관계를 시작하는 시기로 6개월에서 1년 정도의 기간	• 환상이 구체적 기대로 변화 • 기대가 충족 : 멘토는 지도, 도전적 업무부여, 후원 기능을 하고 멘티는 기술적 도움, 존경, 지도받고자 하는 열망을 가짐 • 업무수행에 따른 상호작용 기회가 있음
발전단계	경력기능과 심리 사회적 기능의 범주가 최대한으로 확장되는 시기로 2년에서 5년	• 양자 모두 관계로부터 이득을 얻기 시작 • 의미 있는 상호작용의 기회가 증가됨 • 정서적 결합과 친근감이 증가
분리단계	관계에 대한 정서적 경험이나 혹은 구조적 역할 관계에서의 유의미한 변화 후 6개월 내지 2년 동안의 시기	• 멘티는 더 이상 지도를 원하지 않고 자율적으로 일할 기회를 열망 • 멘토는 중년의 위기를 맞이하고 멘토링 기능을 제공하기 어려워짐 • 직무순환이나 승진은 지속적인 상호작용의 기회를 제한하고 경력기능과 심리사회 기능을 더 이상 제공하기가 어렵게 됨 • 제한된 기회는 긍정적인 상호작용을 방해하는 분노와 적대감을 유발
재정의 단계	멘토링 단계는 종결되거나 이전과는 다른 특성을 가지게 되는 단계	• 분리의 스트레스가 감소되고 새로운 관계가 형성 • 분노와 적대감은 누그러지고 고마움이 증가 • 동료적 관계가 성취

출처 : 전미진(2003).

다양한 유형의 학교부적응 학생들의 적응력 향상을 위해 멘토링 프로그램은 기존의 단일 프로그램에서 충족되지 못했던 요소를 포괄하고 있다. 최근 청소년 분야에서 활발하게 적용되고 있는 멘토링 프로그램은 이러한 요건들을 최대한 충족시킬 수 있는 실천 틀이어서 주목할 만하다.

특히 멘토링 프로그램은 자원봉사자들을 활용한다는 측면에서서 학교부적응 학생을 위한 실천전략으로 더 많은 특성을 갖는다. 이를 구체적으로 살펴보면 다음과 같다.

첫째, 긴밀한 일대일 관계를 통한 서비스 전달이다. 멘토링 프로그램은 청소년과 자원봉사자가 일대일의 개인적인 관계, 즉 멘토링 관계를 맺는 이후, 멘티-멘토 간의 지속적인 만남을 통해 멘티에게는 요보호 청소년에게 사회적·정서적 지지를 제공할 수 있으며, 멘토에게는 봉사활동을 통한 서비스 직접 제공의 만족감을 제공할 수 있는 관계를 말한다. 이는 지금까지의 후원자-서비스 대상자 간의 결연관계가 주로 경제적인 원조를 주고받는 관계였던 것과 비교할 때, 더욱 발전된 개념으로서 경제적 원조뿐만 아니라 사회적·정서적 원조가 포함된 개념이다(Jean & Eileen, 1997, 채형일, 2001 재인용). 이러한 멘토링 관계는 반드시 멘토링 관리자의 책임하에 관리를 받게 된다.

둘째, 형식의 유연성 및 내용의 포괄성이다. 멘토링 프로그램은 멘토, 멘티, 멘토링 관리자만 존재하면, 그 형식이나 내용은 매우 유연하며 포괄적이다. 본질적으로 일대일 만남을 전제로 하고 있으나, 최근에는 일대일 관계만으로는 충족시키기 어려운 부분이나 부담스러운 부분은 구조화된 집단 프로그램이나 공동생활을 통해서 보완하는 것이 바람직한 것으로 나타났다(Butcher & Hall, 1998; Tierney & Branch, 1992).

셋째, 서비스 효과의 상호성이다. 멘토링 관계는 서비스 효과의 상호성이라는 특성을 가진다. 멘토링 프로그램에서 권장되는 멘토는 청소년 후기를 보낸 후 많은 기간이 지나지 않은 청년 자원봉사자인데, 이는 요보호 청소년의 관심과 경험을 많은 부분을 공유할 수 있기 때문이다. 또한 청소년 스스로도 성인기로의 전환에 중요한 많은 심리 사회적 과업을 달성하고자 하는 욕구, 예를 들어 정체감과 가치관 확립, 사회적 사호적용 및 성인 역할에 필요한 능력 등을 완성하기 위한 기회를 제공받을 수 있는 장점을 가지게 된다(Tierney & Branch, 1992, 채형일, 2001 재인용). 따라서 멘토링 프로그램은 명시적으로 목표 속에 서비스 멘티뿐만 아니라 서비스 제공자인 멘토에게 미치는 긍정적인 결과를 포함하기 때문에 더 큰 의미를 지닌다고 할 수 있다. 멘토링 프로그램은 젊은 세대의 멘토를 활용함을 통해 젊은 세대의 관심, 에너지, 열정, 능력을 활용할 수 있는 장점을 얻을 뿐만 아니라 멘티와 멘토가 멘토링 관계를 통해 상호 지지하고 원조하는 관계를 더욱 자연스럽게 발전시켜 갈 수 있다는 서비스 효과의 상호성을 지닐 수 있다.

CHAPTER

15 학교폭력에 대한 개입

1. 학교폭력의 개념

「학교폭력예방 및 대책에 관한 법률」의 제2조에 의하면, “학교폭력”이란 학교 내외에서 학생을 대상으로 발생한 상해, 폭행, 감금, 협박, 약취・유인, 명예훼손・모욕, 공갈, 강요・강제적인 심부름 및 성폭력, 따돌림, 사이버 따돌림, 정보통신망을 이용한 음란・폭력 정보 등에 의하여 신체・정신 또는 재산상의 피해를 수반하는 행위를 말한다고 규정하고 있다.

“따돌림”이란 학교 내외에서 2명 이상의 학생들이 특정인이나 특정 집단의 학생들을 대상으로 지속적이거나 반복적으로 신체적 또는 심리적 공격을 가하여 상대방이 고통을 느끼도록 하는 일체의 행위를 말한다고 규정하고 있다.

“사이버 따돌림”이란 인터넷, 휴대전화 등 정보통신기기를 이용하여 학생들이 특정 학생들을 대상으로 지속적, 반복적으로 심리적 공격을 가하거나, 특정 학생과 관련된 개인정보 또는 허위사실을 유포하여 상대방이 고통을 느끼도록 하는 일체의 행위를 말한다고 규정하고 있다. 2009년 개정된 주요 내용을 따르면, 학교폭력의 개념에 새롭게 성폭력을 포함시켰고, 피해자의 치료비용에 대한 구상권 및 가해학생의 보호자도 함께 특별교육을 받게 할 수 있는 내용을 신설하였다.

「학교폭력예방 및 대책에 관한 법률」에 의하면 학교폭력의 대상과 장소, 종류, 기간 원인 등은 다음과 같다.

〈표 15-1〉 **학교폭력의 구성과 내용**

	학교폭력의 성립요건
대 상	학생 간에 일어나는 폭력 (제외대상-부모, 교사, 자퇴생)
장 소	학교 내(교실, 복도, 화장실, 운동장 등), 학교 외(학원, 공원, 등하굣길 등)
종 류	폭력서클, 성폭력, 신체폭력, 금품갈취, 따돌림, 명예훼손, 모욕, 공갈, 언어폭력, 유인, 괴롭힘, 사이버폭력 등
기 간	일회적·지속적
원 인	보복, 우발적, 대인갈등, 장난, 이유 없음

※ 학교폭력은 국가에 따라서 다른 의미를 가지기도 한다. 미국의 경우에는 교사나 교직원들에 의한 학생들의 폭력도 학교폭력의 범주에 포함시키는 반면 우리나라에서는 학생에 대한 교사의 폭력은 학교폭력의 범주에 포함시키지 않는다.

그 외의 특별사항이 있는 경우에는 형법 및 「폭력행위 등 처벌에 관한 법률」, 소년법 등과 관련된 규정에 따라 그 법령을 먼저 중용한다.

학교폭력의 외형적 모습은 타인이나 타인의 재산에 해를 입히기 위한 물리적인 힘의 행사로 볼 수 있지만, 근래의 학교폭력은 신체적·물리적 폭력보다도 언어적 폭력과 심리적 폭력이 주로 많이 행해지고 있는 실정이다. 이에 따라서 학교 폭력에 대한 개념은 고의적 괴롭힘이나 따돌림, 금품갈취, 언어적 놀림이나 협박과 욕설, 신체적 폭행이나 집단적 폭행이라고 많은 연구들이 지적하고 있다.

청소년폭력예방재단은 학교 폭력의 개념을 "학교 교내에서 청소년들이 당하는 폭행, 금품갈취 등 신체적·물리적 폭력과 협박, 따돌림과 같은 정신적 폭력 및 성적인 폭력을 포함한다"라고 규정하고 있으며, 청소년보호위원회는 학교폭력 또는 청소년폭력을 자기보다 약한 처지에 있는 청소년(12세 이상 19세 미만으로 주로 학생들)에게 "학교 안이나 밖에서 신체적·심리적 폭력을 행사하거나 이를 반복적으로 실시하는 청소년 간의 행동"으로 정의하고 있다.

또 한국형사정책연구원은 학교폭력을 "학생이 학교 안이나 밖에서 일상적 생활과정에서 누군가로부터 당하는 유형 및 무형의 폭력을 말한다"고 정의하였다.

이러한 일련의 기관들의 학교폭력에 대한 정의를 살펴보면, 학교폭력은 여러 가지 다양한 형태로 정의되는데, 이에 의거하여 학교폭력의 개념을 피해자 입장에서 포괄적으로 정의해 보면, 학생이 학교 안이나 밖에서 누군가로부터 당하는 유형·무형의 폭력이며 이는 언어적·심리적·신체적 고통을 수반한다고 말할 수 있다.

2. 학교폭력의 유형

학교 폭력의 유형과 형태는 김형우(2009)에 의하면 신체폭력, 금품갈취, 집단따돌림, 언어폭력, 성폭력, 사이버폭력과 기타 유형으로 구별되며 내용은 다음과 같다.

〈표 15-2〉 **학교폭력의 유형과 내용**

구 분	내 용
신체폭력	형법상 폭행죄에 해당하는 협의의 개념으로서 사람의 신체에 대한 폭력을 행사하는 것이다. 예전에는 몸싸움과 주먹싸움이 대부분이었는데, 최근에는 수술놀이, 햄버거 쌓기, 기절놀이 등의 놀이형태로 나타나기도 하고, 컴퍼스·칼·볼펜·고무줄·청소도구·각목 등을 이용하고 있어 타박상부터 혼수상태, 장애·사망에 이르기까지 한다.
금품갈취	물리적 이익을 얻을 목적으로 행해지는 폭력의 형태이다. 물건이나 돈을 뺏는 것뿐만 아니라, 누군가를 시켜 간접적으로 갈취하는 것까지 포함한다. 최근에는 상납의 형태로 지속적으로 이루어지고 있다.
집단 따돌림	집단따돌림 또는 왕따는 학생들 사이에서 어떤 집단 사이에 존재하는 기준에서 벗어나는 이를 괴롭히려고 의도적으로 따돌리는 집단의 압력에 동조하여 같이 괴롭히는 행동을 말한다. 초등학교·중학교에서 많이 발생하며, 집단따돌림을 주도하는 학생들만의 문제성으로 발단되기보다 '집단따돌림에 대한 경각심 부족'이 따돌림을 발생·방치되도록 하는 장치로 작용하고 있다. 장애학생이나 또래에 비해 왜소하거나 비만한 학생, 매우 내성적인 성격으로 자신의 의사표현이 부족한 학생, 유행·연예인·TV 프로그램·신조어 등을 잘 모르는 학생, 청결하지 못한 학생이 쉽게 표적이 되기도 한다. 피해학생들은 등교거부나 부모에게 전학요청을 하는 등 피해사실을 주로 간접적으로 호소한다. 사이버상의 집단따돌림 현상이 최근 인터넷과 SNS 문화로 인해 증가하고 있다.

언어폭력	상대방을 해하거나 고통을 주려는 의도가 있어야 하며, 그 영향이 강하고 지속적이어야 한다. 주로 여학생이 남학생에 비해 상대적으로 심각하게 느끼며, 뒤에서 수근거림, 악의적인 헛소문 퍼뜨리기 등의 간접적인 언어폭력부터, 무시·협박·욕설 등의 직접적인 욕설 그리고 SNS·채팅·쪽지 등의 다양한 방법으로 행해지고 있다.
성폭력	강간, 성추행, 성희롱, 성기노출, 음란물 보이기, 윤락행위 강요, 윤간 등 성을 매개로 하는 폭력을 포함하는 개념이다. 아직 생각이나 판단이 미성숙한 어린이·청소년의 경우, 저항하지 않거나 충분히 싫다는 표현을 하지 못했다고 하더라도 이들을 대상으로 한 성적인 모든 행동을 성폭력이라고 할 수 있다. 최근에는 집단적이고 조직적인 방법으로 실행되고, 영상매체를 모방한 방법의 치밀함이 청소년 성폭력의 특징이다.
사이버 폭력	상대방의 의사와 관계없이 이루어지는 인터넷상의 게시판, 댓글 등을 통한 비방과 욕설, 허위사실유포, 개인정보와 사생활 유출 등의 행위로 특정 대상에게 불쾌감과 정신적 피해를 주는 행동을 말한다. 최근 청소년들 사이에 인터넷, SNS 관련 문제가 급격하게 늘어나면서 사이버 세계는 실생활의 연장선으로 인식되고 있을 만큼 매우 밀접하다. SNS, 블로그에 악의적인 댓글, 채팅 중 욕설, RPG 게임 중 무차별적인 공격, PC 해킹 등 다양한 형태로 나타난다.
기타 유형	공갈, 감금, 약취, 유인, 추행, 재물손괴, 모욕 등이 있다.

3. 학교폭력의 특성

학교폭력의 특성을 살펴보면, 학생들 간의 관계에 있어서 폭력은 자신의 욕구나 어떠한 목적을 위해서 그 대상이 모범생이든 일부 문제 학생이든 따지지 않고 행하여진다는 점과 이와 같은 피해를 입히고도 발견되기 전까지는 별다른 죄의식을 느끼지 못한다는 것이다. 또한 이것이 반복되다 보면 가해자와 피해자의 신분을 둘 다 갖게 되는 이상한 현상이 벌어지게 된다. 이는 학교폭력에서 가해학생이 피해학생이 되기도 하기 때문이다.

학교폭력의 일반적인 특징을 좀 자세하게 더 살펴보면 다음과 같다(장유경, 1998).

〈표 15-3〉 **학교폭력의 일반적 특성**

• 단순한 탈선 차원을 넘어 심각한 범죄 단계에 이르고 있다.
• 가치관의 혼란으로 죄의식이나 책임감을 느끼지 못한다.
• 폭력이 특정 비행집단에만 국한되는 것이 아니라 모든 청소년에게 일반화되어 일상적으로 폭력을 쉽게 발견할 수 있다.
• 저연령화 및 여학생 폭력이 증가하고 있다.
• 폭력, 금품갈취 이외에도 집단따돌림 등 심리적인 폭력이 나타나고 있으며 단순 폭력보다는 지속적으로 가해지는 학대적 경향을 보이고 있다.
• 재미로, 아무 이유 없이, 건방지게 구니까, 충동에 의해 우발적으로 일어나는 경향이 있다.
• 학교폭력은 단독으로 하기보다는 보통 2명 이상 집단으로 행하여지는 경우가 많으며 이에 따라 피해학생은 뚜렷한 저항 없이 보복의 두려움 속에서 무력하게 당하게 된다. 폭력의 집단성은 여학생에게서 많이 발견된다.
• 학교폭력은 가해자나 피해자 모두 같은 또래 학생인 경우가 대부분이며, 특히 양자가 모두 잘 아는 사이인 경우가 많다. 또한 일부 청소년의 경우, 가해자인 동시에 피해자가 되는 특성을 갖는다.
• 최근 들어서는 도심지에서 일어났던 폭력이 도시의 변두리나 농촌 지역까지 확산되어 지역적 확산성을 갖는다.
• 학교폭력 가해자는 죄의식, 죄책감을 가지지 못하는 특성이 있다.

4. 학교폭력의 요인

1) 개인적 요인

사람은 누구나 폭력행동의 경향성을 가지고 있다. 이는 동물이 지니고 있는 지극히 정상적인 경향인데, 여기서 모든 정상적인 사람들은 학습을 통한 양심과 도덕의 기준이 자기 통제력에 강하게 작용하여 폭력행위를 하지 않는다. 그러나 폭력적인 성향이 강하고 반사회적 행동특성을 가진 학생들은 이를 행할 때 반성하거나 고민하지 않는다. 이들은 공격성이 강하기 때문에 자기의 욕망이나 감정이 작동하며 사회질서나 규범을 고려하지 않고 감정대로 행동한다(정진희, 2009).

또한 폭력행위를 하는 학생들은 감수성이 예민하고 열등감·적개심이 강하며 이러한 심리적 발달은 폭력행위를 가중시킨다. 더욱이 이런 학생들은 타인을 의식하지 않고 자기중심적이고 이기적인 행동을 하며, 지적인 판단력이나 표현력도 부족하여 폭력을 휘두른다. 결국 이러한 학생들은 부정적인 자아개념이 형성되어 자기 자신을 필요 없는 존재, 약한 존재로 규정하며 그러한 방향으로 삶을 이끌어 간다. 이들은 아주 작은 문제도 해결하고자 노력하지 않고 쉽게 폭력을 선택한다.

2) 가정적 요인

가정은 기초집단으로 인간 형성의 근간이 된다. 따라서 가정적 요인은 학교폭력요인을 좌우하는 중요한 요소가 된다. 학교폭력 가해자의 가정을 살펴보면, 부모와 자녀 간의 대화부족 및 의사소통의 장애, 경제적인 어려움에 따른 생활의 불편, 강압적이고 일관성이 결여된 부모의 자녀양육방식, 아버지의 지나친 음주 및 가족 구성원에 대한 폭행, 부모와 자식이 서로 자신의 요구만을 강요하는 이기적인 행동의 만연 등의 다양한 문제를 안고 있는 경우가 많다.

학교폭력 가해학생의 상당수는 가정폭력 경험과 동시에 부모 간의 가정폭력을 목격한 경험을 가지고 있는 것으로 분석된다. 특히 가해학생은 자신이 경험한 가정 폭력의 정도가 심각할수록 폭력적인 성향을 나타내게 되는데, 이들은 보고 듣고 경험한 그대로를 모방하여 폭력으로 상황을 해결하게 되고, 가정은 이를 통제하고 관리하지 못한다. 가정 내에서 폭력을 행사하는 경우가 아니더라도 부모-자녀 간 의사소통이 잘 이루어지지 않거나 불화-갈등을 자주 일으키고, 부모의 자녀에 대한 양육방식이 일관성 없는 경우에 부모의 부적절한 자녀의 처벌·훈육방식은 청소년에게 문제행동에 대한 적절한 책임과 죄책감을 심어주지 못하며, 처벌만 피한다면 나쁜 짓을 해도 된다는 사고를 낳게 된다.

3) 학교 환경적 요인

청소년기 대부분의 시간을 소비하게 되는 학교에서의 욕구 좌절은 학교폭력의 한 원인이 되기도 한다. 학생들이 갖는 학교 결속력은 학교가 학생 개인에게 학교 활동에 능동적으로 참여함으로써 자신의 욕구를 충족시킬 수 있는 기회를 제공할 수 있는지에 달려 있다. 우리나라는 대학 입시 위주의 교육으로 학생들의 학업도는 곧 성적 및 진학하는 대학의 순위에 의해 평가되어 대다수의 학생들은 학업 성취에 대한 좌절 및 실패의 경험을 하게 된다. 결국 학교는 학생의 욕구를 충족시킬 수 있는 공간이 되지 못하고 학생들의 학교 결속력은 약화된다. 청소년들은 충족하지 못한 욕구, 불만, 스트레스 등을 자신보다 약해 보이는 학생에 대한 괴롭힘, 폭력 등으로 해소하여 학교폭력의 원인이 된다.

또한 입시 위주의 교육문화와 교육환경으로 인해 학생들에게 원만한 인간관계를 형성하는 데 필요한 사회적 기술이나 타인을 배려하고 상대방의 입장을 이해하는 방법에 대한 훈련이 부족한 것도 하나의 원인이 된다.

그 밖에 학교 관련 요인으로는 낮은 성적, 교사의 무관심이나 부적절한 대우, 낮은 학문적 자아 개념 또는 학업적 흥미, 문제 학생과의 교우 관계 등도 있다.

4) 지역사회와 문화적인 요인

대중매체의 폭력에 대한 빈번한 노출은 실제 생활에서 나타나는 폭력에 대한 감정 반응을 둔화시키며, 분노 상태에서 폭력을 행사하려는 동기를 조장하여 반사회적인 공격행동을 야기시킬 수 있다. TV · 영화 · 만화 · 게임 등 다양한 경로를 통해 확대 보급되는 과정 속에서 청소년들이 폭력 프로그램에 노출될 위험성은 더욱 커지며, 폭력에 대한 청소년들의 호기심과 모방심리는 자극받게 된다. 이러한 청소년들이 문제 해결 방법으로 폭력을 수용하게 되고, 대중매체를 통해 언어적이고 신체적인 폭력을 많이 경험한 청소년일수록 학교폭력 가해 경험이 많은 것으로 나타났다.

사회적 해체이론에 따르면, 사회적으로 해체된 지역사회에서 범죄행동이 빈번히 발생한다고 한다. 즉, 폭력적 지역사회 환경에 노출된 청소년들은 그렇지 않은 청소년들에 비해 폭력 행동, 우울, 분노 등 전반적인 정서적 고통의 수준이 높은 반면, 자존감과 사회적 능력은 낮은 것으로 나타난다는 것이다. 폭력적인 가정과 학교, 상대적으로 빈곤한 사회, 자연환경을 제공하는 놀이공간의 감소, 청소년에게 비친화적인 도시계획, 유해 환경적 주거환경, 지역사회의 폭력적 환경 등 폭력과 친한 사회적 환경에 의해 청소년의 폭력 성향이 조장될 수 있다.

5. 학교폭력의 현황

1) 학교폭력의 실태

학교폭력에 대한 실태조사는 교육부에 의해 2012년부터 매년 2회(초등학교 4학년－고등학교 2학년) 전국 시・도 교육감이 공동으로 실시하고 있다. 2016년 2차 실태조사 결과 초등학교 4학년부터 고등학교 2학년 재학생 중 94% 이상이 참여한 조사에서 학교폭력이 지난 2012년 이후로 5년째 지속적으로 감소하고 있는 것으로 나타나고 있다. 교육부가 실시한 2016년 2차 학교폭력 실태에 따르면 학교폭력 피해를 겪었다고 답한 학생은 2만 8천 명으로, 지난해보다 6천 명 감소했고, 지난 2012년 이후 학교 폭력은 5년째 지속적으로 감소 추세를 보이고 있다.

학교폭력 피해를 입었다고 응답한 학생은 초등학생이 가장 많았으며, 초등학생은 1.3%인 1만 6천여 명의 학생이 학교폭력을 경험했다고 답했는데, 중학생이나 고등학생보다 배가 된다.

학교폭력 피해는 교실과 복도 등 학교 안에서 그리고 쉬는 시간에 가장 많이 발생했고, 대다수가 같은 학교, 같은 학년 학생에게 피해를 입은 것으로 나타났다. 피해 유형은 언어폭력이 34.8%로 가장 많았고, 집단 따돌림과 신체폭행 등이 뒤를 이었다.

한편 2016학년도 1차 학교폭력 실태조사 결과 분석에 따르면 최근의 학교폭력은 저연령층화되고 있으며, 신체폭력보다는 인터넷상의 학교폭력 빈도가 증가하고 있다. 특히 초등학교에서의 학교폭력이 많아지고 심각해지는 상태로 진행되고 있는 경향을 보이고 있다(그림 15-1 참조).

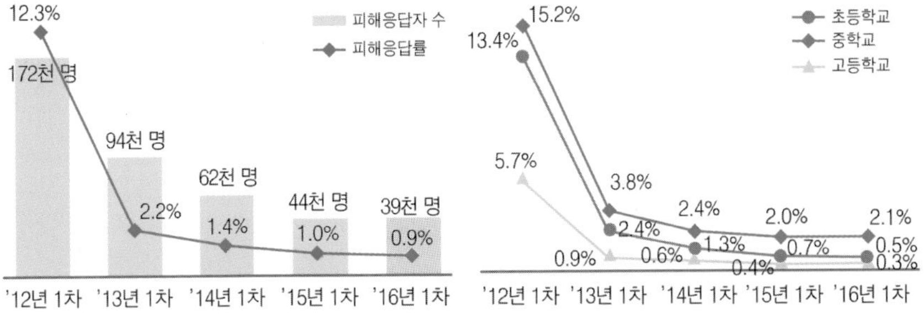

전체 피해 응답률(왼쪽)과 학교급별 피해 응답률

| 그림 15-1 | 5년간 학교폭력 피해 추이

출처 : 교육부(2016).

또한 초·중·고교 중 초등학생은 1.3%인 1만 6천여 명의 학생이 학교폭력을 경험했다고 답했는데, 이 중 초등학교 4학년의 피해 응답률이 가장 많아서 학교폭력이 저연령화되고 있음을 보여주고 있다(그림 15-2 참조).

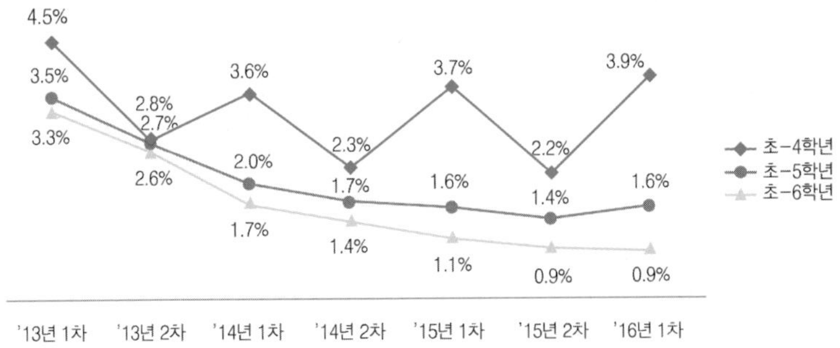

| 그림 15-2 | 초등학교 4, 5, 6학년의 학교폭력 피해 응답률

출처 : 교육부(2016).

학교폭력의 피해장소는 학교 안(72%)이 학교 밖(28%)에 비해 상대적으로 많으며 학교 안에서는 교실(41.2%), 복도(10.9%), 운동장(6.4%) 순으로 나타났다.

한편 학교 밖에서는 사이버 공간(5.5%)과 놀이터, 골목 등(5.5%)으로 가장 많았고 다음이 학원이나 학원 주변이 4.0%로 나타나 사이버상의 폭력의 심각성을 보여준다(그림 15-3 참조).

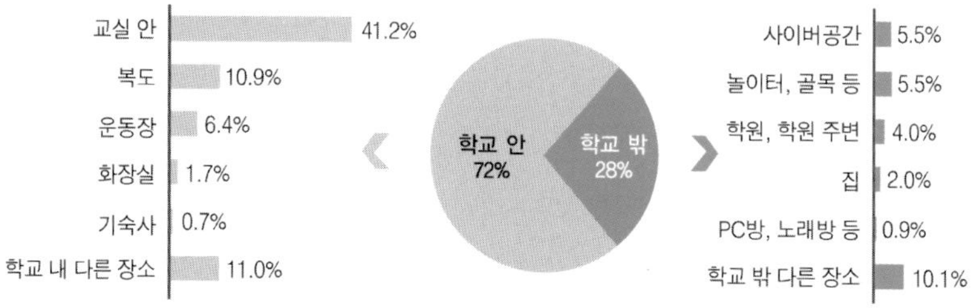

| 그림 15-3 | 학교폭력 피해장소

출처 : 교육부(2016).

초·중·고교생의 피해 응답률과 피해를 입었다는 학생 현황에서 2012년 이후 학교폭력은 감소하고 있다는 점에서는 바람직한 현상이지만 초등학생이 중·고교생에 비해 응답율과 피해학생 수가 상대적으로 많다는 점(그림 15-4 참조)은 학교폭력에 대해 좀 더 체계적이며, 각 학년에 적합한 프로그램과 대책이 필요함을 보여주는 것이다.

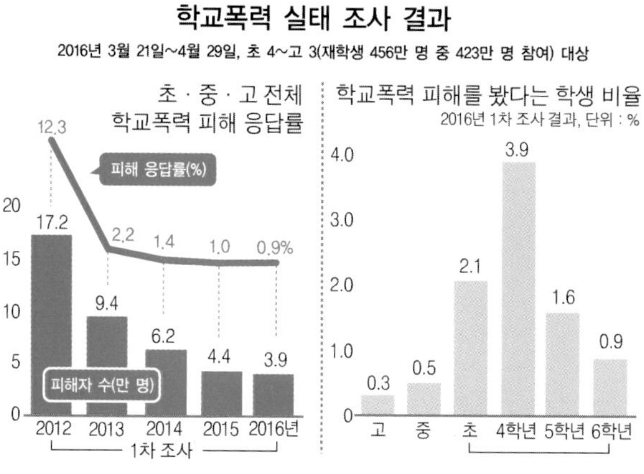

| 그림 15-4 | 피해 응답률 추이와 학년별 피해자 수

출처 : 교육부(2016).

교육부(2016)에서는 다음과 같은 대책을 제시하고 있다

첫째, 단위학교-지역-중앙 차원의 대책 수립·시행으로서 학교폭력 양상을 고려한 안전강화 대책 및 예방활동, 신고체계 점검 및 개선을 포함하는 「학교폭력 사안별 처리방안 및 예방대책」을 수립하였으며, 교육청은 단위학교의 후속조치 상황을 지도·점검함과 동시에 생활지도 전반에 걸쳐 특별한 도움이 필요한 학교에 대한 지원 방안을 수립하고 있다. 또한 중앙정부 차원에서 시·도 교육청별 대책과 여건을 고려한 맞춤형 지원을 제공하고, 전국적으로 통일적 시행이 필요한 정책을 주도적으로 추진할 계획을 세우고 있다.

둘째, 학교폭력 피해유형별 맞춤형 대응 강화로서 학교폭력 실태조사 결과 여전히 피해비중이 높게 나타난 언어폭력, 집단 따돌림에 대한 대책을 강화하기로 하였다.

일상화된 욕설·비속어가 사이버폭력 등 학교폭력 전반으로 전이되는 점을 감안, '욕설 없는 학교 만들기'와 같은 언어문화 개선 캠페인, '언어문화개선 선도학교' 선정 등 다양한 접근을 통해 지속적인 언어문화 개선을 유도하고자 한다. 또한 집단 따돌림 등 관계적 학교폭력에 대응하여, '집단 따돌림 선별도구' 보급을 통해 이상징후를 조기 포착하고, '어울림 프로그램 심화과정'을 개발·보급하여 공감·소통 능력을 배양함으로써 교우 간 관계 회복에 중점을 맞출 계획이라고 말하고 있다.

셋째, 학교폭력 예방을 위한 범사회적 협력체계 강화로서 전 사회적 대응체계 구축 없이는 학교폭력을 뿌리 뽑을 수 없다는 인식하에, 중앙부처 차원에서 행정자치부, 보건복지부, 여성가족부, 경찰청 등 관련 부처와의 협력을 더욱 강화하고, 지역 차원에서 기초지방자치단체, 경찰청 등 지역사회 유관기관이 협력 네트워크를 형성하여 다양한 학교폭력 예방·근절 활동을 적극적으로 전개할 수 있도록 지원할 예정이라고 밝히고 있다.

2) 학교폭력 피해, 가해학생의 징후(교육과학기술부 · 법무부, 2009)

〈표 15-4〉 피해학생의 징후

• 수업시간에 특정 학생에 대한 야유나 험담이 많이 나돈다. • 잘못했을 때 놀리거나 비웃거나 한다. • 체육시간이나 점심시간, 야외활동 시간에 집단에서 떨어져 따로 행동하는 학생이 있다. • 옷이 지저분하거나 단추가 떨어지고 구겨져 있다. • 안색이 좋지 않고 평소보다 기운이 없다. • 친구가 시키는 대로 그대로 따른다. • 항상 완력 겨루기의 상대가 된다. • 친구의 심부름을 잘한다. • 혼자서만 하는 행동이 두드러진다. • 이름보다는 비하성 별명이나 욕으로 호칭된다. • 주변 학생들한테 험담을 들어도 반발하지 않는다. • 성적이 갑자기 혹은 서서히 떨어진다. • 청소당번을 돌아가면서 하지 않고 항상 동일한 학생이 한다. • 특정 학생을 향해 다수가 눈치를 보는 것 같은 낌새가 있다. • 자주 지각을 하거나 몸이 아프다는 이유로 결석하는 학생이 있다. • 평소보다 어두운 얼굴표정으로 수심이 있고 수업에 열중하지 못한다. • 특별한 볼일 없이 교무실(상담실, 양호실)이나 교사 주위를 배회한다.

위와 같은 징후를 보이는 학생이 보일 때 담당교사 및 학교사회복지사는 피해학생이 편안한 분위기에서 학교생활을 할 수 있도록 조치를 취하고, 피해학생이 더 이상의 폭력 상황에 처하지 않도록 폭력이 허용되지 않는 교실 분위기를 만들어 가도록 이끌어야 한다.

〈표 15-5〉 가해학생의 징후

• 교실에서 큰 소리를 많이 치고 반 분위기를 주도한다. • 교사와 눈길을 자주 마주치며, 수업 분위기를 독점하려 한다. • 교사가 질문 시 다른 학생의 이름을 대며 그 학생이 대답하게끔 유도한다. • 교사의 권위에 도전하는 행동을 종종 나타낸다. • 육체적 활동을 좋아하며 힘이 세다. • 화를 잘 내고 이유와 핑계가 많다.

- 친구에게 받았다고 하면서 비싼 물건을 가지고 다닌다.
- 성미가 급하고 화를 잘 낸다.
- 자기 자신에 대한 자존심이 강하다.
- 작은 칼 등 흉기를 소지하고 다닌다.
- 등하교 시 책가방을 들어주는 친구나 후배가 있다.
- 손이나 팔 등에 종종 붕대를 감고 다니거나 문신 등이 있다.

위와 같은 징후를 나타낼 때는 먼저 대화로 상황을 확인하고, 그에 따라서 폭력은 용납할 수 없는 것임을 교육시키고, 문제의 원인을 밝혀 폭력이 아닌 대화 등의 긍정적인 방식을 통하여 문제를 해결할 수 있도록 도와주어야 한다. 심각할 경우에는 상황에 대해 정확히 파악하고 학교와 함께 대처하도록 한다.

3) 피해학생의 지도

피해상황을 알게 되면 교사는 가장 먼저 피해학생의 상태와 신변보호를 고려하여야 한다. 사실을 객관적으로 파악하고 이해하여 방향을 설정하는 해결자로서의 역할과 불안한 피해학생의 마음을 정서적으로 지지하는 상담자로서의 역할을 수행하되 객관성을 잃지 않는 것이 중요하다. 특히 상담에 임할 때 학생이 이야기하고 싶어 하는 부분에 비중을 두고 들어야 한다.

학교폭력 상황이 대수롭지 않더라도 교사에게 학교폭력의 상황을 알리는 상황이 되었을 경우에 피해학생은 정신적 고립감이 생길 수 있다. 따라서 상담가는 학생과의 공감대 형성에 먼저 주력해야 한다. 피해학생에게 학교폭력 피해의 요인이 있는 경우에도 이를 지적하기보다는 상담가가 함께 노력하겠다는 해결의 의지를 보여주는 것이 필요하다. 그래야만 학생 또한 마음을 열고 근본적인 해결책을 논의할 수 있게 된다. 상담가 및 교사가 개입했을 때 일시적으로 폭력행위는 중단될 수 있겠지만, 재발하게 되면 그 강도가 더욱 심해지는 경우가 대부분이므로 학교폭력 여부를 정기적으로 확인하여 대처하여야 할 것이다.

4) 가해학생의 지도

가해학생을 지도하기 위하여 학생의 성장과정, 가족 구성원 간의 관계, 평상시 부모의 양육태도, 대화 방법, 용돈을 어느 정도 주는지 등을 알아보고 문제행동의 원인이 어느 정도 파악되었으면 교사와 학부모 간 긴밀한 연계를 통하여 학생과의 대화를 시도하도록 한다. 가해학생과는 진솔한 대화를 나누도록 한다. 거친 행동을 보이는 학생일수록 마음은 고독하고 인간관계를 그리워하는 경우가 많으므로, 상담가가 따뜻한 관심으로 진지하게 접근하게 되면, 가해학생은 의외로 쉽게 마음을 열게 되어 근본적인 문제의 원인을 파악할 수 있게 된다.

5) 피 · 가해학생 이외의 학생지도

학교폭력은 그 폭력의 당사들만이 아니라 그것을 방관하거나 무관심하게 지켜보는 학급 분위기에 크게 좌우된다. 학생들 가운데에는 학교폭력에 직접 관여하지 않으면 학교폭력과는 전혀 상관없다고 생각하는 학생들이 많다. 또 학교폭력이 나쁜 것이라 알고 있으면서도 그것을 막거나 교사에게 알리는 것이 불가능해 고민하는 학생들도 있다. 학교폭력을 보고도 못 본 척하는 학생들은 언제든지 폭력의 가해자나 피해자가 될 수 있다. 그래서 심지어 학교폭력을 휘두르는 학생들과 일부러 더 친해지려는 학생들도 있다. 이에 대해서 상담가와 교사는 학교폭력은 인권을 무시하는 비겁한 행위이며, 이를 묵인하는 것도 마찬가지로 비겁한 행위라는 것을 학생들에게 인식시키는 교육을 하여 반 전체가 폭력을 용납하지 않는 분위기로 이끌어 가도록 해야 한다.

6. 학교폭력 전담기구의 설치 및 역할

1) 전담기구의 개념과 의의

학교폭력의 주된 장소는 학교이다. 학교이기 때문에 담임 교사의 중요성은 커진다. 하지만 교사 입장에서는 과중한 수업시간과 재량권의 제한, 입시 위주의 교과과정 등 학생과 교사 간의 친근한 신뢰관계 형성이 어렵고, 학교 내에서 상담문화의 부재로 학교폭력 문제에 적극적으로 대처하는 것 역시 쉬운 일이 아니다. 이를 해결하기 위하여 「학교폭력예방 및 대책에 관한 법률」은 각급 학교에 전담기구를 신설하고 예방교육을 실시하게 하는 등 예방조치에 대해 많은 내용을 담고 있다.

2) 전담기구의 설치

(1) 구성원

학교장은 전문상담교사, 보건교사 및 책임교사 등으로 학교폭력 문제를 담당하는 전담기구를 구성하여야 한다(법 제14조 제3항). 여기서의 책임교사는 학교폭력 문제를 담당하는 교사를 의미한다. 보통 학교에서는 생활지도부를 구성하고 이에 교사가 부장과 부원으로 참여하게 된다. 또한 생활지도부에 속하는 교사 중 참여의사가 있다면 전담기구에 참여할 수 있다. 이러한 교사를 중심으로 다른 교사 등이 참여하여 전담기구를 구성하게 된다.

(2) 전담기구의 역할

① 학교폭력에 대한 실태조사

해당 학교의 학교폭력에 대한 실태조사를 전담하여 실시하게 된다. 학교의 상황이나 발생한 학교폭력 사건에 따라 수시로 실태조사를 실시할 수 있다.

② 학교폭력예방 프로그램의 구성 및 실시

강화된 학교폭력 예방교육을 전담하여 그 구성에서 실시까지를 총괄하게 된다.

③ 학교장 및 자치위원회의 요구 시 학교폭력 조사 결과 보고

학교장이나 자치위원회가 전담기구의 학교폭력 조사 결과에 대해 자료를 요청하는 경우 전담기구는 그 결과를 보고하여야 한다. 보고에는 전담기구에서 실시한 학교폭력 조사 결과뿐만 아니라 그동안의 활동결과까지 포함된다.

④ 피해사실의 확인을 위한 학교폭력 사건의 조사

전담기구의 구성원이 학교에서 학교폭력에 대해 전문성을 지닌 사람들로 구성되어 있다. 이러한 전문성을 활용하기 위하여 법에서는 피해학생이나 피해학생의 보호자가 피해사실 확인을 위해 전담기구에 조사를 요구할 수 있도록 하고 있다.

7. 학교폭력 예방 교육

1) 의 의

2008년 법 개정 이후 각급 학교에서는 학교폭력 예방교육이 매우 중요한 과제로 떠올랐다. 특히 이를 담당할 전담기구까지 설치함으로써 그 중요성을 더하고 있다. 예방교육의 목적은 궁극적으로 학교폭력에 대한 청소년들의 그릇된 인식과 태도를 변화시키는 것이다. 그리고 이러한 변화를 통해 가해학생 또는 학대의 위험징후가 있는 학생들에게 학교폭력은 범죄라는 인식을 심어주고 바람직한 태도변화를 유지하거나, 일반 학생들에게는 언제 당할지 모를 학교폭력에 대해 효과적으로 대처할 수 있도록 교육시킴으로써 학교폭력의 잠재적 가능성을 최소화하여 안전하고 즐거운 학교를 만드는 것이다.

2) 학교폭력 예방교육의 실시

「학교폭력예방 및 대책에 관한 법률」은 학교폭력 예방교육에 대해 구체적으로 그 실시 등을 규정하고 있다. 이에 따르면 학교장은 학교폭력 예방교육을 학생과 교직원에 대한 교육을 모두 각각 실시하여야 한다. 학교폭력 예방교육의 횟수·시간 및 강사 등 세부적인 사항은 학교의 여건에 따라 학교장이 정하게 된다(법 시행령 제17조 제1호).

(1) 학생대상 예방교육

학교장은 학생의 육체적·정신적 보호와 학교폭력의 예방을 위하여 학생들에 대한 교육을 학기별로 1회 이상 실시하도록 정하고 있다(법 시행령 제17조 제1호).

학생대상 예방교육은 '학급단위로 실시하는 것이 원칙'이다. 그러나 현실적으로 학급단위로 시행하기에는 교사에게 큰 부담이다. 또한 상황에 따라 학급단위 수업이 어려울 수도 있다. 따라서 학교의 여건에 따라 전체 학생을 대상으로 한 장소에서 동시에 실시할 수 있다(법 시행령 제17조 제2호).

(2) 교직원 대상 예방교육

학교장은 예방 및 대책 등을 위한 교직원에 대한 교육을 학기별로 1회 이상 실시하여야 한다(법 제17조 제5호). 여기서의 교직원은 생활지도 교사에 한정되는 것이 아니라 모든 교사와 학교의 직원이 포함된다.

CHAPTER

16 이주배경 청소년에 대한 개입

1. 다문화의 이해

다문화는 하나 이상의 복수의 문화를 의미한다. 즉, 다문화는 다인종, 다민족으로 구성된 사회에서 문화의 중심이 되는 주류문화에 대한 하위개념으로, 위계관계 혹은 다양성의 존중을 내포하는 개념으로 정의할 수 있다(이종복 외, 2013). 따라서 다문화사회는 서로 다른 문화에 대한 이해와 존중을 통하여 형성된다. 다문화(multi-culture)라는 용어는 1990년대 후반부터 일부 사회단체에서 사용되었으나, 정부정책과 시민단체에서 본격적으로 사용되기 시작한 것은 2005년 결혼이민자들이 급증하면서 그들의 처우가 사회적 이슈로 다루어지게 되면서부터이다(설서나, 2022).

다문화를 포함한 용어로는 다문화 사회, 다문화 가족 등이 있다. 다문화 사회는 다인종, 다민족으로 구성된 사회를 의미하며, 다문화 가족은 우리 사회에 거주하고 있는 외국인근로자, 결혼이민자, 북한이탈주민, 난민 등의 외국인 근로자와 외국인과의 사이에서 태어난 자녀들을 비차별적으로 부르는 용어이다.

우리나라는 그동안 우리 민족은 '단일민족', '백의민족' 등으로 표현하며, 민족의 순혈성을 강조해 왔으며, 또한 국제적으로도 전 세계 184개 국가 중 아이슬란드와 함께 단일문화를 고수하고 있는 국가로 분류되어 있다(이종복 외, 2013). 그러나 우리나라도 1950년 한국전쟁 후 미군과 한국인 여성들의 결혼에서부터 시작하여, 1980년대 말부터 국내의 부족한 노동력을 메우기 위하여 외국인노동자들이 증가하기 시작하였으며, 1990년대 중반부터는 농촌 총각들의 결혼을 위한 국제결혼이 증가하는 등 다양한 이유로 2014년 말 국내에 체류하고 있는 외국인이 180만 명으로 전체 인구의 3.6%에 이르고 있다(법무부, 2015). 즉, 우리 사회는 짧은 기간 동안에 외국인의 유입이 급속하게 이루어지고 있으며, 서구에서는 몇 세대에 걸쳐 진행되었던 다문화 사회가 단시간 내에 빠르게 진행되고 있다.

2. 이주배경 청소년의 개념

이주배경 청소년이란 청소년복지지원법 제18조에 따라 다문화가족의 청소년과 그 밖에 국내로 이주하여 사회·문화 적응 및 언어 학습 등에 지원이 필요한 청소년(9세~24세)을 의미한다(여성가족부, 2022).

이주배경 청소년의 유형은 신현옥 외(2012)는 이주배경 청소년의 유형을 중도입국 청소년, 다문화가족의 자녀, 외국인근로자가정 자녀, 탈북청소년 등으로 분류하였다.

중도입국 청소년이란 2000년 이후 급증하기 시작한 국제결혼 재혼가정의 증가에 따라 나타난 집단으로, 결혼이민자가 한국인 배우자와 재혼하여 본국의 자녀를 데려온 경우와 국제결혼가정의 자녀 중 외국인 부모의 본국에서 성장하다 청소년기에 재입국한 청소년의 경우를 말한다(양계민, 2011).

다문화가족의 자녀의 경우, 다문화가족지원법에 따른 '다문화가족'의 자녀로 개념 정리하였다(신현옥 외, 2012). 다문화가족지원법 제2조 제1호에 따른 다문화가족의 정의는 간단히 정리하면 대한민국 국적자(귀화자 포함)와 외국 국적자 간의 국제결혼으로 이루어진 가족으로 되어있다(신현옥 외, 2012).

외국인근로자 가정 자녀의 경우, 외국인근로자를 배우자로 둔 가정의 자녀를 외국인근로자가정의 자녀로 개념 정리하였다(신현옥 외, 2012). 「외국인근로자의 고용 등에 관한 법률」 제2조에 따른 외국인근로자란 대한민국의 국적을 가지지 아니한 사람으로서 국내에 소재하고 있는 사업 또는 사업장에서 임금을 목적으로 근로를 제공하고 있거나 제공하려는 사람을 의미한다(신현옥 외, 2012).

탈북청소년은 좁은 의미로는 북한에서 출생하여 현재 한국에서 살고 있는 만 6세 이상 24세 이하 북한이탈주민이지만 광의로는 부모 중 한 사람 이상이 북한이탈주민이고 중국 등 제3국에서 출생한 아동·청소년이 포함되어, 원칙적으로 북한이탈주민의 범주에는 속하지 않으나 탈북가정의 자녀로서 교육적 지원이 필요한 경우를 포함한다(탈북청소년교육지원센터, 2020).

양계민 외(2020)의 연구에서는 이주배경 청소년의 유형을 ① 국내 출생 국제결혼 가정 자녀, ② 국외 출생 국제결혼 가정 자녀, ③ 국내 출생 외국인 가정 자녀, ④ 국외 출생 외국인 가정 자녀, ⑤ 남한 출생 탈북배경 청소년, ⑥ 탈북청소년, ⑦ 제3국 출생 탈북배경 청소년의 유형으로 구분하였다(양계민 외, 2020).

〈표 16-1〉 **이주배경 청소년의 정의에 따른 유형**

유 형	포함 대상 및 특성
① 국내 출생 국제결혼 가정 자녀	- 부모 중 한 명은 한국인인 국제결혼가정의 자녀 - 국내 출생자이며 한국인 - '다문화 청소년'이라고 지칭하기도 함
② 국외 출생 국제결혼 가정 자녀	- 부모 중 한 명은 한국인인 국제결혼가정의 자녀 - 외국 출생자로 어느 정도 성장 후 한국에 입국 - 귀화를 통한 한국 국적자와 외국 국적자 모두 존재 - '중도입국 청소년'이라고 지칭하기도 함
③ 국내 출생 외국인 가정 자녀	- 부모 모두 외국 국적인 가정 자녀 - 본인의 국적은 외국 - 미등록, 무국적자, 난민, 유학생 자녀 포함
④ 국외 출생 외국인 가정 자녀	- 부모 모두 외국 국적인 가정 자녀 - 본인의 국적은 외국 - 미등록, 난민, 유학생, 유학생 자녀 포함
⑤ 남한 출생 탈북배경 청소년	- 부모 중 한 명 이상이 북한이탈주민인 가정의 남한 출생 자녀
⑥ 탈북청소년	- 북한에서 출생 한 후 탈북한 청소년

⑦ 제3국 출생 탈북배경 청소년	– 부모 중 한 사람이 북한이탈주민이고 다른 한 사람은 외국인 – 남한, 북한 이외의 제3국에서 출생 – '중도입국 청소년'으로 범주화되기도 함

출처 : 양계민 외(2020). 이주배경 아동・청소년의 하위범주별 포함 대상 및 특성.

배가령(2021)은 이주배경 청소년을 출생 및 성장지를 기준으로 국내 출생 및 성장 이주배경 청소년과 외국 출생 및 성장 이주배경 청소년으로 구분하였다.

오성배(2011)는 이주배경 청소년의 유형을 <표 16–2>와 같이 정리하였다.

〈표 16–2〉 **이주배경 청소년의 유형**

가정유형		자녀유형
국제결혼 가정	초혼가정	한국 출신 모 + 외국 출신 부의 자녀
		한국 출신 부 + 외국 출신 모의 자녀
	이혼가정	부 또는 외국 출신 모 홀로 자녀를 양육하는 경우
	재혼가정	전처소생의 한국 출신 자녀
		외국 출생 후 한국에 입국(귀화)한 자녀('중도입국 자녀')
외국인 가정		외국 출생 자녀
		한국 출생 자녀(무국적 자녀)
북한이탈주민 가정		북한이탈주민 자녀
		제3국 출생 자녀
난민 가정		난민가정 자녀

출처 : 오성배(2011). 다문화교육 정책의 교육사회학적 탐색.

3. 이주배경 청소년의 현황

이주배경 청소년의 현황에 대해서는 정부 각 부처별로 생산한 통계자료를 통해 알 수 있으나, 자료를 발간하는 부처마다 다른 기준을 적용하고 같은 자료의 경우에도 시기에 따라 수치의 차이가 있어, 본 서에서는 행정안전부의 자료와 교육부의 자료를 통하여 이주배경 청소년의 현황에 대해 살펴보고자 한다.

행정안전부의 통계에서 외국인 주민 자녀는 한국 국적을 취득한 사람의 자녀와 한국인과 결혼한 외국 국적자의 자녀를 말하며, 외국인끼리 결혼한 외국인가정의 자녀는 통계에 포함되지 않는다. 2020년 기준, 귀화를 하였거나 아직 외국 국적을 보유하고 있는 귀화 및 외국 국적 자녀(즉, 외국에서 출생하여 성장하다 한국으로 이주하여 생활하고 있는 자녀)는 14,344명(5.2%), 출생과 동시에 한국 국적을 취득한 국내 출생 자녀(즉, 한국에서 출생하여 성장하고 있는 자녀)는 261,646명 (94.8%)으로 국내에서 출생한 국제결혼가정의 자녀가 대부분을 차지하고 있으나 2020년 귀화 및 외국 국적자녀(외국 출생 및 성장 자녀)와 국내 출생 자녀(국내 출생 및 성장 자녀)의 증감률을 비교해 보면 9.5%로 큰 폭으로 증가하였음을 알 수 있다. 외국인주민 자녀 증가 현황은 <표 16-3>과 같다.

〈표 16-3〉 **외국인주민 자녀 증가 현황**

(단위 : 명, %)

연 도	국내 출생 및 성장	외국 출생 및 성장	합 계
2020년	261,646	14,344	275,990
2019년	251,966	12,660	264,626
증감(비율)	9,680(3.8%)	1,684(13.3%)	11,364(4.3%)

출처 : 행정안전부(2021). 2020 지방자치단체 외국인주민 자녀 현황.

교육부가 매년 발표하는 교육기본통계를 통해서도 이주배경 청소년의 재학 현황을 확인할 수 있다. 2022년 학교에 재학 중인 이주배경 청소년의 수는 160,058명으로 전체 학생의 3.2%를 차지한다. 이 수치는 전년도 학생 수인 명에 대비하여 8,587명(5.4%)이 증가한 수치로, 조사 시행 시점인 2012년 당시의 46,954명 이후 지속적인 증가 추세를 보이고 있다. 2022년 학교에 재학 중인 전체 학생 수는 5,879,768명으로 전년 5,957,118명에 대비하여 77,350명(1.3%)이 감소하였는데(교육부, 2022), 출산율의 감소로 인해 국내의 학령인구는 매년 약 20만 명씩 줄어들고 있는 반면 이주배경 청소년의 수는 매년 증가세를 보이고 있다. 이주배경학생 증가 추이는 <표 16-4>와 같다.

〈표 16-4〉 **이주배경학생 증가 추이** (단위 : 명, %)

연 도	2017	2018	2019	2020	2021	2022
다문화 학생 수(A)	109,387	122,212	137,225	147,378	160,058	168,648
전체 학생 수(B)	6,468,629	6,309,723	6,136,794	6,010,006	5,957,118	5,879,768
다문화학생 비율 (A/B * 100)	1.89%	2.17%	2.49%	2.75%	3.0%	3.2%

출처 : 교육부(2022). 2022년 다문화학생 교육지원 계획

4. 이주배경 청소년의 어려움

국내 출생 및 성장 이주배경 청소년은 한국인과 결혼한 외국인 배우자 사이 에서, 한국에서 출생하고 성장한 자녀들을 지칭한다. 이들은 출생과 동시에 대한민국 국민이 되고 한국의 문화 속에 노출되어 있어 학교생활, 가족생활 등에서 자연스럽게 한국의 문화를 흡수하게 된다. 따라서 이들은 모계문화 의 영향을 받을 수 있지만, 문화적 배경의 상이함으로 인한 정체성 혼란, 갈 등 등은 다소 덜 경험하는 것으로 알려져 있다(조혜영·양계민, 2012).

그럼에도 불구하고 국내 출생 및 성장 이주배경 청소년들도 다양한 영역에서 어려움을 경험하는 것으로 나타난다. 국내 출생 및 성장 이주배경 청소년

들은 학습 및 교육 준비가 충분히 마련되지 않은 환경으로 인해 학교생활에서 스트레스와 문화적 갈등을 경험하며, 언어학습, 정체성 형성 등의 과정에서도 비(非)이주배경 청소년에 비해 많은 어려움을 경험하고 있다(이혜진 · 장석진, 2012).

한국어 능력은 이주배경 청소년들이 인식하는 어려움에 가장 큰 요인으로 작용하고 있는데 이들은 낮은 한국어 능력으로 인해 심리 · 정서적 불안과 성취에 대한 자신감 부족, 학업에 대한 어려움과 사회적 위축 등을 경험하고 있다. 이러한 어려움은 누적되어 낮은 교육 성취로 이어지는 경우가 많은데 이주배경 청소년의 낮은 학업성취도는 상급 학년에서 낮은 학업성취도로 이어질 가능성이 높다(조영달 외, 2010; 조윤동 · 강은주 · 고호경, 2013). 이러한 격차의 누적은 상급학교 진학에도 부정적인 영향을 미칠 가능성이 있다(오성배 외, 2018). 이러한 낮은 한국어 능력은 교사와 사회적 관계 형성의 어려움, 교우와의 갈등 등으로 이어져 복합적인 어려움으로 작용하기도 한다(고남정 · 오성배, 2016).

이와 더불어 선행연구들은 국내 출생 및 성장 이주배경 청소년들이 진로 영역에서도 어려움을 겪고 있다고 보고하였다. 이들은 자신의 진로를 유예하거나 포기하는 경우도 발생하는 것으로 나타났다. 한국청소년정책연구원(2018)에서 실시한 이주배경 청소년의 전반적인 발달에 대한 7년간의 변화 추이를 분석한 결과에서, 이주배경 청소년의 학교생활 및 성취요인 영역에서 학업에 대한 어려움이 증가하였고 중학교에 진학하면서 대학교 이상(대학원 포함) 진학하고자 하는 비율은 감소하는 경향을 보였으며, 고등학교까지 다니겠다는 학생들의 비율은 높아지는 추세라고 밝혀(양계민 외, 2018) 국내 출생 및 성장 이주배경 청소년들의 진로에 대한 어려움의 인식 정도를 추측해 볼 수 있다.

외국 출생 및 성장 이주배경 청소년의 대부분은 구체적 계획이나 준비 없이 한국에 입국한 경우가 많기 때문에 이들은 언어문제로 인해 장기간 집에 머무는 시간이 많아 교육 공백에 빠지거나, 연령대에 맞는 일반 학교에 입학할 준비가 되지 않아서 학교 진학에 많은 어려움을 겪는다(신현옥 외, 2016). 특히 성적 중심으로 교육시스템이 이루어지는 중 · 고등학교의 경우 초등학교에 비해 학습에 어려움을 겪는 외국 출생 및 성장 이주배경 청소년들의 수용을 꺼리고 있어, 교육 기회의 허용을 명문화하였음에도 불구하고 외국 출생 및 성장 이주배경 청소년들은 학교 교육의 기회를 보장받지 못하고 있다(류방란 외, 2012). 이러한 어려움은 교육 격차로 누적되어, 자신감을 상실하고 심리적으로도 위축되어 중도에 학업을 포기하는 등 자신의 진로를 유예하거나 일찌감치 포기하는 경우도 있다(조혜영 · 양계민, 2012).

학령기를 벗어난 10대 후반에서 20대 초반의 이주배경 청소년들에 대해서는 또 다른 접근이 필요하다. 이들은 학령과 차이가 나기 때문에 정규학교에 진입하기 어려운 경우가 많으며, 학업 중단 상태로 한국에 입국하는 경우가 대부분이기 때문에 근로 자격요건에 충족되기도 어렵다.

또한, 언어소통이나 사회문화적 소통이 어려워 자신에게 맞는 적성을 찾거나 다양한 직업에 대한 정보를 얻기도 어려워, 단기 또는 임시의 아르바이트와 미숙련 노동시장에 유입되고 있는 현실이다. 중도입국 청소년들의 경우, 입국 초기부터 한국어를 배우면서 아르바이트를 하는 경우가 많고, 탈학교 중도입국 청소년 중 '향후 학교에 진학할 의도가 없다'고 응답한 청소년들의 대다수(69.6%)가 취업을 할 생각이라고 응답하는(양계민 외, 2011) 등 노동시장으로의 진입이 활발한 편이다. 중도입국 청소년을 지도하는 교사들은 학생들이 방과 후 아르바이트를 하는 경우가 많고, 언어소통이 원활하지 않기 때문에 육체노동을 많이 하고 일을 하다 다쳐도 적절한 보상과 치료를 받지 못하는 경우도 많다고 지적한다(신현옥 외, 2012).

많은 중도입국 청소년들이 일을 하기를 원하는 상황에서, 필요한 것은 한국의 노동시장 및 진로에 대한 교육과 함께 경제교육, 노동과 관련한 권리 교육 등을 실시하는 것이다. 그리고 무엇보다 중요한 것은 중도입국 청소년들이 향후 자신의 미래와 관련하여 진로를 고민하고 준비할 수 있도록 지원하는 것이다. 중도입국 청소년들이 한국에서의 진로를 모색하고 준비하는 과정은 체류 자격과 관련이 있다. 귀화 신청을 했어도 아직 한국 국적을 취득하지 못한 경우, 외국인이기 때문에 수강료 지원 등을 받을 수 없고 진로와 관련한 다양한 정보에 노출되기 어렵다(신현옥 외, 2012).

국적자가 아니기 때문에 국가에서 국민들을 대상으로 제공하는 취업 및 진로 교육의 혜택을 받기는 어렵겠지만, 이미 한국에서 살아가고 있는 중도입국청소년들이 더 잘 성장할 수 있도록 일정 정도의 진로 탐색과 취업 교육 프로그램이 제공되는 것이 필요할 것이다(신현옥 외, 2012). 체류 자격에 따라 다르겠지만 국적 취득에 1년 이상이 소요되는 만큼, 그 기간 동안 중도입국 청소년들이 방황하거나 시간을 허비하지 않고 자신의 진로를 모색할 수 있는 기회를 제공하는 것이 필요하다. 중도입국 청소년들과 달리 탈북청소년들은 국내로 입국하면서 바로 국적을 취득하고, 교육 및 취업 등에 있어서 국가의 지원 대상이 된다. 특히 특례입학 제도로 인해 대학 입학이 상대적으로 쉬워서 대학에 진학하는 경우가 많다(신현옥 외, 2012).

그러나 진로 탐색 과정과 적절한 정보 없이 선택한 대학 진학의 문제점이 드러나면서, 최근에는 무조건적인 대학 진학보다는 취업을 염두에 둔 진로에 대한 고민을 하는 청소년들이 늘어나고 있다. 하지만 진로에 대한 정보가 부족하고 적성을 고려한 적절한 진로 상담을 받기 어려운 경우가 많아, 이들에 대한 보다 전문적인 진로탐색 프로그램과 상담 지원이 필요한 상황이다. 또한 탈북청소년 중 20세 이상의 성인 초기 청소년들의 많은 수가 남한에서의 교육 경험 없이 취업을 위해 노동시장으로 진입하고 있어, 이들에 대한 관심도 필요하다. 특히 남한에서 학력을 취득하지 않고 노동시장으로 진입하는 20대 초반 탈북 청소년의 경우, 길어야 6~7개월 정도의 아르바이트 임시직에 한정되는 경향이 있어(무지개청소년센터, 2010) 안정적인 일자리를 찾을 수 있도록 학력 취득 및 진로 탐색을 할 수 있도록 지속적인 상담 및 지원이 이루어져야 한다(신현옥 외, 2012).

5. 이주배경 청소년 지원현황

교육부의 진로 지원정책은 진로 교육법과 진로 교육법 시행령, 진로 교육의 중장기계획인 '진로 교육 5개년 기본계획(2016~2020)'에 근거하여 추진되고 있다. 진로 교육법과 진로 교육법 시행령의 제정은 진로 교육에 대한 국가와 지방자치단체의 책무성이 명시적으로 규정되고, 장애인, 북한이탈주민, 저소득층 가정 학생 및 학교 밖 청소년 등 사회적 배려대상자에 대한 진로 교육의 중요성이 인식되고 있다는 점에서 그 의미가 있다. 그중 다문화 청소년이 관련되었거나 명시적으로 나타난 조항은 진로교육법 제5조(국가와 지방자치단체 등의 책무)와 진로교육법 시행령 제2조(진로교육 현황 조사 내용, 절차 및 결과 공개) 등으로 장애인, 북한이탈주민, 저소득층 및 학업중단 청소년 등 진로 및 취업 취약계층 청소년의 특수성을 반영한 진로교육 시책을 마련할 것을 명시하고 있다.

제2차 진로교육 5개년 계획(2016~2020)은 '꿈과 끼를 살리는 행복한 진로 설계'를 비전으로 학습자는 자기주도적 진로 개발역량을 신장하고, 학교는 내실 있는 맞춤형 진로교육체계를 확립하며, 사회는 국민의 행복한 삶과 평생학습 사회를 구현하는 것을 목표로 하고 있다. 구체적으로는 초·중등학교 진로 교육 역량 강화 진로 교육 대상 확대, 진로 체험 활성화, 진로 교육 인프라 확충 등 4개의 정책 영역을 정하고 있는데, 다문화 청소년의 진로교육과 관련해서는 진로 교육 대상의 확대라는 정책 영역 속에 사회적 배려 대상자에게 균등한 진로 교육 기회를 제공하고, 대상자의 특성과 여건을 고려한 맞춤형 진로 교육 지원을 강화하는 정책과제가 포함되어 있다(한채운, 2022).

여성가족부의 다문화 청소년 진로 관련 정책은 '다문화 가족 자녀의 성장 지원과 취약계층 청소년의 진로 지원'이라는 측면에서 추진되고 있다. 문화 가족 자녀의 성장지원 측면에서 주목할 만한 정책은 2016년 3월에 발표된 '다문화 가족 자녀지원 종합대책'이다(한채운, 2022). 이 대책은 다문화 가족 사회통합지원대책을 처음으로 마련한 이래 처음으로 다문화 가족의 학령기 자녀성장에 대응하기 위하여 수립된 정책이라는 점에서 그 의의가 있다(2016. 3. 9. 여성가족부 보도자료). 특징적인 점은 다문화 가족의 학령기 자녀증가에 따른 성장주기별 지원과 다문화가족 자녀의 성장배경을 고려하여 수요자 특성에 맞는 정책을 재설계하려고 한 점이다. 이 대책에서 다문화 청소년의 진로지원과 관련된 시책을 정리해 보면 다음과 같다(한채운, 2022).

학령기 다문화 가족 자녀의 잠재적 역량 개발 및 사회성 발달을 지원하기 위한 사업으로 2016년에 신규로 추진하는 '多재 다능 프로그램'을 들 수 있다. 多재 다능 프로그램은 전국 각 지역의 다문화가족지원센터에서 상담·심리치료와 부모 자녀 관계 향상, 사회적 발달, 미래 설계 등 서비스를 직접 제공하거나 지역의 전문 기관에게 연계하는 기능을 담당하는 사업으로, 2016년부터 전국에 81개소에서 시작하였는데, 내용 중 직접적으로 진로교육과 관련된 것은 '미래 설계'에 대한 부분으로 자기 역량 탐색과 진로 소양 교육, 직업탐색 및 체험 등의 내용을 주요 내용으로 들고 있다.

이중언어 환경 조성사업은 다문화 가족 자녀의 미래 인재 육성을 위한 이중언어 환경 조성사업과 다문화가족 이중언어 인재 DB 구축사업을 들 수 있다. 이중언어 환경 조성은 다문화 가족 자녀가 부모 출신국 언어·문화를 이해할 수 있도록 학습 여건을 조성하는 사업이다. 이중언어 인재 DB 구축사업은 이중언어 역량이 있는 우수 인재를 발굴하여 데이터베이스(DB)로 구축함으로써 해외 교류 및 해외 취업 등에 활용될 수 있도록 지원하는 것이다(한국건강가정진흥원, 2016).

교육부에서 추진하는 이중언어사업과 구분되는 것은 교육부의 경우 직접적으로 청소년에게 이중언어를 가르치는 사업이라고 한다면, 여성가족부의 사업은 청소년이 평소 가정에서 이중언어를 사용할 수 있도록 가정 등 환경을 조성하는 사업이라고 볼 수 있다. 또한 교육부 사업은 학령기의 학생을 대상으로 한다고 하면, 여성가족부의 사업은 만 5세 이하의 영유아 자녀가 있는 다문화 가족이 그 대상이 된다. 만 5세 이하의 자녀를 둔 다문화 가족 부모가 모국어로 자녀와 놀이 및 게임을 하면서 상호작용을 할 수 있도록 방법을 교육시키고, 가정 내 이중언어 환경의 중요성과 부모의 역할에 대하여 교육시키고, 자조 모임 등을 통해 이중언어로 자녀와 소통하는 방법을 공유하는 등 이중언어 활용을 위한 환경조성을 함으로써 다문화가정 자녀들이 건강한 자아 정체감을 형성하고, 글로벌 인재로 성장할 수 있는 기초를 제공하며, 다문화 가족에 대한 인식을 개선하겠다는 것이 사업의 목적이라고 볼 수 있다(한국건강가정진흥원 2016).

중도입국 청소년을 위한 진로 및 취업 지원 사업으로 '무지개 Job아라'와 '내-일을 Job아라'를 들 수 있는데, 이 사업들은 다문화가족 자녀 중 외국성장 배경의 중도입국 청소년에게 특화된 진로 지원 사업으로, 2013년에 시작된 '무지개 Job아라'는 만 16~24세 진로를 고민하는 학교 밖 중도입국 청소년을 대상으로 직장생활 한국어를 포함한 진로 탐색, 진로 설계 과정의 프로그램이다. 총 10주간(총 230시간)으로 진행되며, 이 과정을 수료한 중도입국 청소년들의 경우 맞춤형 진로 설계를 통해 인턴쉽 과정, 자격증 취득과정, 진학 및 취업 등으로 연계하도록 기획되어 있다. 전국에 3개 기관(서울, 부산, 수원)에서 상·하반기 각 1회씩 총 6회 진행되고 있다.

'무지개 Job아라'가 진로탐색 프로그램이라면 '내-일을 Job아라'는 직업훈련에 초점을 맞추어 사회진출을 돕는 진로 지원 프로그램이다. '내-일을 Job아라'는 한국어교육과 함께 각 직업별 훈련이 이루어지는 본격적인 직업교육 프로그램으로 무지개청소년센터가 2015년부터 외부기업의 지원을 받아 시범적으로 운영하고 있는 사업이다. 이 사업의 특징은 무지개청소년센터 중도입국 청소년을 대상으로 직업한국어와 서비스 마인드를 심는 교육을 실시하고, 지역의 기업에서 실질적인 직업훈련을 담당하는 지역 연계 직업교육 프로그램이라는 점이다. 총 16주(220시간)로 진행되며, 이 과정을 수료한 중도입국 청소년들은 직업훈련과 연관된 자격증을 취득하게 되고, 자기소개서 및 이력서 작성, 모의 면접 등 실제적인 취업 준비를 하게 된다. 상반기에는 3개 지역기관(서울, 부산, 익산)에서 1회씩, 하반기에는 3개 지역기관(서울, 부산, 수원)에서 1회씩, 총 6회가 진행된다.

고용노동부에서 다문화 청소년을 대상으로 직업교육과정을 지원하는 사업으로 한국폴리텍다솜학교 운영을 들 수 있다. 한국폴리텍다솜학교는 2011년

교육부로부터 다문화 대안학교로 인가를 받아서 2012년에 충북 제천에서 개교를 하였다. 한국폴리텍다솜학교는 다문화가족지원법 제2조에 따른 다문화가족 자녀만이 입학할 수 있는데, 중국, 필리핀, 베트남, 몽골 등 출신의 다문화 학생이 재학 중으로 학생 모두가 기숙사 생활을 하는 것이 특징이다. Computer 기계학과, Plant 설비과, Smart 전기과 등 세 개의 전공 직업교육과정에 각 15명씩을 선발하여 교육하고 있는데, 입학금, 수업료 등 학비, 기숙사비, 식비와 간식비가 전액 국비로 지원되고, 교육 수료 후 학생들은 기능사 자격증을 획득하게 되고, 한 학기 동안 현장학습을 통해 실제 직업체험을 하게 되며, 취업을 알선하고 2년간 교사들이 사후 지도를 하는 과정으로 구성되어 있다.

한국폴리텍다솜학교의 경우 직업교육과정 이외에 한국어교육과 심리 정서 프로그램을 실시하고 있는데, 한국어 교과수업을 보완하기 위해 한국어 수준별 수업(한국어 다래교실 운영)과 법무부의 사회통합 프로그램이 진행되고 있다. 특히 학교에서 실시하는 한국어 교육과정이 법무부 사회통합 프로그램의 한국어 교육시수로 인정받아서 학생들의 귀화 시 도움을 주고 있다. 또한 다문화 학생들이 겪는 심리 정서적 어려움을 지원하고자 미술심리치료, 푸드테라피, 뮤지컬 등 다양한 프로그램을 실시하고 있다(한채운, 2022). 이주배경 청소년의 지원현황은 <표 16-5>와 같다.

〈표 16-5〉 **이주배경 청소년의 지원현황**

구 분	내 용
레인보우스쿨	– 2021년 전국 17개 시 · 도, 20개 기관에서 운영(위탁운영) – 중도입국 청소년을 위한 한국어 및 특화교육, 사회문화체험, 진로교육 등 실시 – 전일제, 시간제(방과 후, 주말 · 야간) 운영 ※ 위탁운영 기관마다 프로그램 내용의 차이가 있음
진로지원 프로그램 (무지개Job아라, 내-일을 잡아라)	– 2021년 서울 · 경기 5개소 운영 – 진로교육 프로그램(기초) : 진로를 고민하는 중도입국 청소년을 위한 진로 탐색 및 설계 교육(무지개 Job아라) – 진로교육 프로그램(심화) : 진로소양 및 자립역량 강화 교육, 현장 기반 직업 실습을 통한 예비 사회인 성장 지원 교육(내-일을 잡아라)
탈북청소년 사회입문 프로그램 (비교문화체험, 미래를 향한 첫걸음)	– 탈북청소년의 기초생활 및 문화체험 프로그램을 통한 지역정착 지원 – 탈북청소년의 지역사회 정착에 필요한 다각적인 교육(성, 인권, 진로, 건강 등) 지원
상담 및 지역사회 연계 프로그램 맞춤형 정보 제공	– 대면 및 비대면 상담, 사이버상담, 집단상담 등 다양한 형태의 심리상담 지원 – 이주배경 청소년 특성을 고려한 이중언어상담 및 맞춤형 상담 지원 – 지역네트워크 구축과 거점지역 찾아가는 상담 및 사례관리사 파견 등 안정적인 상담환경 조성
상담통역지원사 양성	– 심리상담 및 치료에서 청소년 내담자와 상담사의 소통을 돕기 위한 상담통역지원사 양성 – 중국어, 베트남어, 러시아어 3개 언어에 대한 상담통역 지원(서울 및 수도권 지역)
이주배경 청소년 대상 심리사회적응 척도	– 이주배경 청소년의 문화적 배경을 고려한 심리사회적응척도를 개발하고 보급(대상 : 중국어, 베트남어, 러시아어 문화권 이주배경 청소년)
청소년 다문화감수성 증진 프로그램 '다가감'	– 일반 청소년(초등학교 4~6학년 및 중학생 전학년) 대상 다문화 인식개선 프로그램 운영 – 전문강사 양성 및 파견을 통한 찾아가는 교육 지원
연구 및 연수	– 이주배경 청소년 실태조사 연구 – 이주배경 청소년 유관기관 실무자 교육과정 – 청소년지도자 대상 다문화역량강화 교육과정 – 예비청소년지도자 대상 다문화역량강화 교육과정
정책과제 발굴	– 이슈브리프 '이주배경924' – 이슈브리핑

출처 : 여성가족부(2022).

CHAPTER

17 비행에 대한 개입

1. 청소년 비행의 개념과 특징

비행청소년에 대한 일치된 정의를 찾기가 어렵다. 먼저 비행의 개념을 살펴보면 일반적으로 협의의 비행은 법적인 개념을 적용한 것으로 청소년 범죄를 의미하며, 광의의 비행은 사회규범에서 벗어난 일탈행위를 일컫는다. 이 경우 시대, 국가, 사회, 문화 등에 따라 사회규범으로부터 일탈된 행위가 다르고, 시대와 문화에 따라 범죄행동에 대한 규제도 차이가 나기 때문에 그 범위를 정하기란 어려운 일이다(장수한, 2018). 그럼에도 불구하고 청소년 비행을 세 가지 행위군으로 범주화시킬 수 있다. 첫째, 살인, 강도, 강간, 폭행 등의 강력범죄와 주거침입 등과 같은 재산범죄를 포함한 중범죄, 둘째, 사소한 절도, 폭행, 기타 법위반 행위 등 중범죄보다 경미한 형법 위반 행위, 셋째, 음주, 흡연, 음란물 접촉 등 성인이 범했을 때는 사회적으로 그다지 큰 문제가 되지 않으나 청소년의 경우 청소년이라는 사회적 지위 때문에 일탈행동으로 간주되는 청소년 지위비행으로 분류시킬 수 있다(홍봉선, 2017).

청소년 범죄에 대하여 일반 형사소송절차에 의한 형사처벌 이외에 비행소년의 교육과 선도를 목적으로 한 보호처분 등을 인정하고 있다. 죄질이 극히 불량하여 선도·교육이 불가능하다고 판단되는 범법소년에 대하여만 형사처벌을 하고, 개선 가능성이 있는 범법소년에 대하여 선도·보호 측면에서 교육적인 처우를 실시하고 있다. 비행소년의 처리기관은 경찰, 검찰, 법원 등이 있다(청소년백서, 2019).

형사사법상 비행청소년이란 범죄를 저지르거나 범죄의 위험성이 있는 청소년으로 국가의 사법처분의 대상이 되는 청소년을 지칭한다. 이때 범죄(crime)란 현행 실정법에 위반된 행위를 말하고, 범죄의 위험성이란 범죄를 저지를 가능성이 있는 심리적·행동적 상황을 말한다.

최근 우리나라는 청소년의 성숙도, 청소년보호법 등 다른 법률과의 연령 통일성 그리고 만 19세부터 대학생이 되는 점 등을 감안하여 소년법의 적용연령을 하향 조정하였다. 개정 소년법(2007)에 의하면, 형사법령에 저촉되는 연령은 '14세 이상에서 19세 미만'으로 개정 전에 비해 상한 연령을 1년 낮췄으며, 촉법소년의 경우 적용연령이 '10세 이상에서 14세 미만'으로 개정 전에 비해 하한 연령을 2년 낮추었다. 또한 2022년 13세 미만으로 개정했다. 이러한 조치는 소년범죄의 증가, 연소화, 성인 못지않은 담대한 범죄내용과 관련이 깊다. <표 17−1>은 소년법 개정 전·후의 법의 적용연령을 비교한 것이다.

〈표 17-1〉 **소년법 개정 전후의 법의 적용연령 비교**

구 분	적용연령		비 교
	개정 전	개정 후 (2007년 12월 개정)	
범죄 소년	형사법령에 저촉되는 14세 이상~20세 미만	14세 이상~ 19세 미만	개정 전에 비해 상한 연령을 1년 낮춤
촉법 소년	형사법령에 저촉되는 12세 이상~14세 미만	10세 이상~ 14세 미만	개정 전에 비해 하한 연령을 2년 낮춤(2022년, 13세로 낮춤)
우범 소년	다음에 해당하는 사유가 있고 그의 성격 또는 환경에 비추어 장래 형법 법령에 저촉되는 행위를 할 우려가 있는 12세 이상 20세 미만의 소년으로 ① 보호자의 정당한 감독에 복종하지 않을 성벽이 있거나, ② 정당한 이유 없이 가정에서 이탈하거나, ③ 범죄성이 있는 자 또는 부도덕한 자와 교제하거나 금전낭비, 부녀유혹, 불건전한 오락 등을 하는 자로서 본인의 성격 또는 환경에 비추어서 장래에 형법 법령을 범할 우려가 있는 자	10세 이상~ 19세 미만	개정 전에 비해 상한 연령을 1년, 하한 연령을 2년 낮춤 우범소년을 아래와 같이 정의함 ① 집단적으로 몰려다니며 주위 사람들에게 불안감을 조성하는 성벽이 있는 것 ② 정당한 이유 없이 가출하는 것 ③ 술을 마시고 소란을 피우거나 유해환경에 접하는 성벽이 있는 것

우리나라의 경우 형법을 위반한 행위뿐만 아니라 음주, 가출 등 미래에 형법을 위반할 가능성이 있는 불량행위들도 소년비행에 포함시키고 있다.

미국의 경우 청소년 비행이라는 용어가 일상적으로 사용되고 있음에도 불구하고 그 의미와 내용은 매우 다양하다. 일반적으로 청소년 비행이 아동이 저지른 잘못된 행동(misbehavior)이라는 점에는 동의하고 있지만, 잘못된 행동의 범위를 규정하는 데 있어 많은 견해 차이가 있다. 청소년 비행은 사회적 규범을 바탕으로 정의되나, 이러한 정의 역시 특정 집단이나 개인적인 가치에 따라서 다를 수 있다. 미국 소년법원에서는 비행청소년(juvenile delinquent)을 소년범죄자(youthful offender)와 지위 범죄자(status offender)로 분류한다. 대부분의 주(states)에서는 소년범죄 연령을 7세 이상 17세 이하로 규정하고 있으며, 소년 범죄자는 강도, 절도 등 법과 조례에 위반되는 전형적인 범법행위를 한 자로 만약 동일한 범죄를 성인이 행했을 경우 형사법원에서 처리되는 경우를 말한다. 한편 지위범행(status offense)이란 성인에게는 적용되지 않으나, 청소년에게 금지된 행위 혹은 연령에 저촉되는 행위를 한 경우를 의미한다(Sullivan, 2006).

지위범행 범주는 크게 네 가지로 분류되는데, ① 다루기 힘든 행동, ② 가출, ③ 무단결석, ④ 음주와 흡연을 들 수 있다.

2. 청소년 비행의 종류와 현황

1) 청소년 범죄의 현황

10세 이상 14세 미만 형사미성년자(촉법소년)가 발견되면, 경찰에서는 범죄 내용과 신상 관계, 환경 등을 조사하여 가정법원 소년부에 보내고, 14세 이상 19세 미만의 범죄소년은 형사사건으로 검찰에 송치한다. 2015년부터 청소년 범죄자 수가 점차 감소하여 2020년에 경찰이 검거한 청소년 범죄자 수는 64,584명이었다. 경찰에 검거된 청소년 범죄자를 유형별로 살펴보면, 절도범이 17,097명, 폭력범이 15,791명, 강력범이 1,903명이었다. 경찰에 검거된 청소년 강력범죄자 가운데 강간범의 비율이 가장 높았다(표 17-2 참조).

〈표 17-2〉 **연도별 청소년 범죄 처리 현황** (단위 : 명, (%))

연도	계	기소			불기소					소년보호송치	가정보호송치	성매매보호송치	아동보호송치	참고인중지	기소중지
		소계	구공판	구약식	소계	혐의없음	기소유예	죄가안됨	공소권없음						
2011	83,060	4,691	3,025	1,666	46,224	4,151	36,582	272	5,219	30,587	10	7	–	86	1,455
	(100.0)	(5.6)	(3.7)	(2.0)	(55.7)	(5.0)	(44.0)	(0.3)	(6.3)	(36.8)	(0.0)	(0.0)		(0.1)	(1.8)
2012	102,871	7,877	4,898	2,979	56,668	6,113	43,013	324	7,218	36,478	21	-(0.0)	–	141	1,686
	(100.0)	(7.7)	(4.8)	(2.9)	(55.1)	(5.9)	(41.8)	(0.3)	(7.0)	(35.5)	(0.0)			(0.1)	(1.6)
2013	88,062	8,758	5,293	3,465	47,486	5,925	34,914	202	6,445	29,641	35	2(0.0)	–	108	2,032
	(100.0)	(9.9)	(6.0)	(3.9)	(53.9)	(6.7)	(39.6)	(0.2)	(7.3)	(33.7)	(0.0)			(0.1)	(2.3)
2014	72,964	7,038	4,191	2,847	39,559	5,379	27,601	182	6,397	23,743	50	4(0.0)	–	130	2,440
	(100.0)	(9.6)	(5.7)	(3.9)	(54.2)	(7.4)	(37.8)	(0.2)	(8.8)	(32.5)	(0.1)			(0.2)	(3.3)
2015	56,050	6,252	4,034	2,2187	30,198	4,518	19,623	105	5,952	18,216	119	–	–	54	1,211
	(100.0)	(711.2)	(7.2)	(4.0)	(53.9)	(8.1)	(36.0)	(0.2)	(10.6))	(32.5)	(0.2)			(0.1)	(2.2)
2016	60,669	6,113	3,755	2,358	32,235	4,815	21,044	136	6,240	20,597	147	–	4	34	1,539
	(100.0)	(10.1)	(6.2)	(3.9)	(53.1)	(7.9)	(34.7)	(0.2)	(10.3)	(33.9)	(0.2)		(0.0)	(0.1)	(2.5)
2017	58,218	5,833	3,449	2,384	31,371	4,636	20,108	121	6,506	20,578	136	–	2	29	269
	(100.0)	(10.0)	(5.9)	(4.1)	(53.9)	(8.0)	(34.5)	(0.2)	(11.2)	(35.3)	(0.2)		(0.0)	(0.0)	(0.5)
2018	52,278	6,168	3,950	2,218	25,964	4,255	15,939(	126	5,644	19,648	131	–	3	27	337
	(100.0)	(11.8)	(7.6)	(4.2)	(49.7)	(8.1)	30.5)	(0.2)	(10.8)	(37.6)	(0.3)		(0.0)	(0.1)	(0.6)
2019	52,973	6,498	4,308	2,190	25,102	4,729	15,129	114	5,130	20,885	177	–	4	26	281
	(100.0)	(12.3)	(9.1)	(34.1)	(47.4)	(8.9)	(28.6)	(0.2)	(9.7)	(39.4)	(0.3)		(0.0)	(0.0)	(0.5)
2020	52,062	7,349	5,163	2,186	21,766	4,478	13,032	83	4,173	22,053	180	–	–	22	225
	(100.0)	(14.1)	(9.9)	(4.2)	(41.8)	(8.6)	(25.0)	(0.2)	(8.0)	(42.4)	(0.3)			(0.0)	(0.4)

출처 : 대검찰청(2012~2021). 범죄분석.

2) 소년범 조사 시 전문가 참여현황

'소년범 조사 시 전문가 참여제'란 청소년 범죄자의 조사과정에서 범죄심리사 등 전문가가 참여하는 제도로, 가정·학교 환경 등 43개 비행촉발요인과 공격성·반사회성 등 344개 인성평가 항목을 심층 분석하여 그 결과를 바탕으로 소년범의 선도 및 재범가능성을 판단하여 전문적인 선도 프로그램과 연결시켜 주는 시스템이다. 2003년 2개 경찰서에서 시범운영 이후, 2004년 5개 경찰서를 시작으로 2020년 257개 경찰서에서 운영 중이다. 2007년부터 '학교폭력 자진신고기간' 운영 시, 가해학생 조사에 전문가 참여제를 적극 활용하고 있으며 전문가의 분석결과를 기준으로 저위험군 학생은 사랑의 교실과 연계하여 경찰 단계에서 선도 교육을 받도록 하고, 고위험군 학생은 재범방지를 위해 법원·검찰이 운영하는 선도 프로그램을 연결해 주고 있다. 전문가 참여비율은 2009년 4.7%에서 꾸준히 증가하여 2020년 전체 청소년 범죄자의 15.2%에 해당하는 9,826명이 전문가 참여조사를 받았다(표 17-3 참조).

〈표 17-3〉 **연도별 청소년 범죄 조사 시 전문가 참여제 운영 현황**

구분 / 연도	2011	2012	2013	2014	2015	2016	2017	2018	2019	2020
운영관서(개소)	100	120	137	180	251	252	254	254	255	257
전체소년범(명)	86,621	107,018	90,694	78,794	80,231	76,356	72,752	66,259	66,204	6584
참여소년범(명)	7,639	10,258	11,548	8,968	10,401	15,312	11,879	10,501	10,847	9,826
참여비율(%)	8.8	9.6	12.7	11.4	13.0	20.1	16.3	15.8	16.4	15.2

출처 : 경찰청(2012~2021). 경찰백서.

3) 청소년 비행의 특징

청소년 범죄의 현황을 토대로 그 특징을 살펴보면 다음과 같다.

① **조폭화·흉악화** : 물질만능주의 사회풍조, 풍요 속에서 느끼는 상대적인 박탈감, 그리고 대중매체의 폭력 장면에 장기간 노출과 이에 대한 무비판적 수용은 청소년들이 단순한 비행이나 탈선의 차원을 넘어 흉악범죄(강력범)와 조폭범죄(조직폭력)에 가담하게 되는 결과를 가져왔다.

② **학생범죄의 증가** : 청소년 범죄의 문제가 비행청소년에게만 국한된 것이 아니라 일반 청소년들에게도 쉽게 발견되고 있다.

③ **집단화** : 청소년기에는 집단 소속에 대한 열망이 강한 시기이기 때문에 범죄행위 시에도 또래집단과 무리를 지어 행동하는 경향이 있다. 이들은 학교, 지역사회에서 자연스럽게 집단을 형성하여 호기심과 충동에 의한

모험을 즐기며 범죄세계에 대한 동경심을 갖게 되어 자연스럽게 비행에 빠져들기도 한다.

④ **성범죄의 증가** : 성교육 부재, 잘못된 성 인식, 윤리 및 도덕성 부족, 성인 위주의 각종 저속한 공연물과 퇴폐유행업소 등의 유해한 사회환경은 감수성이 예민한 청소년들을 자극하여 성범죄에 빠져들게 한다.

⑤ **재범률 증가** : 청소년 비행의 누범자가 날로 증가하고 있다. 세계적으로도 소년 범죄자의 재범률, 특히 다수전과를 가진 재범자들의 비율이 높아지고 있는 추세인데, 우리나라도 예외는 아니다.

이 외에도 여학생 범죄율 증가, 약물 관련 비행 증가, 비행청소년의 사회계층(부모의 경제적 배경)의 다양화 및 연소화 등을 들 수 있다.

3. 청소년 비행 요인

오랜 세월 동안 청소년 비행에 대한 연구가 이루어져 왔음에도 불구하고 그 원인에 대해서는 상당한 이견(異見)이 존재해 왔다. 선행연구를 살펴보면, 청소년 비행은 개인적인 요인뿐만 아니라 청소년을 둘러싼 다양한 사회환경 요인과 연관이 있음을 알 수 있다. 이에 비행청소년의 개인적인 특성뿐 아니라 이들과의 상호작용의 관계에 있는 다차원적인 체계요인(예 가정, 또래, 학교, 지역사회, 문화 등)에 대한 이해가 중요하다.

1) 개인적 요인

Gottfredson과 Hirschi(1990)의 범죄 일반이론에 의하면, 자기통제력과 범죄행위는 매우 밀접하게 관련이 있다. 이 이론에 의하면, 자기통제력이 낮은 사람일수록 범죄를 저지를 가능성이 크며, 역으로 자기통제력이 높은 사람일수록 범죄를 저지를 가능성이 낮다. 한국청소년개발원이 수집한 중학교 2학년 청소년 패널데이터를 활용한 연구(2018)에 의하면, 자기통제력이 비행에 가장 큰 영향을 주는 것으로 밝혀졌다. 김헌수와 김현실(2001)은 재범청소년과 초범청소년을 비교한 연구에서 청소년 개인적인 성향과 관련하여 높은 공격성향, 반사회적 성격 특성, 높은 우울성향이 재범과 관련이 있음을 밝혔다. 또한 청소년 비행의 개인적인 요인으로 반사회적인 성격장애 및 적대감 등이 재범의 예측변인으로 조사되었다. 한편, 청소년의 자아존중감과 비행 간의 인과관계에 대한 연구결과는 상이하지만, 많은 학자들이 자아존중감과 비행이 서로 관련이 있음을 밝혔다. 이 외에도 청소년 비행에 영향을 미치는 개인적 요인으로 부정적 자아 개념, 정서적 자율성 및 부적응성 등이 선행연구를 통해 밝혀졌다.

2) 가정환경적 요인

최근 가족구조의 변화로 전통사회에서 가족이 담당했던 자녀의 사회화 기능이 여타 기관이나 사회제도로 상당 부분 전환되었지만(Sullivan, 2007), 가정환경은 청소년의 지속적인 정서발달과 학습에 여전히 중요한 영향을 미친다. 아동기에 비해 청소년기에는 가정환경으로부터 받는 영향이 줄어들지만 부모의 역할모델 및 양육방식 등 가정환경은 청소년의 성장과 발전에 결정적인 역할을 하는 환경 중의 하나이다. 예를 들어, 자녀가 경험한 가정생활의 질(quality)은 이들이 정상적으로 행동할 것인지 혹은 일탈행동을 할 것인지 결정하는 중요한 요인이 된다(Trojanowicz, 1973). 허시(Hirschi, 1969)는 부모와 자녀 간의 애착관계가 청소년 범죄와 밀접한 관계가 있음을 주장하였고, 홍봉선(2018)의 연구에서도 부모와의 정서적 친밀감이 청소년기의 일탈에 영향을 미치고 있음을 밝혔다.

오늘날의 가정은 가족구성원 간의 유대관계 약화, 부모의 역할 감소, 이혼가정 및 결손가정의 증가 등 산업화와 도시화 과정에서 파생된 다양한 문제를 안고 있다. 이러한 가정의 약체화 현상은 가출, 폭행, 음주, 약물 오남용, 폭력 등 청소년 비행에 직간접적으로 영향을 줄 수 있다. 서덜랜드(Sutherland)는 청소년 비행과 밀접한 관계가 있는 문제가정을 다음과 같이 설명하고 있다(최충옥, 1996).

① **도덕성이 결여된 가정** : 가족원 중 범죄자나 품행불량자 등이 있는 가정
② **결손가정** : 양친 중 한 명 혹은 양친 모두 사별한 경우. 이혼, 별거, 실종, 장기수형 등에 의한 구조적 결손
③ **애정결핍 가정** : 부모와 자녀 혹은 형제자매 간의 애정이 결핍된 가정
④ **갈등가정** : 가족원 사이에 감정, 이해관계, 가치관 등의 갈등으로 인한 가정불화가 지속적으로 일어나는 가정
⑤ **훈육결여 가정** : 편애, 과잉간섭, 과도한 통제, 방임 등 자녀에 대한 훈육과 감독이 적절하지 못한 가정
⑥ **빈곤가정** : 실업, 저소득으로 인해 경제적으로 빈곤한 가정
⑦ **시설가정** : 고아원 등 아동양육시설이 가정의 역할을 하는 경우

(1) 구조적 결손가정

이혼, 사별, 별거 등으로 정서적 · 사회적 상황이 불안정한 가정은 청소년 비행에 결정적인 영향을 준다. Glueck(1968)는 구조적 결손가정과 비행청소년의 관계를 연구한 보고서에서 비행청소년의 50% 이상이 결손가정에서 성장했으며, 60.4%의 비행청소년이 어린 시절 가족 내 붕괴를 경험한 적이 있음을 밝혔다. 이와 유사하게 우리나라 서울 소년원생 600명을 대상으로 실시한 연구조사에서는 소년원생의 44%가 결손가정의 자녀인 것으로 나타났다(청소년백서, 2018).

(2) 빈곤가정

일반적으로 비행청소년의 사회경제적인 배경이 일반 청소년에 비해 열악하다는 것은 가정의 경제적 기능의 약화 혹은 마비가 비행을 일으킬 수 있다는 전통적 가설에 기반을 둔 것이다. 빈곤가정의 청소년들은 성장과정에서 부모로부터 지적 자극이나 문화적인 혜택을 받지 못함으로써 문화적 박탈을 경험할 수 있다. 이러한 사회 · 문화적 가치로부터의 소외는 비행청소년의 낮은 성취동기 및 자아실현 욕구, 사회부적응, 정신적 불안정, 공격성 발달과 관련이 깊다. 또한 빈곤은 빈곤 그 자체보다도 오히려 빈곤생활에서 어쩔 수 없

이 동반될 수 있는 부모의 무기력, 무능력, 생활의 무질서 등으로 인해 이차적으로 파생되는 방임과 갈등에 의한 범죄와도 밀접한 관련이 있다(장수한, 2017). 그러나 최근 경제적으로 안정된 중류층과 상류층 자녀의 비행이 증가하고 있는 점을 감안해 볼 때 빈곤과 청소년 비행이 어떠한 관계에 있는지에 대한 지속적인 연구가 필요하다.

(3) 부모의 양육방식

일반적으로 부모는 자녀의 사회화 기능을 촉진하기 위해 자녀들을 훈육(discipline)한다. 자녀들의 행동을 부모가 적절히 통제하지 못할 경우, 양육태도가 일관적이지 못할 경우, 그리고 불공평한 벌을 주는 경우 등 부모의 양육방식에 문제가 있을 때 자녀들은 문제행동을 하게 된다. 청소년 비행행위는 불법행위이기 이전에 어린 시절의 부정적 경험에 대한 행동화나 가정문제로 설명될 수 있다. 비행행위는 가족으로부터 학습된 동기, 욕구, 가치의 표현이라고 할 수 있으며, 다른 한편으로는 정서적 문제의 증상일 수도 있다(Griffin, 1978).

웰시(Welsh, 1976)는 혹독한 부모의 처벌(severe parental punishment)이 청소년 비행과 연관이 있음을 주장하고, 아이크혼(Aichhorn, 1969)은 부모의 적대, 거부, 혹독한 훈육과 배변훈련이 아동의 정서적 · 행동적 문제를 유발시킬 수 있음을 지적했다. 이러한 문제는 다양한 형태로 나타날 수 있는데, 이 중 하나가 비행임을 강조했다. 패링턴(Farrington, 1978)은 부모의 양육태도와 청소년의 공격성향을 밝힌 연구에서 부모가 혹독하게 양육한 아동들은 어릴 때부터 남을 무시하는 태도와 소극적인 태도를 보였으며, 강압적인 부모의 양육태도, 부모의 범죄기록, 부부의 별거변인 등은 청소년들의 난폭한 비행행동의 요인이 된다고 설명하였다(청소년백서, 2018). 이렇듯 가정환경은 청소년 비행의 사회적 · 심리적 이론을 뒷받침하는 데 중요한 역할을 한다. 부모의 거부, 정서적인 불안정, 권위주의, 일관적이지 못한 양육방식, 빈곤, 결손가정은 청소년 비행을 유발하는 요인이 될 수 있다. 그러나 이러한 요인들만으로 청소년 비행을 설명하기는 어렵다.

3) 또래집단적 요인

청소년 시기는 다양한 측면에서 친구와 상호작용을 하면서 서로 영향을 주고받는다. 즉, 친구로부터의 인정, 승인, 수용은 청소년들에게 있어 매우 중요한 의미를 가진다. 친구관계는 청소년 비행연구에서 선택되는 주요 변수 중의 하나이다. 선행연구에 의하면, 일반 친구와의 교류는 비사회적 행동에 참여하는 것을 방지하지만, 비행친구들과의 교류는 외적 행동과 내재적 문제에 영향을 준다. 또한 몇몇 연구에서는 비행친구와의 교류가 청소년 비행의 원인이 되고 있음을 실증적으로 밝혔다.

최근 들어 비행친구와 청소년 비행의 인과관계에 대한 논란이 일고 있다. 이러한 논란은 두 개의 대립가설(영향가설 혹은 촉진가설 대 선택가설)에서 시작된다. 영향가설은 비행친구와의 교류를 통해 학습된 산물로서 비행을 보는 입장이다. 반면 선택가설에 의하면, 비행청소년은 비슷한 유형의 친구에게 더 많은 매력을 느끼고 비행청소년을 친구로 선택하게 된다. 한편 영향가설과 선택가설의 상호작용에 초점을 둔 강화가설에 의하면, 비행집단에 가입하는 청소년은 집단가입 이전에 이미 높은 수준의 비행에 참여한 경험이 있으며, 이들의 비행수준은 비행집단에 가입함으로써 더욱 심각해진다. 한국청소년 패널조사를 분석하여 비행친구와 청소년 비행 간의 순환적 인과관계가 있음을 밝혔다. 이 연구결과는 비행친구와의 교류는 비행의 원인이며 결과가 될 수 있음을 제시하고, 강화가설을 지지하고 있다(청소년백서, 2018).

4) 교육환경적 요인

오늘날 학교는 청소년들이 올바른 가치관과 인성을 가지고 건강하게 성장하는 데 필요한 교육을 제대로 실천하지 못하고 있다. 우리나라 입시 위주의 학교 교육의 병리현상은 더 이상 설명할 필요가 없을 정도로 심각한 문제를 내포하고 있다. 시험, 지나친 경쟁 관계, 성적 위주의 교과과정과 평가로 인해 학생들은 좌절감, 긴장감, 스트레스를 경험하게 된다. 또한 학생 개개인의 특기나 개성이 존중받지 못하는 학교생활로 인한 무단결석, 왕따, 학교폭력, 학교 중퇴 등 수많은 문제들이 학교에서 일어나고 있다. 점차 증가하고 있는 학생범죄는 학교생활에 대한 불만을 가진 학생들이 학교부적응(학교생활에 대한 애착과 참여의 부족)을 경험하면서 결국에는 비행에 가담하게 된다는 학교 교육 원인론을 뒷받침하고 있다.

5) 지역사회적 요인

향락주의, 물질만능주의, 그리고 편의주의에서 파생되는 사고와 가치관, 물리적 환경(우범지역 등) 등은 범죄와 밀접한 연관이 있다. 또한 지역사회 유해환경은 청소년들의 비행동기를 촉진하며 이들이 범법행위를 하는 데 필요한 정보와 기술을 습득하는 원천이 되기도 한다. 현재 우리나라는 학교보건법에 의해 학교환경위생 정화구역[1] 안에서의 유해업소 운영을 금지하고 있으나, 청소년들이 생활하는 지역사회를 살펴보면 흡연, 음주, 성행위를 부추기는 각종 유해업소가 가정과 각급 학교 주변에 산재해 있다. 또한 도심과 외곽, 상가와 주택가를 구분하지 않고 우후죽순처럼 퍼져 있는 유흥단란주점, 숙박업소, 게임장, 노래연습장, 비디오물 감상실 등 각종 유해업소에서는 청소년들을 고객으로 유혹하거나 심지어 이들을 종업원으로 고용하고 있다.

6) 대중매체적 요인

오늘날 대중매체는 청소년들의 가치관 형성에 결정적인 영향을 준다고 할 수 있다. 대중매체 가운데에서도 TV는 다른 매체와는 비교할 수 없을 정도로 뛰어난 전달력과 호소력을 갖고 있기 때문에 TV에서 방영되는 폭력 및 외설 프로그램은 청소년 비행을 부추기는 방아쇠 역할을 하게 된다. 오늘날의 청

1) 학교환경위생 정화구역은 「교육환경 보호에 관한 법률」 제8조를 근거로 학교경계선으로부터 200미터까지이며, 이 중 학교출입문으로부터 직선거리로 50미터까지는 절대보호구역이며, 이 구역을 제외한 지역은 상대보호구역이다. 정화구역 안에서는 유해업소 설치가 원칙적으로 금지된다. 상대보호구역 안에서는 일부 행위 및 시설에 대해 각 지역교육청에 설치된 '학교환경위생정화위원회'의 사전심의를 거쳐 학습과 학교보건위생에 나쁜 영향을 주지 않는다고 인정한 경우에 제한적으로 설치가 가능하다.

소년들은 문란한 성행동, 과소비, 범죄를 매력적으로 보이게 하는 수많은 프로그램의 홍수 속에 살고 있다. 미국의 한 보고서에 의하면, 한 아이가 16세까지 약 200,000회의 폭력 장면을 보며 18세까지 40,000회의 성행위 장면들을 접한다고 한다. 미국의 청소년들은 자신의 욕구불만을 그들의 우상인 스크린 속의 배우들이 보여준 폭력적인 방법을 모방해서 표출한다고 한다(전의우, 2000). 또한 현실과 거리감이 있는 지나친 폭력 표현에 장기간 노출됨으로써 청소년들은 폭력을 자연스럽게 학습하며 당연시하는 태도를 가지게 된다. 대중매체는 범죄행위에 대한 도덕적 불감증을 유발하고 비행수단이나 기술을 알려주고 비행행위를 유인하는 작용을 할 가능성이 높다.

4. 소년 사법절차

1) 청소년 범죄의 사법처리현황

최근 10년간 검찰의 청소년 범죄 처리내역을 보면, 청소년 범죄의 기소율은 증감을 반복하고 있는 반면에 불기소율은 지속적으로 감소하고 있다. 소년보호송치 비율은 2011년까지 증가하였으나 이후 점차 감소하여 2015년 32.5%이었고 최근에 다시 증가하는 추세를 보이고 있다. 2020년 청소년 범죄자 52,062명 중 소년보호송치 42.4%, 기소유예 25.0%, 구공판 9.9%, 구약식 4.2% 순으로 높은 비율을 차지하였다. 성인범죄와 비교했을 때 청소년 범죄의 경우 기소율이 낮은 반면에, 기소유예 등 불기소율이 상대적으로 높은 것이 특징이다. 이는 소년범죄에 대하여 일반 범죄와 달리 선도 위주로 처리하고 있음을 보여주는 것이다.

〈표 17-4〉 **연도별 청소년 범죄 처리 현황**

(단위 : 명, (%))

연도	계	기 소			불 기 소					소년 보호 송치	가정 보호 송치	성매매 보호 송치	아동 보호 송치	참고인 중지	기소 중지
		소계	구공판	구약식	소계	혐의 없음	기소 유예	죄가 안됨	공소권 없음						
2011	83,060 (100.0)	4,691 (5.6)	3,025 (3.7)	1,666 (2.0)	46,224 (55.7)	4,151 (5.0)	36,582 (44.0)	272 (0.3)	5,219 (6.3)	30,587 (36.8)	10 (0.0)	7 (0.0)	–	86 (0.1)	1,455 (1.8)
2012	102,871 (100.0)	7,877 (7.7)	4,898 (4.8)	2,979 (2.9)	56,668 (55.1)	6,113 (5.9)	43,013 (41.8)	324 (0.3)	7,218 (7.0)	36,478 (35.5)	21 (0.0)	-(0.0)	–	141 (0.1)	1,686 (1.6)
2013	88,062 (100.0)	8,758 (9.9)	5,293 (6.0)	3,465 (3.9)	47,486 (53.9)	5,925 (6.7)	34,914 (39.6)	202 (0.2)	6,445 (7.3)	29,641 (33.7)	35 (0.0)	2(0.0)	–	108 (0.1)	2,032 (2.3)
2014	72,964 (100.0)	7,038 (9.6)	4,191 (5.7)	2,847 (3.9)	39,559 (54.2)	5,379 (7.4)	27,601 (37.8)	182 (0.2)	6,397 (8.8)	23,743 (32.5)	50 (0.1)	4(0.0)	–	130 (0.2)	2,440 (3.3)
2015	56,050 (100.0)	6,252 (711.2)	4,034 (7.2)	2,2187 (4.0)	30,198 (53.9)	4,518 (8.1)	19,623 (36.0)	105 (0.2)	5,952 (10.6))	18,216 (32.5)	119 (0.2)	–	–	54 (0.1)	1,211 (2.2)
2016	60,669 (100.0)	6,113 (10.1)	3,755 (6.2)	2,358 (3.9)	32,235 (53.1)	4,815 (7.9)	21,044 (34.7)	136 (0.2)	6,240 (10.3)	20,597 (33.9)	147 (0.2)	–	4 (0.0)	34 (0.1)	1,539 (2.5)
2017	58,218 (100.0)	5,833 (10.0)	3,449 (5.9)	2,384 (4.1)	31,371 (53.9)	4,636 (8.0)	20,108 (34.5)	121 (0.2)	6,506 (11.2)	20,578 (35.3)	136 (0.2)	–	2 (0.0)	29 (0.0)	269 (0.5)
2018	52,278 (100.0)	6,168 (11.8)	3,950 (7.6)	2,218 (4.2)	25,964 (49.7)	4,255 (8.1)	15,939(30.5)	126 (0.2)	5,644 (10.8)	19,648 (37.6)	131 (0.3)	–	3 (0.0)	27 (0.1)	337 (0.6)
2019	52,973 (100.0)	6,498 (12.3)	4,308 (9.1)	2,190 (34.1)	25,102 (47.4)	4,729 (8.9)	15,129 (28.6)	114 (0.2)	5,130 (9.7)	20,885 (39.4)	177 (0.3)	–	4 (0.0)	26 (0.0)	281 (0.5)
2020	52,062 (100.0)	7,349 (14.1)	5,163 (9.9)	2,186 (4.2)	21,766 (41.8)	4,478 (8.6)	13,032 (25.0)	83 (0.2)	4,173 (8.0)	22,053 (42.4)	180 (0.3)	–	–	22 (0.0)	225 (0.4)

출처 : 대검찰청(2012~2021). 범죄분석.

2) 보호처분의 종류

1호 : 보호자나 보호자를 대신해 소년을 보호할 수 있는 사람에게 감호 위탁

2호 : 수강명령 = 12세 이상의 소년에게 교육을 수강하도록 하는 것

3호 : 사회봉사명령 - 14세 소년에게 교육을 사회봉사를 하도록 하는 것

4호 : 단기 보호관찰 - 1년

5호 : 장기 보호관찰 - 2년(최장 3년)

6호 : 아동복지시설 또는 그 외 소년보호시설에 감호 위탁 – 6개월 이내(최장 12개월)

7호 : 병원, 요양소 또는 그 외 소년의료보호시설에 위탁 – 6개월 이내(최장 12개월)

8호 : 1개월 이내의 소년원 송치

9호 : 단기 소년원 송치 – 6개월

10호 : 장기 소년원 송치 – 2년(12세 이상만 해당)

3) 소년 사법기관

소년 사법기관의 종류는 다음과 같다.

소년분류심사원	소년원	보호관찰소	법무보호복지공단
소년법에 의해 가정법원 또는 지방법원소년부에서 위탁한 소년을 평균 30일 정도 수용, 보호하면서 이들의 자질과 비행행동을 과학적으로 진단하여 어떠한 조치가 적합한가를 분류심사하는 법무부 소속 시설	소년법에 의거 가정법원 또는 지방법원소년부의 보호처분 결정에 의하여 14세 이상 19세 미만의 범죄소년, 형법에 저촉되는 행위를 한 10세 이상 14세 미만의 촉법소년, 성격 또는 환경에 비추어 장래 형법에 저촉되는 행위를 할 우려가 있는 10세 이상 19세 미만의 우범소년 등을 보호하여 교정교육을 하는 법무부 소속 특수교육기관	보호관찰제도 : 유죄가 인정된 범죄자 또는 비행청소년에 대하여 교도소 등에 구금 처벌하는 대신 보호관찰관의 지도, 감독하에 정상적인 사회생활을 허용하고 자립이 필요하다고 인정되는 경우에는 취업알선, 복학주선, 직업훈련 기회 제공, 환경개선, 응급구호 등 적절한 원호로 비행청소년의 건전한 사회복귀를 촉진하게 하는 제도	갱생보호는 범죄자에 대한 비강제적인 사후보호로서 형사처분 또는 보호처분을 받고 소년교도소나 소년원 등에서 출소한 소년에 대하여 경제적·정신적 원조를 제공함으로써 재비행에 빠지는 것을 방지하고 사회적응을 도와주는 제도

(1) 소년분류심사원

소년분류심사원은 소년법 제18조 제1항 제3호의 규정에 의해 가정법원 또는 지방법원소년부에서 위탁한 소년을 수용・보호하고 이들의 자질과 비행원인을 과학적으로 진단하여 어떠한 처분이 적합한가를 분류심사하는 법무부 소속기관이다. 1977년 서울소년분류심사원이 처음 개원하였고, 이후 부산, 대구, 광주, 대전 등에 설치되었다가 2007년 7월 소년보호기관 조직개편에 따라 서울 소년분류심사원을 제외한 나머지 분류심사원은 청소년비행 예방센터 등으로 전환되어 운영 중에 있다. 소년분류심사원이 설치되지 않은 부산・대구・광주・전주・대전・춘천・제주 등 7개 지역에서는 소년원에서 업무를 대행하고 있으며, 소년원이 설치되지 않은 인천・수원은 서울소년분류심사원에서 위탁소년의 수용관리와 분류심사업무를 맡고 있다.

소년분류심사원은 비행소년의 개체적 원인 규명, 소년비행의 조기발견과 치료, 소년비행의 실증적 요인 규명, 청소년 비행 예방 및 재비행 방지를 목적으로 위탁소년의 요보호성 여부와 그 정도를 과학적으로 진단하여 그 결과를 법원 소년부에 보내 조사・심리 시에 참고하도록 하며, 소년원・보호관찰소에 처우지침을 제공하고 보호자에게 사후지도 방법을 권고하는 기능을 수행하고 있다(청소년백서, 2020).

(2) 소년원

소년원은 법원 소년부의 보호처분에 의하여 송치된 비행청소년을 수용・보호하면서 초・중등교육법에 의한 교과교육, 「국민 평생 직업능력 개발법」에 의한 직업능력개발훈련, 약물남용・발달장애・신체질환 등으로 집중치료나 특수교육이 필요한 소년에 대한 의료 및 재활교육과 심리치료・사회봉사활동 등 인성교육을 병행하여 건전한 청소년으로 육성하는 것을 주 임무로 하고 있다. 1942년 처음 개원할 당시에는 교육보다 수용관리에 중점을 두었으나, 두 차례에 걸친 관계 법령의 개정 등을 통해 교육이 차지하는 비중을 꾸준히 높여왔다.

1988년에는 소년원 학생이 학령기 청소년이라는 점을 강조하여 소년원을 초·중등교육법에 의한 정규 학교체제로 전환함으로써 학업연계의 기회를 부여하였고, 1999년에는 21세기 지식정보화 사회에 적합한 직업능력배양과 안정된 사회정착을 위하여 교과교육 중심의 소년원 교육체제를 실용외국어와 컴퓨터 중심의 특성화교육체제로 혁신하였다.

1958년 공포된 소년법에 의하여 소년원에서 초·중등교육법에 근거한 교육을 실시하게 되었고, 교육과정을 마친 학생에게는 종전에 재학했던 학교의 학교장 명의의 졸업장을 주고, 중도에 출원하는 학생은 일반 학교에 전학 또는 편·입학시켜 학업이 단절되지 않도록 하였다.

교육과정은 크게 일반 중·고등학교와 동일한 과정의 일반교육과정과 전체 교육시간의 70~80%를 실용외국어와 컴퓨터 등의 특성화 교과로 운영하는 특성화교육과정으로 나누어 진행되고 있다.

영농, 축산, 원예로 시작된 소년원 직업능력개발훈련은 1973년 안양소년원이 '법무부 제1공공직업훈련소'로 지정되고, 뒤이어 1974년 서울소년원 등 전국의 9개 소년원이 '법무부 제2~10공공직업훈련소'로 인가되면서 전문적인 직업훈련을 실시하게 되었다.

2018년 기준 서울·부산·광주·안양소년원에서 자동화용접, 카일렉트로닉스, 중장비, 건축환경설비, 제과제빵, 피부미용, 헤어디자인, 사무자동화, 영상미디어 등 10개 직업능력개발훈련 과정이 설치되어 있다(청소년백서, 2018).

(3) 보호관찰소

보호관찰소는 보호관찰, 사회봉사명령 및 수강명령, 조사, 전자발찌, 성충동 약물치료 등에 관련된 사무를 집행하기 위해 설치된 법무부 소속 국가기관이다.

보호관찰이란, 범죄인을 교도소, 소년원 등 수용시설에 보내지 않고 일정기간 준수 사항을 지킬 것을 조건으로 사회 내에서 자유로운 생활을 허용하면서 보호관찰관의 지도·감독·원호를 받게 하거나, 일정 시간 무보수로 사회에 유익한 근로봉사를 하게 하거나, 범죄성 개선을 위한 교육을 받도록 함으로써 범죄자의 성행을 교정하여 재범을 방지하는 최신 형사정책 수단이다.

1989년 7월 1일부터 소년범에 대하여 최초로 시행된 보호관찰은 제도의 실효성이 인정되어 성폭력사범(1994년), 성인형사범(1997년), 가정폭력사범(1998년), 성매매사범(2004년), 특정 범죄자에 대한 전자감독제도(2008년)로까지 점차 그 대상이 확대되어 왔다. 전체 보호관찰 실시인원 중 청소년 대상자가 차지하는 비율이 높지 않은 편이나, 청소년 대상자의 높은 변화가능성 및 잠재력 등을 고려하여 청소년 대상자에 대해서는 보다 더 집중적인 보호관찰을 실시하고 있다. 청소년 대상자들이 범죄로부터 벗어나 건전한 사회인으로 복귀할 수 있도록 지역사회의 우수자원과 연계하여 재범방지 전문 프로그램을 개발하여 시행하고, 보호관찰의 재범방지기능을 더욱 충실히 수행하고자 대상자가 필요로 하는 지역사회 자원과 연계를 강화하여 국민들이 공감하고 참여하는 보호관찰을 실현하기 위한 정책을 지속적으로 추진하고 있다.

보호관찰행정 중앙조직으로는 인사 및 예산을 담당하는 법무부 범죄예방정책국 범죄예방기획과, 보호관찰 법령의 입안 및 제도에 관한 조사 연구를 담당하는 보호법제과, 보호관찰행정에 관한 종합계획을 수립하고 시행하는 보호관찰과가 있고, 5개 보호관찰 심사위원회가 고등검찰청 소재지(서울, 대전, 부산, 대구, 광주)에 설치되어 있으며, 2018년 말 기준 지방검찰청 및 주요 지청 소재지에 17개 보호관찰소와 40개 보호관찰지소, 서울 지역에 위치추적중앙관제센터, 대전 지역에 위치추적대전관제센터가 설치되어 있다(청소년백서 2018).

(4) 법무보호복지공단

「보호관찰 등에 관한 법률」은 죄를 지은 사람으로서 재범방지를 위하여 보호관찰, 사회봉사 · 수강 및 갱생보호 등 체계적인 사회 내 처우가 필요하다고 인정되는 사람을 지도하고 보살피며 도움으로써 건전한 사회복귀를 촉진하고, 효율적인 범죄예방 활동을 전개함으로써 개인 및 공공의 복지를 증진함과 아울러 사회를 보호함을 목적으로 한다.

사회복지 사업법에 따라 다음 각 목의 법률에 따른 보호·선도 또는 복지에 관한 사업과 사회복지상담, 노숙인 등 보호, 직업지원, 무료숙박 등 각종 복지사업 및 복지시설의 운영 또는 지원을 목적으로 하는 사업을 말한다.

사업내용으로 갱생보호는 다음 각 호의 방법으로 한다.

① 숙식제공, ② 주거지원, ③ 창업지원, ④ 직업훈련 및 취업 지원, ⑤ 출소예정자 사전상담, ⑥ 갱생보호 대상자의 가족에 대한 지원, ⑦ 심리상담 및 심리치료, ⑧ 사후관리, ⑨ 그 밖의 갱생보호 대상자에 대한 자립 지원을 목적으로 전국에 24개의 지부가 있다.

4) 소년 사법절차

소년 사법의 절차는 ❙그림 17-1❙과 같다.

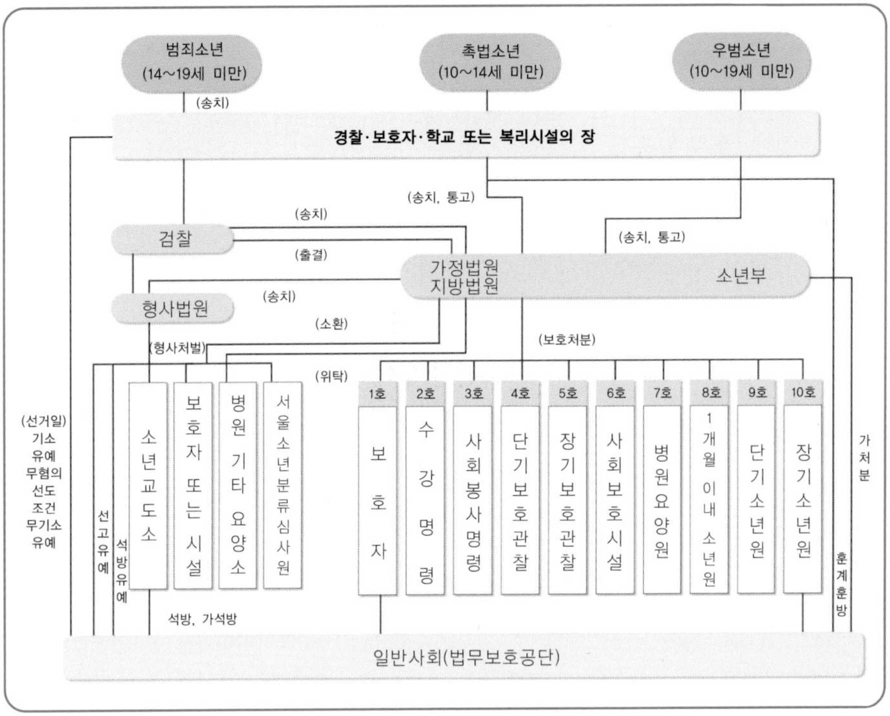

❙그림 17-1❙ **소년 사법절차**

5. 청소년 비행의 예방과 개입방향

1) 가정의 기능 강화

'문제아동 배후에는 문제가정이 있다'라는 말이 있듯이 청소년 비행의 많은 부분들이 가족 내의 문제로부터 시작된다. 실제로 비행청소년의 경우 가정폭력, 부모의 무관심 등의 피해자인 경우가 많다. 서구의 실증조사에 의하면, 피학대 청소년들은 부모에 대한 분노를 해소하기 위해 반사회적인 행동을 하거나 비행을 저지를 가능성이 높다(청소년보호위원회, 2018).

부모의 역할 및 양육태도도 청소년 비행과 상관관계가 높은 것으로 밝혀졌다. 예를 들어, 자녀의 행동을 지도·감독(supervision)하지 않았거나 훈육방침에 일관성이 없는 부모에게서 성장한 아동들은 약물남용, 폭력, 10대 임신, 학교중퇴와 같은 문제행동을 일으킬 가능성이 높은 것으로 나타났다. 따라서 아동이 건전하게 성장하고 양육될 수 있도록 가정의 기능적인 환경을 강화하는 것은 청소년 비행 예방을 위해 매우 중요한 일이다.

2) 학교의 대처능력 강화

학교환경이 비행과 밀접한 연관이 있는 것은 단지 학교의 구조적인 문제라기보다는 전체 사회의 가치관과 사회구조와 연관이 있음을 고려해야 한다. 이와 관련하여 좋은 대학을 나와야 성공할 수 있다는 기성세대의 가치관이 변화되어야 하며, 고용의 기회가 학교 이름에 의해 결정되는 사회풍토 역시 변화되어야 한다. 또한 일류대학에 입학한 학생의 수로 학교를 평가하는 사회분위기의 개선이 시급하며 실제적이고 단계적인 인성교육과 사회교육을 교과과정에 필수적인 필수과목으로 첨부해야 한다. 그리고 학생들의 비행을 예방하기 위해 학교 기능을 강화해야 한다.

3) 지역사회 내 관련 기관 간 협력체계 구축

정부는 가정, 학교, 지역사회 등의 역할 강화를 위한 지원책을 마련하고 청소년문제를 예방할 수 있는 교육제도 및 사회환경 개선을 위한 보다 구체적인 프로그램을 제시해야 한다. 또한 이러한 노력이 지역사회를 중심으로 효과적으로 추진될 수 있도록 '핵심적인 사회기관들'의 기능을 강화하고 지원해야 한다. 이를 위해 관련 기관 간의 긴밀한 협조체제와 명백한 의사소통 채널의 마련이 필수적이다. 최근 우리나라에서는 지역사회 청소년통합지원체계인 지역사회안전망(CYS-Net : Community Youth Safety Net)[2)]을 구축하여 위기청소년을 비롯한 지역 내 청소년들에게 각종 서비스를 제공하고 있다.

4) 소년 사법제도의 개선

(1) 즉각적인 개입

청소년들이 지켜야 할 법이 있음에도 불구하고 이들의 범법행위를 간과하고 지나치는 경우가 종종 있다. 사소한 비행이나 지위비행을 아무런 제재 없이 그냥 넘어가게 될 경우 더 큰 범죄와 연결될 가능성이 크다. 비행청소년을 보호하고 교화하기 위해 즉각적인 단속과 규제는 필수적이다. 즉, 사소한 비행이나 지위비행, 혹은 초범의 경비행이라 할지라도 이에 대한 신속한 개입이 중요하다. 이를 위해 소년경찰의 전문화와 청소년 전문가의 초기 개입이 강화되어야 한다. 예를 들어, 사소한 비행을 했을 경우 단순한 선도 위주의 조언 및 훈방조치보다는 이들이 거주하고 있는 지역사회 내에서 제공하고 있는 전문적인 프로그램(CYS-Net, 대안교육 프로그램 등)의 참여를 대폭 강화해야 한다.

2) CYS-Net은 지역사회 내의 활용 가능한 자원을 모두 연계하여 청소년들을 효과적으로 돕는 사회안전망이다. 청소년상담지원센터가 허브역할을 담당하고 있으며, 상담을 통해 문제를 사정한 후 해결에 필요한 각종 자원을 연계하는 원스톱 서비스를 제공하고 있다.

(2) 사회 내 처우

범죄소년에게 지나치게 가혹한 처분은 오히려 사회적인 낙인과 상처를 줄 가능성이 크기 때문에 구금이 수반되는 처분보다 가능한 한 사회 내 처우의 적용을 확대·실시해야 한다. 사회 내 처우의 대표적인 예로 보호관찰을 들 수 있다. 이 제도는 청소년 범죄자를 소년원이나 소년교소도 등 수용시설에 보내지 않고 일정 기간 준수사항을 지킬 것을 조건으로 사회 내 처우를 허용하면서 보호관찰관의 지도감독 및 사회봉사활동을 하게 하거나 교육을 받게 함으로써 청소년 범죄자의 성행을 교정하여 재범을 방지하는 정책수단이다.

우리나라는 1987년 7월부터 보호관찰을 소년범에 부여해 왔다.[3)]

(3) 시설 내 처우

사회 내 처우가 부적절한 범죄자들의 성행을 교정하기 위해서는 보다 구조화된 처벌이 요구된다. '장기입원시설'로 비유되는 구금시설에서는 집중적인 개입이 이루어져야 하며 범죄자들이 퇴소 후 사회에 복귀할 수 있도록 제반 교육과 훈련을 제공해야 한다. 기존의 대규모 소년교정시설은 수감자들을 사회로 복귀시키는 데 효과적이 아니었다는 지적이 있었다. 최근 들어 수용시설은 소규모로 운영되고 있으며, 이들 시설의 교육체계도 현 직업세계에 적합한 직업훈련교육과 더 나아가 인성교육과 생활지도에 역점을 두고 있다.

우리나라 소년원[4)]에서는 이러한 요구를 수렴한 교육체계를 마련하여 소년원 학생들이 가정과 사회로 돌아가 안정된 정착을 할 수 있도록 지원하고 있다. 이러한 노력은 소년범죄가 성인범죄로 이어지는 것을 방지하여 사회안정을 도모하고 국가비용을 절감하는 것과도 밀접한 연관이 있다. 소년원의 교육과정을 살펴보면 ① 중·고등학교 교과교육, 컴퓨터, 검정고시, ② 직업능

---

3) 소년법 제4조에 의한 보호처분대상자와 형법 제62조의2에 의한 집행유예조건부 보호관찰을 받은 청소년을 대상으로 실시한다.

4) 소년원은 처음 개원 당시(1942)에는 교육보다는 수용관리에 중점을 두었으나, 1970년대 후반부터 교육활동에 비중을 높여 오다가 1988년 12월 31일 관계법령의 개정으로 초·중등교육법에 의해 정규 학교체제로 전환되면서 명칭도 학교로 변경되었다. 현재 우리나라 소년원에서는 법원 소년부에서 보호처분을 받은 10세 이상 19세 미만의 소년을 대상으로 교과교육, 직업능력 개발훈련, 의료 및 재활 교육 등을 통한 전인적인 성장과 발달을 도모하고 안정적인 사회 복귀를 지원하고 있다. 2018년 기준 전국 소년원은 11개소에 운영되고 있다.

력개발훈련, ③ 보호자 교육, ④ 인성교육 등 소년원 학생들의 사회복귀에 초점을 둔 교육내용이 주를 이룬다(법무부 범죄예방정책국 홈페이지, 2018). 2018년 기준 소년원은 서울, 부산, 대구 등 전국에 11개가 설치되어 있다. 소년원 이외에 수용시설로 소년교도소를 들 수 있는데, 이곳의 수용인원은 지속적으로 감소추세에 있다.

부록

청소년 기본법

부록 청소년 기본법

[시행 2020. 11. 20.] [법률 제17285호, 2020. 5. 19., 일부개정]

제1장 총칙

제1조(목적) 이 법은 청소년의 권리 및 책임과 가정·사회·국가·지방자치단체의 청소년에 대한 책임을 정하고 청소년정책에 관한 기본적인 사항을 규정함을 목적으로 한다. <개정 2015. 2. 3.>

제2조(기본이념) ① 이 법은 청소년이 사회구성원으로서 정당한 대우와 권익을 보장받음과 아울러 스스로 생각하고 자유롭게 활동할 수 있도록 하며 보다 나은 삶을 누리고 유해한 환경으로부터 보호될 수 있도록 함으로써 국가와 사회가 필요로 하는 건전한 민주시민으로 자랄 수 있도록 하는 것을 기본이념으로 한다.
② 제1항의 기본이념을 구현하기 위한 장기적·종합적 청소년정책을 추진할 때에는 다음 각 호의 사항을 그 추진 방향으로 한다. <개정 2015. 2. 3.>
1. 청소년의 참여 보장
2. 창의성과 자율성을 바탕으로 한 청소년의 능동적 삶의 실현
3. 청소년의 성장 여건과 사회 환경의 개선
4. 민주·복지·통일조국에 대비하는 청소년의 자질 향상

[전문개정 2014. 3. 24.]

제3조(정의) 이 법에서 사용하는 용어의 뜻은 다음과 같다.
1. "청소년"이란 9세 이상 24세 이하인 사람을 말한다. 다만, 다른 법률에서 청소년에 대한 적용을 다르게 할 필요가 있는 경우에는 따로 정할 수 있다.
2. "청소년육성"이란 청소년활동을 지원하고 청소년의 복지를 증진하며 근로 청소년을 보호하는 한편, 사회 여건과 환경을 청소년에게 유익하도록 개선하고 청소년을 보호하여 청소년에 대한 교육을 보완함으로써 청소년의 균형 있는 성장을 돕는 것을 말한다.
3. "청소년활동"이란 청소년의 균형 있는 성장을 위하여 필요한 활동과 이러한 활동을 소재로 하는 수련활동·교류활동·문화활동 등 다양한 형태의 활동을 말한다.

4. "청소년복지"란 청소년이 정상적인 삶을 누릴 수 있는 기본적인 여건을 조성하고 조화롭게 성장·발달할 수 있도록 제공되는 사회적·경제적 지원을 말한다.
5. "청소년보호"란 청소년의 건전한 성장에 유해한 물질·물건·장소·행위 등 각종 청소년 유해 환경을 규제하거나 청소년의 접촉 또는 접근을 제한하는 것을 말한다.
6. "청소년시설"이란 청소년활동·청소년복지 및 청소년보호에 제공되는 시설을 말한다.
7. "청소년지도자"란 다음 각 목의 사람을 말한다.
   가. 제21조에 따른 청소년지도사
   나. 제22조에 따른 청소년상담사
   다. 청소년시설, 청소년단체 및 청소년 관련 기관에서 청소년육성에 필요한 업무에 종사하는 사람
8. "청소년단체"란 청소년육성을 주된 목적으로 설립된 법인이나 대통령령으로 정하는 단체를 말한다.

[전문개정 2014. 3. 24.]

제4조(다른 법률과의 관계) ① 이 법은 청소년육성에 관하여 다른 법률보다 우선하여 적용한다.

② 청소년육성에 관한 법률을 제정하거나 개정할 때에는 이 법의 취지에 맞도록 하여야 한다.

[전문개정 2014. 3. 24.]

제5조(청소년의 권리와 책임) ① 청소년의 기본적 인권은 청소년활동·청소년복지·청소년보호 등 청소년육성의 모든 영역에서 존중되어야 한다.

② 청소년은 인종·종교·성별·나이·학력·신체조건 등에 따른 어떠한 종류의 차별도 받지 아니한다.

③ 청소년은 외부적 영향에 구애받지 아니하면서 자기 의사를 자유롭게 밝히고 스스로 결정할 권리를 가진다.

④ 청소년은 안전하고 쾌적한 환경에서 자기발전을 추구하고 정신적·신체적 건강을 해치거나 해칠 우려가 있는 모든 형태의 환경으로부터 보호받을 권리를 가진다.

⑤ 청소년은 자신의 능력을 개발하고 건전한 가치관을 확립하며 가정·사회 및 국가의 구성원으로서의 책임을 다하도록 노력하여야 한다.

[전문개정 2014. 3. 24.]

제5조의2(청소년의 자치권 확대) ① 청소년은 사회의 정당한 구성원으로서 본인과 관련된 의사결정에 참여할 권리를 가진다.

② 국가 및 지방자치단체는 청소년이 원활하게 관련 정보에 접근하고 그 의사를 밝힐 수 있도록 청소년 관련 정책에 대한 자문·심의 등의 절차에 청소년을 참여시키거나 그 의견을 수렴하여야 하며, 청소년 관련 정책의 심의·협의·조 정 등을 위한 위원회·협의회 등에 청소년을 포함하여 구성·운영할 수 있다.<개정 2017. 12. 12.>

③ 국가 및 지방자치단체는 청소년과 관련된 정책 수립 절차에 청소년의 참여 또는 의견 수렴을 보장하는 조치를 하여야 한다.

④ 국가 및 지방자치단체는 청소년 관련 정책의 수립과 시행과정에 청소년의 의견을 수렴하고 참여를 촉진하기 위하여 청소년으로 구성되는 청소년참여위원회를 운영하여야 한다.<신설 2017. 12. 12.>

⑤ 국가 및 지방자치단체는 제4항에 따른 청소년참여위원회에서 제안된 내용이 청소년 관련 정책의 수립 및 시행과정에 반영될 수 있도록 적극 노력하여야 한다. <신설 2017. 12. 12.>

⑥ 제4항에 따른 청소년참여위원회의 구성과 운영에 필요한 사항은 대통령령으로 정한다.<신설 2017. 12. 12.>

[전문개정 2014. 3. 24.]

제6조(가정의 책임) ① 가정은 청소년육성에 관하여 1차적 책임이 있음을 인식하여야 하며, 따뜻한 사랑과 관심을 통하여 청소년이 개성과 자질을 바탕으로 자기발전을 실현하고 국가와 사회의 구성원으로서의 책임을 다하는 다음 세대로 성장할 수 있도록 노력하여야 한다.

② 가정은 학교 및 청소년 관련 기관 등에서 실시하는 교육프로그램에 청소년과 함께 참여하는 등 청소년을 바르게 육성하기 위하여 적극적으로 노력하여야 한다.

③ 가정은 정보통신망을 이용한 유해매체물 접촉을 차단하는 등 청소년 유해환경으로부터 청소년을 보호하기 위하여 필요한 노력을 하여야 한다.

④ 가정의 무관심·방치·억압 또는 폭력 등이 원인이 되어 청소년이 가출하거나 비행(非行)을 저지르는 경우 친권자 또는 친권자를 대신하여 청소년을 보호하는 자는 보호의무의 책임을 진다.

[전문개정 2014. 3. 24.]

제7조(사회의 책임) ① 모든 국민은 청소년이 일상생활에서 즐겁게 활동하고 더불어 사는 기쁨을 누리도록 도와주어야 한다.

② 모든 국민은 청소년의 사고와 행동양식의 특성을 인식하고 사랑과 대화를 통하여 청소년을 이해하고 지도하여야 하며, 청소년의 비행을 바로잡는 등 그 선도에 최선을 다하여야 한다.
③ 모든 국민은 청소년을 대상으로 하거나 청소년이 쉽게 접할 수 있는 장소에서 청소년의 정신적·신체적 건강에 해를 끼치는 행위를 하여서는 아니 되며, 청소년에게 유해한 환경을 정화하고 유익한 환경이 조성되도록 노력하여야 한다.
④ 모든 국민은 경제적·사회적·문화적·정신적으로 어려운 상태에 있는 청소년들에게 특별한 관심을 가지고 이들이 보다 나은 삶을 누릴 수 있도록 노력하여야 한다.
[전문개정 2014. 3. 24.]

제8조(국가 및 지방자치단체의 책임) ① 국가 및 지방자치단체는 청소년육성에 필요한 법적·제도적 장치를 마련하여 시행하여야 한다.
② 국가 및 지방자치단체는 근로 청소년을 특별히 보호하고 근로가 청소년의 균형 있는 성장과 발전에 도움이 되도록 필요한 시책을 마련하여야 한다.
③ 국가 및 지방자치단체는 청소년에 대한 가정과 사회의 책임 수행에 필요한 여건을 조성하여야 한다.
④ 국가 및 지방자치단체는 이 법에 따른 업무 수행에 필요한 재원을 안정적으로 확보하기 위한 시책을 수립·실시하여야 한다.
[전문개정 2014. 3. 24.]

제8조의2(교육 및 홍보 등) ① 국가 및 지방자치단체는 이 법 및 「아동의 권리에 관한 협약」에서 규정한 청소년의 권리와 관련된 내용을 널리 홍보하고 교육하여야 한다.
② 국가 및 지방자치단체는 근로 청소년의 권익보호를 위하여 「근로기준법」등에서 정하는 근로 청소년의 권리 등에 필요한 교육 및 상담을 청소년에게 실시하여야 하며, 청소년 근로권익 보호정책을 적극적으로 홍보하여야 한다.<신설 2016. 3. 2.>
③ 청소년 관련 기관과 청소년단체는 청소년을 대상으로 청소년의 권리에 관한 교육적 조치를 시행하여야 한다.<개정 2016. 3. 2.>
[본조신설 2012. 2. 1.]
[제목개정 2016. 3. 2.]

제2장 청소년정책의 총괄 · 조정〈개정 2014. 3. 24., 2015. 2. 3.〉

제9조(청소년정책의 총괄 · 조정) 청소년정책은 여성가족부장관이 관계 행정기관의 장과 협의하여 총괄 · 조정한다.<개정 2015. 2. 3.>

[전문개정 2014. 3. 24.]

[제목개정 2015. 2. 3.]

제10조(청소년정책위원회) ① 청소년정책에 관한 주요 사항을 심의 · 조정하기 위하여 여성가족부에 청소년정책위원회를 둔다.

② 청소년정책위원회는 다음 각 호의 사항을 심의 · 조정한다.

1. 제13조 제1항에 따른 청소년육성에 관한 기본계획의 수립에 관한 사항
2. 청소년정책의 분야별 주요 시책에 관한 사항
3. 청소년정책의 제도개선에 관한 사항
4. 청소년정책의 분석 · 평가에 관한 사항
5. 둘 이상의 행정기관에 관련되는 청소년정책의 조정에 관한 사항
6. 그 밖에 청소년정책의 수립 · 시행에 필요한 사항으로서 대통령령으로 정하는 사항

③ 청소년정책위원회는 위원장 1명을 포함하여 30명 이내의 위원으로 구성한다. 이 경우 제4항 제15호 및 제16호에 따라 위촉되는 위원이 각각 전체 위원의 5분의 1 이상이어야 한다.<개정 2018. 12. 18.>

④ 위원장은 여성가족부장관이 되고, 위원은 다음 각 호의 사람이 된다. 이 경우 복수 차관이 있는 기관은 해당 기관의 장이 지명하는 차관으로 한다.<개정 2017. 7. 26., 2018. 12. 18.>

1. 기획재정부차관
2. 교육부차관
3. 과학기술정보통신부차관
4. 통일부차관
5. 법무부차관
6. 행정안전부차관
7. 문화체육관광부차관
8. 산업통상자원부차관
9. 보건복지부차관
10. 고용노동부차관
11. 중소벤처기업부차관

12. 방송통신위원회부위원장
13. 경찰청장
14. 그 밖에 대통령령으로 정하는 관계 중앙행정기관의 차관 또는 차관급 공무원
15. 청소년정책에 관하여 학식과 경험이 풍부한 사람 중에서 여성가족부장관이 위촉하는 사람
16. 청소년정책과 관련된 활동실적 등이 풍부한 청소년 중에서 여성가족부장관이 위촉하는 청소년

⑤ 제4항 제15호 및 제16호에 따른 위원의 임기는 2년으로 한다.<개정 2018. 12.18.>

⑥ 청소년정책위원회에서 심의·조정할 사항을 미리 검토하거나 위임된 사항을 처리하는 등 청소년정책위원회의 운영을 지원하기 위하여 청소년정책위원회에 청소년정책실무위원회를 둔다.

⑦ 제1항부터 제6항까지에서 규정한 사항 외에 청소년정책위원회 및 청소년정책실무위원회의 구성, 운영 및 위촉기준 등에 필요한 사항은 대통령령으로 정한다.<개정 2018. 12. 18.>

[전문개정 2015. 2. 3.]

제11조(지방청소년육성위원회의 설치) ① 청소년육성에 관한 지방자치단체의 주요 시책을 심의하기 위하여 특별시장·광역시장·특별자치시장·도지사·특별자치도지사(이하 "시·도지사"라 한다) 및 시장·군수·구청장(자치구의 구청장을 말한다. 이하 같다)의 소속으로 지방청소년육성위원회를 둔다.

② 지방청소년육성위원회의 구성·조직 및 운영 등에 필요한 사항은 조례로 정한다.

[전문개정 2014. 3. 24.]

제12조(청소년특별회의의 개최) ① 국가는 범정부적 차원의 청소년정책과제의 설정·추진 및 점검을 위하여 청소년 분야의 전문가와 청소년이 참여하는 청소년특별회의를 해마다 개최하여야 한다.<개정 2015. 2. 3.>

② 청소년특별회의의 참석대상·운영방법 등 세부적인 사항은 대통령령으로 정한다.

[전문개정 2014. 3. 24.]

제13조(청소년육성에 관한 기본계획의 수립) ① 여성가족부장관은 관계 중앙행정기관의 장과 협의한 후 제10조에 따른 청소년정책위원회의 심의를 거쳐 청소년육

성에 관한 기본계획(이하 "기본계획"이라 한다)을 5년마다 수립하여야 한다.<개정 2015. 2. 3.>

② 기본계획에는 다음 각 호의 사항이 포함되어야 한다.

1. 이전의 기본계획에 관한 분석 · 평가
2. 청소년육성에 관한 기본방향
3. 청소년육성에 관한 추진목표
4. 청소년육성에 관한 기능의 조정
5. 청소년육성의 분야별 주요 시책
6. 청소년육성에 필요한 재원의 조달방법
7. 그 밖에 청소년육성을 위하여 특히 필요하다고 인정되는 사항

③ 여성가족부장관은 기본계획을 수립한 때에는 지체 없이 이를 국회 소관 상임위원회에 보고하여야 한다.<신설 2020. 5. 19.>

[전문개정 2014. 3. 24.]

제14조(연도별 시행계획의 수립 등) ① 여성가족부장관 및 관계 중앙행정기관의 장과 지방자치단체의 장은 기본계획에 따라 연도별 시행계획(이하 "시행계획"이라 한다)을 수립 · 시행하여야 한다.

② 관계 중앙행정기관의 장과 지방자치단체의 장은 다음 연도 시행계획 및 전년도 시행계획에 따른 추진실적을 대통령령으로 정하는 바에 따라 매년 여성가족부장관에게 제출하여야 한다.

③ 여성가족부장관은 전년도 시행계획에 따른 추진실적을 분석 · 평가하고, 그 결과를 관계 중앙행정기관의 장과 지방자치단체의 장에게 통보한다.

④ 여성가족부장관 및 관계 중앙행정기관의 장과 지방자치단체의 장은 제3항에 따른 분석 · 평가 결과를 다음 연도 시행계획에 반영하여야 한다.

⑤ 여성가족부장관은 제3항에 따른 추진실적의 분석 · 평가를 위하여 필요한 경우에는 국공립 연구기관 또는 「정부출연연구기관 등의 설립 · 운영 및 육성에 관한 법률」에 따른 정부출연연구기관을 청소년정책 분석 · 평가에 관한 전문지원기관으로 지정하여 분석 · 평가 업무를 지원하게 할 수 있다.

⑥ 시행계획의 수립, 추진실적의 분석 · 평가 및 제5항에 따른 전문지원기관의 지정 등에 필요한 사항은 대통령령으로 정한다.

[전문개정 2015. 2. 3.]

제15조(계획 수립의 협조) ① 여성가족부장관 및 관계 중앙행정기관의 장과 지방자치단체의 장은 기본계획 및 시행계획을 수립 · 시행하기 위하여 필요한 때에는

관련 기관·법인 및 단체의 장에게 협조를 요청할 수 있다.<개정 2015. 2. 3.>
② 제1항에 따른 협조 요청을 받은 자는 특별한 사정이 없으면 협조하여야 한다.
[전문개정 2014. 3. 24.]

제16조(청소년의 달) 청소년의 능동적이고 자주적인 주인의식을 드높이고 모든 국민이 청소년육성에 참여하는 분위기를 조성하기 위하여 매년 5월을 청소년의 달로 한다.
[전문개정 2014. 3. 24.]

제3장 삭제〈2008. 2. 29.〉

제16조의2 삭제<2008. 2. 29.>
제16조의3 삭제<2008. 2. 29.>
제16조의4 삭제<2008. 2. 29.>
제16조의5 삭제<2008. 2. 29.>
제16조의6 삭제<2008. 2. 29.>
제16조의7 삭제<2008. 2. 29.>
제16조의8 삭제<2008. 2. 29.>

제4장 청소년시설

제17조(청소년시설의 종류) 청소년활동에 제공되는 시설, 청소년복지에 제공되는시설, 청소년보호에 제공되는 시설에 관한 사항은 따로 법률로 정한다.
[전문개정 2014. 3. 24.]

제18조(청소년시설의 설치·운영) ① 국가 및 지방자치단체는 청소년시설을 설치·운영하여야 한다.
② 국가 및 지방자치단체 외의 자는 따로 법률에서 정하는 바에 따라 청소년시설을 설치·운영할 수 있다.
③ 국가 및 지방자치단체는 제1항에 따라 설치한 청소년시설을 청소년단체에 위탁하여 운영할 수 있다.
[전문개정 2014. 3. 24.]

제19조(청소년시설의 지도·감독) 국가 및 지방자치단체는 청소년시설의 적합성·공공성·안전성에 대한 국민의 신뢰를 확보하고, 그 설치와 운영을 지원하기 위하여 필요한 지도·감독을 할 수 있다.

제5장 청소년지도자

제20조(청소년지도자의 양성) ① 국가 및 지방자치단체는 청소년지도자의 양성과 자질 향상을 위하여 필요한 시책을 마련하여야 한다.

② 제1항에 따른 청소년지도자의 양성과 자질 향상을 위한 연수 등에 관한 기본 방향과 내용은 대통령령으로 정한다.

[전문개정 2014. 3. 24.]

제21조(청소년지도사) ① 여성가족부장관은 청소년지도사 자격검정에 합격하고 청소년지도사 연수기관에서 실시하는 연수과정을 마친 사람에게 청소년지도사의 자격을 부여한다.

② 누구든지 제1항에 따라 발급받은 자격증을 다른 사람에게 빌려주거나 빌려서는 아니 되며, 이를 알선하여서도 아니 된다.<신설 2020. 5. 19.>

③ 여성가족부장관은 청소년지도사 자격검정에 합격한 사람의 연수를 위하여 필요한 경우에는 대통령령으로 정하는 바에 따라 청소년지도사 연수기관을 지정할 수 있다.<개정 2020. 5. 19.>

④ 다음 각 호의 어느 하나에 해당하는 사람은 청소년지도사가 될 수 없다.<개정 2015. 6. 22., 2020. 5. 19.>

1. 미성년자, 피성년후견인 또는 피한정후견인
2. 파산선고를 받고 복권되지 아니한 사람
3. 금고 이상의 형을 선고받고 그 집행이 끝나거나 집행을 받지 아니하기로 확정된 후 3년이 지나지 아니한 사람
4. 금고 이상의 형을 선고받고 그 집행유예의 기간이 끝나지 아니한 사람

4의2. 제3호 및 제4호에도 불구하고 다음 각 목의 어느 하나에 해당하는 죄를 저지른 사람으로서 형 또는 치료감호를 선고받고 확정된 후 그 형 또는 치료 감호의 전부 또는 일부의 집행이 끝나거나(집행이 끝난 것으로 보는 경우를 포함한다) 집행이 유예·면제된 날부터 10년이 지나지 아니한 사람

가. 「아동복지법」제71조 제1항의 죄

나. 「성폭력범죄의 처벌 등에 관한 특례법」제2조의 성폭력범죄

다. 「아동·청소년의 성보호에 관한 법률」제2조 제2호의 아동·청소년대상성범죄

5. 법원의 판결 또는 법률에 따라 자격이 상실되거나 정지된 사람

⑤ 청소년지도사 자격검정의 최종 합격 발표일을 기준으로 제4항 각 호의 어느 하나에 해당하는 사람은 청소년지도사 자격검정에 응시할 수 없다.<신설 2020. 5. 19.>

⑥ 여성가족부장관은 제1항에 따른 자격검정을 대통령령으로 정하는 바에 따라 청소년단체 또는 「한국산업인력공단법」에 따른 한국산업인력공단에 위탁할 수 있다.<신설 2015. 2. 3., 2020. 5. 19.>
⑦ 제1항에 따른 청소년지도사의 등급, 자격검정, 연수 및 자격증 발급 절차 등에 필요한 사항은 대통령령으로 정한다.<개정 2015. 2. 3., 2020. 5. 19.>
[전문개정 2014. 3. 24.]

제21조의2(청소년지도사 자격의 취소) ① 여성가족부장관은 청소년지도사가 다음 각 호의 어느 하나에 해당하는 경우에는 그 자격을 취소하여야 한다.<개정 2015. 6. 22., 2020. 5. 19.>
1. 제21조 제4항의 결격사유에 해당하게 된 경우
2. 거짓이나 그 밖의 부정한 방법으로 자격을 취득한 경우
3. 자격증을 다른 사람에게 빌려주거나 양도한 경우
② 여성가족부장관은 제1항에 따라 자격을 취소하려면 청문을 하여야 한다.<신설 2020. 5. 19.>
[전문개정 2014. 3. 24.]

제21조의3(부정행위자에 대한 제재) 여성가족부장관은 청소년지도사 자격검정에서 부정행위를 한 사람에 대하여는 그 자격검정을 정지시키거나 무효로 하고, 그 처분을 받은 날부터 3년간 자격검정 응시자격을 정지한다.
[본조신설 2015. 6. 22.]

제22조(청소년상담사) ① 여성가족부장관은 청소년상담사 자격검정에 합격하고 청소년상담사 연수기관에서 실시하는 연수과정을 마친 사람에게 청소년상담사의 자격을 부여한다.
② 제1항에 따른 청소년상담사의 자격검정, 연수 및 결격사유 등에 관하여는 제21조 제2항부터 제7항까지, 제21조의2 및 제21조의3을 준용한다.<개정 2015. 2. 3., 2015. 6. 22., 2020. 5. 19.>
[전문개정 2014. 3. 24.]

제23조(청소년지도사·청소년상담사의 배치 등) ① 청소년시설과 청소년단체는 대통령령으로 정하는 바에 따라 청소년육성을 담당하는 청소년지도사나 청소년상담사를 배치하여야 한다.
② 국가 및 지방자치단체는 제1항에 따라 청소년단체나 청소년시설에 배치된 청소년지도사와 청소년상담사에게 예산의 범위에서 그 활동비의 전부 또는 일부를 보조할 수 있다.

③ 국가와 지방자치단체는 제1항에 따른 청소년지도사 및 청소년상담사의 보수가 제25조에 따른 청소년육성 전담공무원의 보수 수준에 도달하도록 노력하여야 한다.<신설 2015. 2. 3.>
[전문개정 2014. 3. 24.]

제24조(청소년지도사 · 청소년상담사의 채용 등) ① 「교육기본법」제9조에 따른 학교(이하 "학교"라 한다)는 청소년육성에 관련되는 업무를 수행할 때에 필요하면 청소년지도사나 청소년상담사를 채용할 수 있다.
② 국가 및 지방자치단체는 제1항에 따라 채용된 청소년지도사나 청소년상담사의 보수 등 채용에 필요한 경비의 전부 또는 일부를 보조할 수 있다.
[전문개정 2014. 3. 24.]

제24조의2(청소년지도사 · 청소년상담사의 보수교육) ① 청소년시설, 청소년단체 및 학교 등에서 각각 그 업무에 종사하는 청소년지도사와 청소년상담사는 자질향상을 위하여 정기적으로 보수교육을 받아야 한다.
② 청소년시설, 청소년단체 및 학교 등을 운영하는 자는 해당 시설, 단체 및 학교 등에 종사하는 청소년지도사와 청소년상담사에 대하여 제1항에 따른 보수교육을 이유로 불리한 처우를 하여서는 아니 된다.
③ 여성가족부장관은 제1항에 따른 보수교육을 여성가족부령으로 정하는 바에 따라 관계 기관 또는 단체에 위탁할 수 있다.
④ 제1항에 따른 보수교육의 대상 · 기간 · 내용 · 방법 및 절차와 제3항에 따른 위탁 등에 필요한 사항은 여성가족부령으로 정한다.
[전문개정 2014. 3. 24.]

제25조(청소년육성 전담공무원) ① 특별시 · 광역시 · 특별자치시 · 도 · 특별자치도(이하 "시 · 도"라 한다), 시 · 군 · 구(자치구를 말한다. 이하 같다) 및 읍 · 면 · 동 또는 제26조에 따른 청소년육성 전담기구에 청소년육성 전담공무원을 둘 수 있다.
② 제1항에 따른 청소년육성 전담공무원은 청소년지도사 또는 청소년상담사의 자격을 가진 사람으로 한다.
③ 청소년육성 전담공무원은 관할구역의 청소년과 청소년지도자 등에 대하여 그 실태를 파악하고 필요한 지도를 하여야 한다.
④ 관계 행정기관, 청소년단체 및 청소년시설의 설치 · 운영자는 청소년육성 전담공무원의 업무 수행에 협조하여야 한다.
⑤ 제1항에 따른 청소년육성 전담공무원의 임용 등에 필요한 사항은 조례로 정한다.
[전문개정 2014. 3. 24.]

제26조(청소년육성 전담기구의 설치) ① 청소년육성에 관한 업무를 효율적으로 운영하기 위하여 시·도 및 시·군·구에 청소년육성에 관한 업무를 전담하는 기구를 따로 설치할 수 있다.
② 제1항에 따른 청소년육성 전담기구의 사무 범위, 조직 등에 필요한 사항은 조례로 정한다.
[전문개정 2014. 3. 24.]

제27조(청소년지도위원) ① 특별자치시장·특별자치도지사·시장·군수·구청장은 청소년육성을 담당하게 하기 위하여 청소년지도위원을 위촉하여야 한다.
② 제21조 제4항 각 호의 어느 하나에 해당하는 사람은 청소년지도위원이 될 수 없다.<신설 2020. 5. 19.>
③ 청소년지도위원이 제21조 제4항 각 호의 어느 하나에 해당하게 되는 경우 위원 자격을 상실한다.<신설 2020. 5. 19.>
④ 제1항에 따른 청소년지도위원의 자격·위촉절차 등에 필요한 사항은 조례로 정한다.<개정 2020. 5. 19.>
[전문개정 2014. 3. 24.]

제6장 청소년단체

제28조(청소년단체의 역할) ① 청소년단체는 다음 각 호의 역할을 수행하기 위하여 최선의 노력을 하여야 한다.
1. 학교교육과 서로 보완할 수 있는 청소년활동을 통한 청소년의 기량과 품성 함양
2. 청소년복지 증진을 통한 청소년의 삶의 질 향상
3. 유해환경으로부터 청소년을 보호하기 위한 청소년보호 업무 수행
② 청소년단체는 제1항에 따른 역할을 수행할 때에 청소년의 의견을 적극 반영하여야 한다.
[전문개정 2014. 3. 24.]

제28조의2(청소년단체 임원의 결격사유) ① 청소년단체의 임원은 여성가족부장관으로부터 설립허가를 받은 법인의 임원과 「비영리민간단체지원법」에 따라 등록된 비영리민간단체의 대표자, 관리인 또는 그 밖에 회칙으로 정한 임원으로 한다.
② 다음 각 호의 어느 하나에 해당하는 사람은 청소년단체의 임원이 될 수 없다.<개정 2015. 6. 22., 2020. 5. 19.>

1. 제21조 제4항 각 호(제4호의2는 제외한다)의 어느 하나에 해당하는 사람
2. 삭제<2015. 6. 22.>
3. 제1호 및 제2호에도 불구하고 「아동복지법」 제71조, 「보조금 관리에 관한 법률」 제40조부터 제42조까지 또는 「형법」 제28장·제40장(제360조는 제외한다)의 죄를 범하거나 이 법을 위반하여 다음 각 목의 어느 하나에 해당하는 사람
   가. 100만원 이상의 벌금형을 선고받고 그 형이 확정된 후 5년이 지나지 아니한 사람
   나. 형의 집행유예를 선고받고 그 형이 확정된 후 7년이 지나지 아니한 사람
   다. 징역형을 선고받고 그 집행이 끝나거나(집행이 끝난 것으로 보는 경우를 포함한다) 집행이 면제된 날부터 7년이 지나지 아니한 사람
4. 제1호부터 제3호까지의 규정에도 불구하고 「성폭력범죄의 처벌 등에 관한 특례법」 제2조(제1항 제1호는 제외한다)의 성폭력범죄 또는 「아동·청소년의 성보호에 관한 법률」제2조 제2호의 아동·청소년대상 성범죄를 저지른 사람으로서 형 또는 치료감호를 선고받고 확정된 후 그 형 또는 치료감호의 전부 또는 일부의 집행이 끝나거나(집행이 끝난 것으로 보는 경우를 포함한다) 집행이 유예·면제된 날부터 10년이 지나지 아니한 사람

③ 임원이 제2항 각 호의 어느 하나에 해당하게 되었을 때에는 그 자격을 상실한다.

[전문개정 2014. 3. 24.]

제28조의3(벌금형의 분리 선고) 「형법」 제38조에도 불구하고 청소년단체의 임원에게 제28조의2 제2항 제3호에서 정한 죄와 다른 죄의 경합범(競合犯)에 대하여 벌금형을 선고하는 경우에는 이를 분리하여 선고하여야 한다.

[본조신설 2018. 4. 17.]

제29조(청소년단체에 대한 지원 등) ① 국가 및 지방자치단체는 청소년단체의 조직과 활동에 필요한 행정적인 지원을 할 수 있으며, 예산의 범위에서 그 운영·활동 등에 필요한 경비의 일부를 보조할 수 있다.

② 학교 및 「평생교육법」제2조 제2호의 평생교육기관은 청소년단체의 청소년활동에 필요한 지원과 협력을 할 수 있다.

③ 개인·법인 또는 단체는 청소년단체의 시설과 운영을 지원하기 위하여 금전이나 그 밖의 재산을 출연할 수 있다.

④ 제1항에 따른 지원 및 보조의 범위 등에 필요한 사항은 대통령령으로 정한다.

[전문개정 2014. 3. 24.]

제30조(수익사업) ① 청소년단체는 정관에서 정하는 바에 따라 청소년육성과 관련한 수익사업을 할 수 있다.
② 제1항에 따른 수익사업의 범위, 수익금의 사용 등에 필요한 사항은 대통령령으로 정한다.
[전문개정 2014. 3. 24.]

제31조 삭제<2010. 5. 17.>
제32조 삭제<2010. 5. 17.>
제33조 삭제<2010. 5. 17.>
제34조 삭제<2010. 5. 17.>
제35조 삭제<2010. 5. 17.>
제36조 삭제<2010. 5. 17.>
제37조 삭제<2010. 5. 17.>
제38조 삭제<2010. 5. 17.>
제39조 삭제<2010. 5. 17.>

제40조(한국청소년단체협의회) ① 청소년단체는 청소년육성을 위한 다음 각 호의 활동을 하기 위하여 여성가족부장관의 인가를 받아 한국청소년단체협의회를 설립할 수 있다.
1. 회원단체의 사업과 활동에 대한 협조·지원
2. 청소년지도자의 연수와 권익 증진
3. 청소년 관련 분야의 국제기구활동
4. 외국 청소년단체와의 교류 및 지원
5. 남·북청소년 및 해외교포청소년과의 교류·지원
6. 청소년활동에 관한 조사·연구·지원
7. 청소년 관련 도서 출판 및 정보 지원
8. 청소년육성을 위한 홍보 및 실천 운동
9. 제41조에 따른 지방청소년단체협의회에 대한 협조 및 지원
10. 그 밖에 청소년육성을 위하여 필요한 사업
② 한국청소년단체협의회는 법인으로 한다.
③ 한국청소년단체협의회는 주된 사무소의 소재지에서 설립등기를 함으로써 성립한다.
④ 한국청소년단체협의회에 관하여 이 법에 규정된 것을 제외하고는 「민법」 중 사단법인에 관한 규정을 준용한다.

⑤ 국가는 한국청소년단체협의회의 운영과 활동에 필요한 경비를 지원할 수 있다.
⑥ 한국청소년단체협의회는 설립 목적에 지장이 없는 범위에서 수익사업을 할 수있으며, 발생한 수익은 한국청소년단체협의회의 운영 또는 한국청소년단체협의회의 시설 운영 외의 목적에 사용할 수 없다.
⑦ 개인·법인 또는 단체는 한국청소년단체협의회의 운영과 사업 등을 지원하기 위하여 금전이나 그 밖의 재산을 출연하거나 기부할 수 있다.
⑧ 한국청소년단체협의회는 제1항에 따른 활동의 일부를 정관에서 정하는 바에 따라 회원단체에 위탁할 수 있다.
[전문개정 2014. 3. 24.]

제41조(지방청소년단체협의회) ① 특정지역을 활동 범위로 하는 청소년단체는 청소년육성을 위하여 그 지역을 관할하는 시·도의 조례로 정하는 바에 따라 시·도지사의 인가를 받아 지방청소년단체협의회를 설립할 수 있다.
② 지방자치단체는 예산의 범위에서 해당 지방청소년단체협의회의 운영경비의 전부 또는 일부를 지원할 수 있다.
[전문개정 2014. 3. 24.]

제42조 삭제<2012. 2. 1.>
제42조의2 삭제<2012. 2. 1.>
제42조의3 삭제<2012. 2. 1.>
제42조의4 삭제<2012. 2. 1.>
제42조의5 삭제<2012. 2. 1.>
제43조 삭제<2012. 2. 1.>
제44조 삭제<2012. 2. 1.>
제45조 삭제<2010. 5. 17.>
제46조 삭제<2012. 2. 1.>
제46조의2 삭제<2012. 2. 1.>

제7장 청소년활동 및 청소년복지 등〈개정 2014. 3. 24.〉

제47조(청소년활동의 지원) ① 국가 및 지방자치단체는 청소년활동을 지원하여야 한다.
② 제1항에 따른 청소년활동의 지원에 관한 사항은 따로 법률로 정한다.
[전문개정 2014. 3. 24.]

제48조(학교교육 등과의 연계) ① 국가 및 지방자치단체는 청소년활동과 학교교육·평생교육을 연계하여 교육적 효과를 높일 수 있도록 하는 시책을 수립·시행하여야 한다.
② 여성가족부장관이 제1항에 따른 시책을 수립할 때에는 미리 관계 기관과 협의하여야 하며, 전문가의 의견을 들어야 한다.
③ 제2항에 따른 협의를 요청받은 관계 기관은 특별한 사유가 없으면 이에 따라야 한다.
[전문개정 2014. 3. 24.]

제48조의2(청소년 방과 후 활동의 지원) ① 국가 및 지방자치단체는 학교의 정규교육으로 보호할 수 없는 시간 동안 청소년의 전인적(全人的) 성장·발달을 지원하기 위하여 다양한 교육 및 활동 프로그램 등을 제공하는 종합적인 지원 방안을 마련하여야 한다.
② 제1항의 종합적인 지원 방안 마련에 필요한 사항은 대통령령으로 정한다.
[전문개정 2014. 3. 24.]

제49조(청소년복지의 향상) ① 국가는 청소년들의 의식·태도·생활 등에 관한 사항을 정기적으로 조사하고, 이를 개선하기 위하여 청소년의 복지향상 정책을 수립·시행하여야 한다.
② 국가 및 지방자치단체는 기초생활 보장, 직업재활훈련, 청소년활동 지원 등의 시책을 추진할 때에는 정신적·신체적·경제적·사회적으로 특별한 지원이 필요한 청소년을 우선적으로 배려하여야 한다.
③ 국가 및 지방자치단체는 청소년의 삶의 질을 향상하기 위하여 구체적인 시책을 마련하여야 한다.
④ 제1항부터 제3항까지의 규정에 관하여는 따로 법률로 정한다.
[전문개정 2014. 3. 24.]

제50조 삭제<2012. 2. 1.>

제51조(청소년 유익환경의 조성) ① 국가 및 지방자치단체는 청소년이 정보화 능력을 키울 수 있는 환경을 조성하기 위하여 노력하여야 한다.
② 국가 및 지방자치단체는 청소년에게 유익한 매체물의 제작·보급 등을 장려하여야 하며 매체물의 제작·보급 등을 하는 자에게 그 제작·보급 등에 관한 경비 등을 지원할 수 있다.

③ 국가 및 지방자치단체는 주택단지의 청소년시설 배치 등 청소년을 위한 사회환경과 자연환경을 조성하기 위하여 노력하여야 한다.
[전문개정 2014. 3. 24.]

제52조(청소년 유해환경의 규제) ① 국가 및 지방자치단체는 청소년에게 유해한 매체물과 약물 등이 유통되지 아니하도록 하여야 한다.
② 국가 및 지방자치단체는 청소년이 유해한 업소에 출입하거나 고용되지 아니하도록 하여야 한다.
③ 국가 및 지방자치단체는 폭력·학대·성매매 등 유해한 행위로부터 청소년을 보호·구제하여야 한다.
④ 제1항부터 제3항까지의 규정에 따른 청소년에게 유해한 매체물·약물·업소·행위 등의 규제에 관하여는 따로 법률로 정한다.
[전문개정 2014. 3. 24.]

제52조의2(근로 청소년의 보호를 위한 신고의무) ① 누구든지 청소년의 근로와 관련하여 「근로기준법」, 「최저임금법」등 노동 관계 법령의 위반 사실을 알게된 경우에는 그 사실을 고용노동부장관이나 「근로기준법」 제101조에 따른 근로감독관에게 신고할 수 있다.
② 다음 각 호의 어느 하나에 해당하는 사람은 그 직무를 수행하면서 청소년의 근로와 관련하여 「근로기준법」, 「최저임금법」등 노동 관계 법령의 위반 사실을 알게 된 경우에는 그 사실을 고용노동부장관이나 「근로기준법」 제101조에 따른 근로감독관에게 신고하여야 한다.
1. 「청소년복지 지원법」 제12조 제2항에 따른 상담전화, 같은 법 제22조에 따른 한국청소년상담복지개발원, 같은 법 제29조에 따른 청소년상담복지센터, 같은 법 제30조에 따른 이주배경청소년지원센터 및 같은 법 제31조에 따른청소년복지시설의 장과 그 종사자
2. 「학교 밖 청소년 지원에 관한 법률」 제12조에 따른 학교 밖 청소년 지원센터의 장과 그 종사자
3. 「아동복지법」 제50조에 따른 아동복지시설의 장과 그 종사자

③ 누구든지 제1항 및 제2항에 따른 신고인의 인적 사항 또는 신고인임을 미루어 알 수 있는 사실을 다른 사람에게 알려주거나 공개 또는 보도하여서는 아니된다.
[본조신설 2016. 12. 20.]

제52조의3(청소년 근로권익 보호 지원) 국가나 지방자치단체는 근로청소년의 부당처우에 대한 해결을 돕는 등 청소년의 근로권익 보호를 위한 사업을 실시하거나 지원할 수 있다.
[본조신설 2020. 5. 19.]

제8장 청소년육성기금

제53조(기금의 설치 등) ① 청소년육성에 필요한 재원을 확보하기 위하여 청소년육성기금(이하 "기금"이라 한다)을 설치한다.
② 기금은 여성가족부장관이 관리·운용한다.
③ 여성가족부장관은 기금의 관리·운용에 관한 사무의 전부 또는 일부를 다음 각 호의 기관 중에서 선정하여 위탁할 수 있다.
1. 제40조에 따른 한국청소년단체협의회
2. 「청소년활동 진흥법」 제6조에 따른 한국청소년활동진흥원
3. 「정부출연연구기관 등의 설립·운영 및 육성에 관한 법률」에 따라 설립된 한국청소년정책연구원
4. 「국민체육진흥법」 제36조에 따른 서울올림픽기념국민체육진흥공단
④ 기금의 관리·운용에 필요한 사항은 대통령령으로 정한다.
[전문개정 2014. 3. 24.]

제54조(기금의 조성) ① 기금은 다음 각 호의 재원으로 조성한다.<개정 2014. 12. 23.>
1. 정부의 출연금
2. 「국민체육진흥법」 제22조 제4항 제1호 및 「경륜·경정법」 제18조 제1항 제1호에 따른 출연금
3. 개인·법인 또는 단체가 출연하는 금전·물품이나 그 밖의 재산
4. 기금의 운용으로 생기는 수익금
5. 그 밖에 대통령령으로 정하는 수입금
② 제1항 제3호에 따라 출연하는 자는 용도를 지정하여 출연할 수 있다. 다만, 특정단체 또는 개인에 대한 지원을 용도로 지정할 수 없다.
[전문개정 2014. 3. 24.]

제55조(기금의 사용 등) ① 기금은 다음 각 호의 사업에 사용한다.<개정 2015. 2. 3.>
1. 청소년활동의 지원
2. 청소년시설의 설치와 운영을 위한 지원
3. 청소년지도자의 양성을 위한 지원

4. 청소년단체의 운영과 활동을 위한 지원
5. 청소년복지 증진을 위한 지원
6. 청소년보호를 위한 지원
7. 청소년정책의 수행 과정에 관한 과학적 연구의 지원
8. 기금 조성 사업을 위한 지원
9. 그 밖에 청소년육성을 위하여 대통령령으로 정하는 사업

② 국가나 지방자치단체는 제53조 제2항 및 제3항에 따른 기금의 관리기관(이하 "기금관리기관"이라 한다)의 기금 조성을 지원하기 위하여 기금관리기관에 국유 또는 공유의 시설·물품이나 그 밖의 재산을 그 용도나 목적에 지장을 주지아니하는 범위에서 무상으로 사용·수익하게 하거나 대부할 수 있다.

③ 기금관리기관은 청소년육성 또는 기금의 조성을 위하여 기금의 일부 또는 기금관리기관의 시설·물품 등 재산의 일부를 청소년단체의 기본재산에 출연하거나 출자할 수 있다.

④ 기금관리기관은 기금 조성의 전망을 고려하여 기금 사용을 조절함으로써 궁극적으로 청소년육성을 위한 재원 확보에 기여할 수 있는 장기계획을 수립하여 시행하여야 한다.

[전문개정 2014. 3. 24.]

제56조(지방청소년육성기금의 조성) ① 시·도지사는 관할구역의 청소년활동 지원 등 청소년육성을 위한 사업 지원에 필요한 재원을 확보하기 위하여 지방청소년육성기금을 설치할 수 있다.

② 제1항에 따른 지방청소년육성기금의 조성·용도 등에 필요한 사항은 조례로 정한다.

[전문개정 2014. 3. 24.]

제9장 보칙

제57조(국유·공유 재산의 대부 등) ① 국가나 지방자치단체는 청소년시설의 설치, 청소년단체의 육성을 위하여 필요한 경우에는 「국유재산법」또는 「공유재산 및 물품 관리법」에도 불구하고 그 용도에 지장을 주지 아니하는 범위에서 청소년시설이나 청소년단체에 국유·공유 재산을 무상으로 대부하거나 사용·수익하게 할 수 있다.

② 제1항에 따른 국유·공유 재산의 대부·사용·수익의 내용 및 조건에 관하여는 해당 재산을 사용·수익하려는 자와 해당 재산의 관리청 또는 지방자치단체

의 장 사이의 계약에 따른다.
[전문개정 2014. 3. 24.]

제58조(조세 감면 등) ① 국가는 다음 각 호의 기관과 그 기관에서 운영하는 청소년시설에 대하여 「조세특례제한법」에서 정하는 바에 따라 조세를 감면할 수 있고, 「부가가치세법」에서 정하는 바에 따라 부가가치세를 감면할 수 있다.
1. 제40조에 따른 한국청소년단체협의회
2. 제41조에 따른 지방청소년단체협의회
3. 「청소년복지 지원법」 제22조에 따른 한국청소년상담복지개발원
4. 「청소년복지 지원법」 제29조에 따른 청소년상담복지센터
5. 「청소년복지 지원법」 제30조에 따른 이주배경청소년지원센터
6. 「정부출연연구기관 등의 설립·운영 및 육성에 관한 법률」에 따라 설립된 한국청소년정책연구원
7. 그 밖의 청소년단체

② 국가는 다음 각 호의 재산 등에 대해서는 「조세특례제한법」에서 정하는 바에 따라 소득계산의 특례를 적용할 수 있다.
1. 제1항 각 호의 기관과 그 기관에서 운영하는 청소년시설에 출연되거나 기부된 재산
2. 제54조에 따라 기금에 출연된 금전이나 그 밖의 재산

③ 국가는 제1항 각 호의 기관과 그 기관에서 운영하는 청소년시설에서 청소년활동에 사용하기 위하여 수입하는 다음 각 호의 어느 하나에 해당하는 용품 등에 대해서는 「관세법」에서 정하는 바에 따라 관세를 감면할 수 있다.
1. 실험·실습·시청각 기자재와 그 밖에 필요한 용품
2. 고도의 정밀성 등으로 수입이 불가피한 청소년 시설·설비
[전문개정 2014. 3. 24.]

제59조(감독 등) ① 국가 및 지방자치단체는 청소년육성을 위하여 필요하면 다음 각 호의 기관에 대하여 업무·회계 및 재산에 관한 사항을 보고하게 하거나 소속 공무원으로 하여금 그 장부·서류나 그 밖의 물건을 검사하게 할 수 있다.
1. 청소년시설
2. 제40조에 따른 한국청소년단체협의회
3. 제41조에 따른 지방청소년단체협의회
4. 그 밖의 청소년단체

② 제1항에 따라 검사를 하는 공무원은 그 권한을 표시하는 증표를 지니고 이를

관계인에게 보여주어야 한다.
[전문개정 2014. 3. 24.]

제60조(포상) 정부는 청소년육성에 관하여 현저한 공로가 있거나 다른 청소년에게 모범이 되는 자에게 포상을 할 수 있다.
[전문개정 2014. 3. 24.]

제61조(유사명칭의 사용금지) 이 법에 따른 한국청소년단체협의회가 아닌 자는 한국청소년단체협의회 또는 이와 유사한 명칭을 사용하지 못한다.
[전문개정 2014. 3. 24.]

제62조(수수료 등) ① 다음 각 호의 어느 하나에 해당하는 사람은 여성가족부령으로 정하는 바에 따라 수수료를 내야 한다.
1. 청소년지도사 자격검정에 응시하거나 연수과정을 이수하는 사람
2. 청소년상담사 자격검정에 응시하거나 연수과정을 이수하는 사람

② 청소년시설을 설치·운영하는 자 및 위탁운영을 하는 단체는 청소년시설을 이용하는 자로부터 이용료를 받을 수 있다.
[전문개정 2014. 3. 24.]

제63조(권한의 위임·위탁) 여성가족부장관은 이 법에 따른 권한의 일부를 대통령령으로 정하는 바에 따라 시·도지사에게 위임하거나 청소년단체에 위탁할 수있다.
[전문개정 2014. 3. 24.]

제63조의2(벌칙 적용에서 공무원 의제) 제21조 제6항(제22조 제2항에서 준용하는 경우를 포함한다)에 따라 위탁받은 자격검정 업무에 종사하는 사람은 「형법」제129조부터 제132조까지의 규정을 적용할 때에는 공무원으로 본다.<개정 2020.5. 19.>
[본조신설 2015. 2. 3.]

제10장 벌칙

제64조(벌칙) 제30조에 따라 정관에서 정하는 사업 외의 수익사업을 한 자는 2년 이하의 징역 또는 2천만원 이하의 벌금에 처한다.
[전문개정 2014. 3. 24.]

제64조의2(벌칙) 다음 각 호의 어느 하나에 해당하는 자는 1년 이하의 징역 또는 1천만원 이하의 벌금에 처한다.<개정 2020. 5. 19.>
1. 제21조 제2항(제22조 제2항에서 준용하는 경우를 포함한다)을 위반하여 자격증을 빌려주거나 빌린 사람 또는 이를 알선한 사람

2. 제52조의2 제3항을 위반하여 신고인의 인적 사항 또는 신고인임을 미루어 알 수 있는 사실을 다른 사람에게 알려주거나 공개 또는 보도한 자

[본조신설 2016. 12. 20.]

제65조(양벌규정) 법인의 대표자나 법인 또는 개인의 대리인, 사용인, 그 밖의 종업원이 그 법인 또는 개인의 업무에 관하여 제64조의 위반행위를 하면 그 행위자를 벌하는 외에 그 법인 또는 개인에게도 해당 조문의 벌금형을 과(科)한다. 다만, 법인 또는 개인이 그 위반행위를 방지하기 위하여 해당 업무에 관하여 상당한 주의와 감독을 게을리하지 아니한 경우에는 그러하지 아니하다.

[전문개정 2010. 5. 17.]

제66조(과태료) ① 다음 각 호의 어느 하나에 해당하는 자에게는 500만원 이하의 과태료를 부과한다.

1. 제59조 제1항에 따른 보고를 하지 아니하거나 검사를 거부·방해 또는 기피한 자
2. 제61조를 위반한 자

② 제24조의2 제1항 및 제2항을 위반한 자에게는 100만원 이하의 과태료를 부과한다.

③ 제1항과 제2항에 따른 과태료는 대통령령으로 정하는 바에 따라 여성가족부장관 또는 지방자치단체의 장이 부과·징수한다.

[전문개정 2014. 3. 24.]

부칙 〈법률 제17285호, 2020. 5. 19.〉

제1조(시행일) 이 법은 공포 후 6개월이 경과한 날부터 시행한다.

제2조(청소년육성에 관한 기본계획에 관한 적용례) 제13조 제3항의 개정규정은 이 법 시행 후 최초로 여성가족부장관이 수립하는 청소년육성에 관한 기본계획부터 적용한다.

제3조(청소년지도사 자격검정 응시에 관한 적용례) 제21조 제5항의 개정규정은 이 법 시행 후 최초로 청소년지도사 자격검정을 실시하는 경우부터 적용한다.

제4조(청소년지도위원의 결격사유 및 자격상실에 관한 적용례) 제27조 제2항 및 제3항의 개정규정은 이 법 시행 후 발생하는 사유로 인하여 종전의 제21조 제3항 각 호의 어느 하나에 해당하게 되는 경우부터 적용한다.

참·고·문·헌

강대기(2001). 현대사회에서 공동체는 가능한가. 서울 : 아카넷.

강순영(2000). 정신보건 사회복지사의 서비스 연계에 영향을 미치는 요인. 가톨릭대학교 대학원 석사학위논문.

고남정 · 오성배(2016). 학교 재학과 학교 밖 기관 이용 여부가 중도입국청소년의 한국어 능력에 미치는 영향. 교육문화연구, 22(4), 271-289.

고영삼(2012). 인터넷에 빼앗긴 아이 : 인터넷중독, 해답은 가정에 있다. 서울 : 베가북스.

교육과학기술부(2010). 보도자료 2010.7.23. 교육과학기술부 홍보담당관실.

_____________(2012). 2012 교육과학기술부 교육복지우선지원사업 추진계획. 교육과학기술부 학생지원국.

국가인권위원회(2003). 국내 거주 외국인 노동자 아동의 인권실태조사. 서울 : 국가인권위원회.

김귀자(1991). 저소득층 아동을 위한 사회복지관 프로그램에 관한 연구. 숭실대학교 대학원 석사학위논문.

김기태(2000. 5). 사이버세상과 오늘의 청소년. 기독교사상, 497.

김기환(1999). 학생문제에 대한 학생, 부모, 교사의 인식비교. 학교사회 사업, 제2호. 한국학교사회사업학회.

김동일(2005). 청소년의 자살 : 예방개입과 상담. 청소년의 자살 : 예방과 상담. 한국청소년상담원.

김만호(2009). 지역사회복지론. 경기 : 양서원.

김미숙(2006). 빈곤아동 삶의 질과 소득지원 방안. 보건복지포럼, 206호, 보건사회연구원.

김미숙 · 배화옥(2007). 한국아동빈곤율 수준과 아동빈곤에 영향을 미치는 요인 연구. 보건사회연구, 23(3).

김범수 외(2007). 다문화사회복지론. 경기 : 양서원.

김상곤(2005). 학교사회복지에 대한 이해. 경기 : 양서원.

김상곤 · 김주미(2002). 북유럽의 학교사회복지-제1회 사회복지사 해외연수 보고서. 한국사회복지사협회.

김성경(2006). 누적적 위험요인과 학교청소년 비행의 관련성 연구. 한국아동복지학, 22.

김성옥(2008). 학교사회복지실천에서의 지역사회자원연계방안에 관한 연구. 학교사회복지. 6(1).

김영미 · 현안나(2020).다문화청소년의 맥락적 요인과 진로장벽, 진로결정수준의 구조적 관계 및 성별간 다집단분석. 학교사회복지, 49, 311-338.

김인희(2006). 교육복지의 개념에 관한 고찰, 한국교육행정학회 · 한국교육사회학회 공동세미나.

김준호(2003). 학교폭력의 실태와 원인 : 사회학적 고찰. 한국심리학회, 1, 203-204.

김준호・노성호・이성식・곽대경・이동원・박철현(2003). **청소년비행론**. 서울 : 청목출판사.

김지선(2005). 청소녀비행예방을 위한 결연관계의 새로운 모델 : 멘토링 프로그램(mentoring program). **한국공안행정학회보**, 9, 257-300.

김지연(2017). 다문화 청소년의 진로의식에 영향을 미치는 요인에 대한 연구. 다문화청소년패널 학술대회, 388-402.

김진희(1995). 비행 청소년 상담지원정책. 청소년 상담 연구. 청소년 대화의 광장.

김찬호(2003). 교육의 판을 다시 디자인하는 대안교육. **도시와 빈곤**, 61. 한국도시연구소.

김태성・손병돈(2012). **빈곤과 사회복지정책**. 서울 : 청목출판사.

김향초(2001). **가출청소년의 이해와 개입방법**. 서울 : 나눔의집.

김혜민(2011). 다문화가정 자녀의 가족건강성과 사회적지지가 진로태도성숙에 미치는 영향 : 중학생을 중심으로. 한남대학교 대학원 석사학위논문.

김희년 외(2016). **사회문제론**. 경기 : 공동체.

김희대(2007). **한국의 전문상담교사제도**. 경기 : 서현사.

노현주(2015). 학생인권조례에 대한 인식 및 태도에 관한 연구-전북지역 중학생을 중심으로-. 한일장신대학교 기독교사회복지대학원 석사학위논문.

류방란・김경애・이재분・송혜정・강일국(2012). 중등교육 학령기 다문화가정 자녀 교육 실태 및 지원방안. 한국교육개발원.

박정란 외(2014). **청소년 복지론**. 경기 : 양서원.

배가령(2021). 이주배경청소년의 진로장벽과 진로태도에 영향을 미치는 요인 분석. 동아대학교 교육대학원 석사학위논문.

법제처(2016). 다문화가족 지원법.

______(2016). 학교폭력예방 및 대책에 관한 법률.

서덕희(2016).문화의 차원에 비추어 본 이주배경청소년의 진로상황과진로지. **한국교육학연구**, 22(3), 115-148.

서덕희・조은혜(2017). 중도입국청소년의 진로성향과 그 생태학적 조건에 대한 탐색. **교육문화연구**, 23(1), 217-247.

설서나(2022). **이주배경청소년의 진로장벽을 낮추는 방안**. 미발표논문.

성민선 외(2010). **학교사회복지의 이론과 실제**. 서울 : 학지사.

성민선(1999). 학교사회사업의 제도화 전략과 방법, 학교사회사업학회제5회 학술대회 자료집.

송병국・전주연(2006). 청소년의 진로장벽과 진로성숙도 간의 관계분석. **농촌지도와 개발**, 20(1), 235-264.

신명호(2003). 빈곤가정 청소년의 과거, 현재 그리고 미래. **도시와 빈곤**, 62. 한국도시연구소.

신익현(2003). 교육복지투자우선지역지원사업의 의의와 추진방향. **도시와 빈곤**, 61. 한국도시연구소.

신현옥・윤상석・이슬기・김도혜・이향규・오수연(2012). 이주배경청소년의 유형별 실태와 정책과제.

양계민 외(2011). 중도입국청소년 실태조사. 서울 : 무지개청소년센터.

양계민 외(2020). 이주배경 아동·청소년의 하위범주별 포함 대상 및 특성.

양계민·윤민종·신현옥·최홍일(2016). 다문화청소년 종단조사 및 정책방안 연구Ⅳ : 총괄보고서. 한국청소년정책연구원 연구보고서, 1-396.

양계민·황진구·연보라·정윤미(2018). 다문화청소년 종단연구 2018 : 총괄보고서. 한국청소년정책연구원 연구보고서, 1-555 여성정책연구.

여인중(2005). 은둔형 외톨이 히키코모리. 서울 : 프리칭 아카데미.

연합뉴스(2007. 7. 13). 여중생 집단성폭행 중학교 4명에 실형.

오성배(2011). 외국인 이주 노동자 가정 자녀의 재학 학교 특성에 따른 교육지원 실태와 문제 탐색. 순천향 인문과학논총, (29), 245-281.

오성배·오정숙·김학범·박희훈·이유정(2018). 이주배경청소년 진로탄력성 프로그램 개발. 세종 : 한국청소년정책연구원.

오영재 외(2001). 뉴 밀레니엄 시대의 청소년복지론. 서울 : 양지출판사.

유소영(2013). 사회적 지지와 진로결정 자기효능감이 다문화 중학생의진로포부에 미치는 영향. 명지대학교 대학원 석사학위논문.

유인창(2021). 다문화 청소년의 진로장벽이 진로준비행동에 미치는 영향. 명지대학교 대학원 박사학위논문.

윤철수(1995). 중등학교에서 학교사회사업가의 활용 가능성에 관한 사례연구. 숭실대학교 대학원 대학원 석사학위논문.

윤철수·진혜경·안정선(2006). 학교교육과 복지. 경기 : 양서원.

이수정·이혜선(2006). 비행청소년의 비행특성과 자기애적 성격성향에 관한 연구. 한국심리학회지, 20(2), 1-18.

이용복(1997). 우리나라 청소년 정책 행정기구의 문제점 및 발전방향에 관한 연구. 청소년복지 연구, 4(1), 125-142.

이인재(2003). 저소득층 가정 청소년빈곤정책에 관한 연구. 청소년자활지원관 정책세미나 자료집.

이정숙·권영란·김수진(2007). 청소년의 집단따돌림 피해와 우울이 자살사고에 미치는 영향. 정신간호학회지, 16(1), 32-40.

이종복 외(2013). 다문화사회의 이해와 복지. 경기 : 양서원.

이지민·오인수(2013). 다문화 가정 중학생이 지각한 부모와의 의사소통 유형 및 애착이 진로장벽 인식에 미치는 영향. 교육과학연구, 44(3), 193-216.

이창호·김경희·장상아(2013). 스마트폰 확산에 따른 청소년보호방안 연구. 한국청소년정책연구원.

이현지(2003). 중학생들의 성의식에 관한 연구. 중등교육연구, 51(2), 487-508.

이혜영 외(2003). 교육복지 투자우선지역 선정지원을 위한 연구. 한국교육개발원.

이혜원(2000). 저소득층 가정 아동서비스의 전달체계 모형개발. 결식아동 현황 워크숍. 부스러기선교회.

이혜진 · 장석진(2012). 다문화가정 자녀의 자아탄력성 향상을 위한 집단미술치료프로그램의 효과. 미술치료연구, 13(4), 837-858.

이희정(2003). 학교사회복지의 제도화 방향에 관한 연구 -학교사회복지사의 인식을 중심으로-. 숙명여자대학교 대학원 석사학위논문.

임용수(1993). 진로지도의 이론과 실제. 서울 : 서울특별시 교육연구원.

장수한 외(2008). 빈곤청소년을 위한 청소년 자활지원관 모형에 관한 연구. 서울 : 보건복지부.

장수한(2005). 빈곤학생의 적응력 향상을 위한 멘토링 프로그램 적용에 관한 연구. 학교사회사업, 8.

______(2010). 학교사회복지의 이론과 프로그램 실제. 경기 : 양서원.

______(2011). 청소년과 사회복지. 서울 : 청목출판사.

______(2014). 청소년 활동론. 경기 : 양서원.

장이슬 · 송병국(2015). 대학생의 진로장벽과 진로준비행동의 관계. 청소년학연구, 22(7), 363-392.

장인협(1998). 사회사업실천방법론(상 · 하). 서울 : 서울대학교출판부.

______(2000). 사회복지실천론(중). 서울 : 서울대학교출판부.

전국경제인연합회(2009). 청년 니트족 현황과 대책.

전재일 외(2016). 학교사회복지론. 경기 : 양성원.

정연정(2010). 교육복지투자우선지역지원사업의 서비스 이용 결정요인 연구 : 사회적 낙인인식에 대한 조절된 매개효과를 중심으로. 성균관대학교 대학원 박사학위논문.

정지인(1997). 학교부적응 학생들의 중도탈락예방을 위한 학교사회사업의 역할 연구. 서울여자대학교 대학원 석사학위논문.

조영자(2007). 학교사회복지사의 역할에 관한 연구. 한영신학대학교 대학원 석사학위논문.

조윤동 · 강은주 · 고호경(2013). 수학과 국가수준 학업성취도 평가 결과를 통한 다문화 · 탈북가정 학생 차별기능문항 분석. 학교수학, 15(1), 179-199.

조혜영 · 양계민(2012). 중도입국청소년 학업실태 및 진로포부에 대한 탐색적 연구. 청소년복지연구, 14(3), 141-168.

조홍식(2000). 학교사회복지의 제도화방향, 학교사회사업학회 제7회 학술대회자료집.

주석진 외(2014). 학교사회복지론. 경기 : 양서원.

주석진(2013). 학교사회복지론. 경기 : 양서원.

주선진 · 조성심 · 라미영 · 방진희 · 엄경남 · 이종익 · 전구훈(2014). 학교사회복지론. 경기 : 양서원.

지영주(1996). 우리나라의 학교사회사업 실천방안에 관한 연구. 한양대학교 대학원 석사학위논문.

진동섭 · 이윤식 · 김재웅(2011). 교육행정 및 학교경영의 이해. 경기 : 교육과학사.

최상진(2005). 한국 청소년의 자살, 어떻게 볼 것인가. 한국청소년 상담원.

최인욱(1993). 학교사회사업실천을 위한 사회사업가의 역할과 개입전략. 부산대학교 대학원 박사학위논문.

최일섭(1989). 서울시 저소득층 실태파악과 대책수립에 관한 연구. 한국산업경제연구원.

최태산(1997). 청소년 비행과 자살생각에 미치는 가족역동의 심리적 변인 간의 인과적 분석. 전남대학교 교육학과 박사학위논문.

한국교육개발원(2007). 학교폭력 예방프로그램 개발 연구.

____________(2011). 교육통계연보.

한국청소년정책연구원(2012). 한국청소년정책연구원 개원 23주년 기념 특별 세미나 : 19대 국회에 청소년정책을 묻는다. 한국청소년정책연구원 세미나자료집 12-S01.

_________________(2018). 이주배경청소년의 전반적인 발달에 대한 7년간의 변화 추이

한국청소년학회(1998). IMF 시대 청소년의 소외와 참여.

한국청소년활동진흥원(2010). 2010 청소년수련시설 직무연수－청소년활동과 창의적 체험활동 연계·활성화를 위한 청소년수련시설 이해교육.

한국청소년활동진흥원(2010). 창의적 체험활동 설명회 자료집.

_________________(2010). 안전한 학교를 위한 학교사회복지실천과 정책, 추계 정기 학술대회 자료집.

한국학교사회복지사협회 부설 교육복지연구소 편(2006). **학교교육과 복지**. 경기 : 양서원.

한국학교사회복지사협회(2012). 학교사회복지 유사사업 현황.

한국형사정책연구원(2004). 청소년 약물남용과정에 관한 연구.

한상철 외(2003). **청소년문제행동–심리학적 접근**. 서울 : 학지사.

한양대학교 제3섹터연구소(1998). 멘터교육 교재, 한양대학교 제3섹터연구소.

한완상(1989). **청소년 문제와 학교교육**. 서울 : 연세대학교출판부.

한인영 외(2003). **학교와 사회복지**. 서울 : 학문사.

한인영 외(2004). **학교와 사회복지의 실천**. 경기 : 나남.

한인영·홍순혜·김혜란(2005). **학교와 사회복지실천**. 경기 : 나남.

한인영·홍순혜·김혜란·김기환(2001). **학교사회사업의 이론과 실제**. 서울 : 학문사.

한준상(2002). **집단따돌림과 교육해체**. 서울 : 집문당.

한채윤(2022). 다문화 청소년의 진로 장벽에 관한 연구. 동아대학교 국제전문대학원 박사학위논문.

홍봉선·남미애(2009). **학교사회복지론**. 경기 : 공동체.

Bos, C. S., Nahmias, M. L., & Urban, M. A.(1999). Targeting : Home-School Collaboration for Students with ADHD. *Teaching Exceptional Children*, *31*(6), 4-11.

Frey, C. B., & Osborne, M. A.(2017). The future of employment : how susceptible are jobs to computerization?. *Technological Forecasting and Social Change*, *14*, 254-280. Foundation for Young Australians.

Kling, B.(2000). Assert Yourself : Helping Students of All Ages Develop Self-advocacy Skill. *Teaching Exceptional Children*, *32*(3), 66-70.

McConnell(1999). Self-monitoring, Cueing, Recording, and Managing. *Teaching Exceptional Children*, *32*(2), 14-21.

McIntyre, T.(1989a). *A Resource Book for Remediating Common Behavior and Learning Problems.* MS : Allyn and Bacon.

__________(1989b). *The Behavior Management Handbook.* MS : Allyn and Bacon.

McLoughlin, J. A., & Lewis, R. B.(1986). *Assessing Special Students*(2nd ed.). OH : Merrill.

Roid, G. H., & Fitts, W. H.(1989). *Tennessee Self-Concept Scale : Revised Manual.* CA : WPS.

Sridhar, D., & Vaughn, S.(2000). Bibliotherapy for All : Enhancing Reading Comprehension, Self-concept, and Behavior. *Teaching Exceptional Children, 33*(2), 74-82.

Sussell, A., Carr, S., & Hartman, A.(1996). Families R Us : Building a Parent/School Partnership. *Teaching Exceptional Children, 28*(4), 53-57.

Swanson, J. L., & Toker, D, M.(1991). Development and initial validation of the careerbarriers inventory. *Journal of Vocational Behavior, 39*(3), 344-361.

Swanson, J. L., & Woitke, M. B.(1997). Theory into practice in career assessment for women : Assessment and interventions regarding perceived career barriers. *Journal of Career Assessment*, *5*(4), 443 - 462.

Swanson, J. L., Daniels, K. K., & Tokar, D. M.(1996). Assessing perceptions of career-related barriers : The Career Barriers Inventory. *Journal of Career Assessment*, *4*(2), 219 - 244.

Piers, E. V.(1989). *Piers-Harris Children's Self-Concept Scale : Revised Manual.* CA : WPS.

교육복지투자우선지역 지원사업. http://www.eduzone.or.kr

교육부. https://www.moe.go.kr/. 2022. 2022년 교육기본통계

드림스타트. http://www.dreamstart.kr

무지개청소년센터. https://www.rainbowyouth.or.kr/

범물복지관 멘토링 프로그램. http://www.worldvision.or.kr/bokji/beommul/bum_chung.html

여성가족부. http://www.mogef.go.kr/

위스타트. http://www.westart.or.kr

탈북청소년교육지원센터. https://www.hub4u.or.kr/main.do

한국건강가정진흥원. https://www.kihf.or.kr/

한국학교사회복지사협회 http://www.kassw.or.kr

한국학교사회복지학회. http://www.schoolsocialwork.org

행정안전부. https://www.mois.go.kr. 2020. 2019 지방자치단체 외국인주민 자녀 현황

찾아보기

인 명

내 용

저/자/약/력

■ 장수한
전 부산광역시청소년종합상담실 상담부장
김해시종합사회복지관 관장
현 인제대학교 사회복지학과 교수
김해시 가족센터 센터장

[제2판]
학교사회복지론

|저자| 장수한

|1판 1쇄| 발행 2017년 3월 5일
|1판 2쇄| 발행 2019년 2월 25일
|1판 3쇄| 발행 2020년 8월 3일
|2판 1쇄| 발행 2023년 2월 20일

|발행인| 김 동 훈
|발행처| 공 동 체

|주소| 경기도 고양시 일산동구 호수로 358-39
동문타워 I 905호(백석동)
|전화| 031) 814-3000(대표)
|팩스| 031) 814-3100
|홈페이지| http://www.compub.co.kr
|전자우편| compub@naver.com
|출판등록| 2005년 10월 6일
|등록번호| 제396-2005-36호

|ISBN| 979-11-6725-280-7
정가 18,000원